KB123357

진주강씨연구총서 3

숙헌공 강귀손

허경진 지음

숙헌공 강귀손이 서른에 다시 심은 정당매 후손 나무

정당매각. 지리산 단속사 터

숙헌공 부친 사숙재 강희맹 묘소 및 신도비각

숙헌공 강귀손 배위 정경부인 은진송씨 묘소

왼쪽부터 백부 인재공 강희안 신도비. 부친 사숙재 강희맹 신도비. 숙헌공 강귀손 신도비. 인재공 한글창제공신비

숙헌공 강귀손 묘비

숙헌공 강귀손 묘소 동자석

숙헌공 강귀손 신도비 제막식. 1980년 4월 27일

경기도 시흥군 수암면 하상리 선영 (당시 주소)

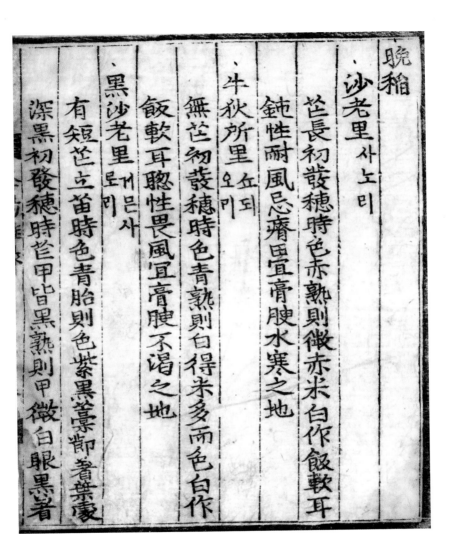

晩稻

·沙老里 사노리

芒長初發穗時色赤熟則微赤米白作飯軟耳

鈍性耐風忌瘴宜膏腴水寒之地

·牛狄所里 오듸소리

無芒初發穗時色青熟則白得米多而色白作

飯軟耳聦性畏風宜膏腴不渴之地

·黑沙老里 뎌믄사

有短芒立苗時色青胎則色紫黑莖節著葉皆

深黑初發穗時芒甲皆黑熟則甲微白眼黑著

숙헌공이 부친 사숙재의 『금양잡록』을 간행하면서 벼의 품종들을 한글로 함께 실었다.

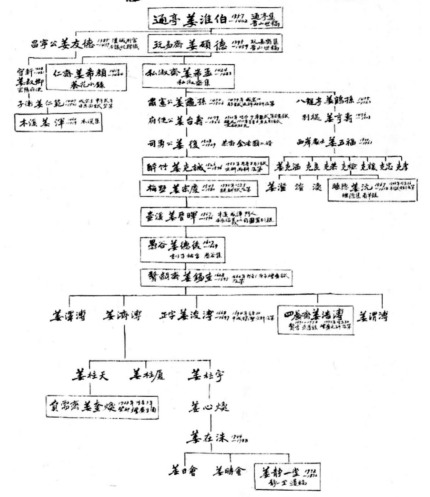

通亭公后 文翰家系圖

통정공 후손 문한가계도. 옥산 강선구 서백.

머리말

숙헌공 강귀손은 남에게 베풀기를 좋아하고 인덕이 많아서, 그 후손들까지도 친인척이나 친구들과 가족처럼 지냈다. 아버지가 처가에서 상속받은 금양별업을 외가 안씨 문중에 돌려준 것을 고맙게 생각하여, 안씨 문중에서는 오백년이 지난 지금까지도 강씨네 시제에 참석하고 있다.

숙헌공의 아들 태수가 동년 친구인 모재 김안국과 "자녀들이 자라면 혼인을 맺자"고 약속했었는데, 태수의 아들 복이 병에 걸린 것을 알고도 모재는 그에게 딸을 시집보냈으며, 사위가 일찍 세상을 떠나자 외손자들을 집에 데려다 키웠다. 미수 허목이 진외가 강씨네 묘도문자를 많이 지은 것도 결국 숙헌공의 인덕이 끼친 결과이고, 태수의 증손자 종경이 일찍 세상을 떠나자 그의 친구인 우계 성혼과 의주부사 김여물이 아들 하나씩을 데려다 길러준 것도 결국 숙헌공의 인덕이 후손에게 끼친 결실이다.

통정공이나 대민공은 진주강씨를 한국의 정치적인 명문으로 정착시킨 분들이고, 강희안과 강희맹 형제는 문장가로 이름을 떨친 분들이다. 그 아들 숙헌공이 행정의 달인으로 인정받아 재상에 올랐을 뿐만 아니라, 인덕이 있어 아들 태수가 당대의 대표적인 학자인 모재 김안국과 친구가 되고 사돈이 되었으며, 외손 가운데 미수 허목 같은 석학이 나와 학자의 집안으로도 자리를 굳혔다.

강희맹이 편찬한 『진산세고(晉山世稿)』를 이유원이 이미 한국의 대표적인 세고(世稿)로 인정하였거니와, 서거정이 어명을 받아 『사숙재집』

을 편집하고 간행한 이후에도 문집을 낸 후손이 열 명이나 나와 문한가
계도(文翰家系圖)를 작성할 수 있게 된 것도 숙헌공의 인덕이 후손에게
끼친 결실이라고 할 수 있다.

　강희맹은 조선 초기의 대표적인 문장가였지만, 아들 숙헌공이 지은
글은 『금양잡록』 발문 외에는 남아 전하는 것이 없어, 그의 행적이 제
대로 알려지지 않았다. 관원 선발의 글쓰기 시험이었던 진사시에 합격
하고 문과에 급제하였으며, 문과 중시에도 장원, 또는 2등으로 급제하
였다는 기록을 보면 당연히 글을 잘 지었겠지만, 친구들과 한시를 주고
받는 즐거움은 몰랐던 듯하다. 사육신의 한 사람인 추강 남효온이 지리
산을 유람하다가 숙헌공이 다시 심은 정당매를 보고, 누각 위에 앉아서
숙헌공이 지은 「종매기(種梅記)」를 읽어보았다고 했으니, 당시에는 적
게나마 그의 글이 외부에 전해졌던 것이 분명하다.

　후손 강선구 서백이 작성한 통정공 후손 문한가계도(文翰家系圖)에
의하면, 두세 분을 제외한 대부분의 문집이 숙헌공의 후손에게서 나왔
다. 자신이 지은 글은 없지만 다른 분들의 글을 통해서라도 숙헌공의
인품과 행적을 살펴보고 싶다는 후손들의 부탁을 받고, 여러 문헌을
참조하여 이 책을 만들었다.

　중종반정을 계기로 하여 조선초기의 문벌이 재편성되는 과정에서
진주강씨 통정공파를 여전히 문장가 집안으로 정착하게 하였던 숙헌공
강귀손의 행적이 이 작은 책을 통하여 조금이라도 알려진다면 다행이
겠다. 이름을 드러내지 않고 도와주신 여러 후손들께 감사드린다.

2021년 2월 2일
허경진

차례

강귀손의 생애에 대한 후대 평가와 기록의 오류 ·············· 200

아버지의 가르침을 받아 집안을 안정시키다

1. 사숙재의 훈도를 받으며 자라다

고려시대에는 과거 급제자들이 자신을 선발해준 지공거(知貢擧, 試官)의 제자가 되는 관습이 있었는데, 강회백(姜淮伯, 1357~1402)은 20세가 되던 1376년에 지공거(知貢擧) 정당문학(政堂文學) 홍중선(洪仲宣)과 동지공거(同知貢擧) 지밀직(知密直) 한수(韓脩)의 방(榜)에서 급제하였다. 강회백은 동년(同年) 가운데 정총(鄭摠)·유백순(柳伯淳)·이종학(李種學)과 가깝게 지냈는데, 나중에 정총(1358~1397)의 외손녀와 강회백의 작은아들 강순덕(姜順德, 1398~1459)이 혼인하여 강순덕의 양자 강희맹(姜希孟, 1424~1483)이 안산의 농장을 상속받고 진주강씨 공목공파가 경기도에 근거지를 마련하게 되었다. 동년끼리 사돈이 되어 공목공파를 일으킨 것이다.

진주강씨가 고려말에 명문세족이어서 강군보(姜君寶, 1312~1380)부터 3대에 걸쳐 과거시험에 합격하고, 강시(姜蓍, 1339~1400)·강서(姜筮, 1347~1424) 형제와 강시의 아들인 강회백·강회중 형제가 고위직에 올랐다. 강서는 당대 권력자 이인임의 사위였으며, 강시의 아들 강회계(姜淮季 ?~1392)는 공양왕의 사위였다. 강회백은 대사헌으로 이성계를 공격하다가 패배하여 관직에서 물러났고, 조선 건국 이후에는 진주로 낙향하였다.

　정도전을 숙청하고 즉위한 태종은 정도전에게 소외되었던 강회백 문중을 다시 조정으로 불러들였으며, 그의 손자 강희맹(姜希孟, 1424~1483)이 통정공파(通亭公派) 진주강씨를 조선의 대표적인 명문으로 발전시켰다. 강희맹은 당대 최고의 문장가이자 정치가였지만 정승에 오르지는 못하였다. 정승에 올라서 통정공파 진주강씨의 위상을 조선의 명문으로 정착시킨 인물이 바로 강희맹의 맏아들인 숙헌공(肅憲公) 강귀손(姜龜孫, 1450~1505)인데, 아버지의 훈도를 받으며 자랐기에 성공할 수 있었다.

2. 방대한 토지를 상속받아 경제적인 안정을 이루다

　강회백의 아들 석덕(碩德, 1395~1459)과 순덕(順德)은 당대 권력자 집안에 장가들며 벼슬할 기회를 얻었다. 강석덕은 심온(沈溫, 1375~1418)의 사위가 되고, 강순덕은 정사공신 2등, 좌명공신 1등 이숙번(李叔蕃)의 사위가 되었는데, 두 사람 다 강회백이 세상을 떠난 뒤에 장가들었으니 상대방 집안에서는 이들의 인물을 보고 사위로 고른 것이다. 심온의 사위 충녕대군이 왕으로 즉위하자, 강석덕은 세종(世宗)과 동서가 되었다. 강희맹은 문종과 세조의 이종사촌이 되어 신임을 얻었다.

　『세종실록』 즉위년(1428) 11월 23일 기사에 "처음에 임금(세종)이 왕위에 올라 장의동(藏義洞) 본궁(本宮)에 거처하였다. 박은이 들어와 왕 앞에서 관직을 임명하였는데, 이날에 중궁(中宮)의 백부와 숙부, 강석덕이 모두 관직이 승진되었다"고 기록되었다. 세종이 즉위하면서 심온이 영의정이 되자, 사위 강석덕은 장인에게 "천천히 승진하게 해달라"고 요청할 정도로 근신하였다. 이숙번도 처음 벼슬길에 나선 사위 강순덕을 다섯 달 만에 세 번이나 승진시키고 재산까지 미리 나누어 주었다. 강석덕과 강순덕 형제는 10대 후반에 이미 권력과 재산을 손에 넣었다.

부친과 숙부의 권력과 재산을 함께 물려받은 사람이 바로 강희맹이다. 강희맹은 스무살이 될 무렵 함양에 머물며 김종직 형제와 친하게 지냈는데, 함양에 있던 이숙번의 농장이 사위 강순덕을 거쳐 1441년에 강희맹에게 상속되었다. 강희맹이 차남이었기에 아들이 없는 숙부 강순덕에게 입양되었다가 함양 농장을 상속받은 것이다.

강희맹의 생부 강석덕은 사돈 심온이 태종에게 숙청당하면서 10년 동안 관직에서 물러났지만, 태종이 세상을 떠난 뒤에 사헌부 집의를 거쳐 승정원에 들어가고, 대사헌(종2품)과 참판(정2품)을 역임하였다. 세조가 즉위한 뒤에는 원종공신에 이름을 올렸다. 처가(妻家)에 동정적이었던 세종은 태종이 세상을 떠나자 처조부 심덕부(沈德符)의 행장을 동서 강석덕에게 짓게 하여 명예를 회복시켰으며, 멸문 당한 처가의 친인척들을 관직으로 불러들인 것이다.

단종(端宗)이 즉위하던 1452년에 이숙번의 처 정씨(鄭氏)가 왕에게 "외손자 강희맹의 상속 재산을 바로잡아 달라"고 청하였다. 남편이 사위에게 나누어준 재산 목록을 수정하기 위해 문권(文券)을 돌려달라는 자신의 요구를 외손자 강희맹이 순종하지 않아 불순(不順)하다는 것과, 강순덕의 조카 강희맹이 수양입후(收養立後)라 하여 임의로 자신의 재산을 처분하고자 한다는 것이 주요 쟁점이었다.

이숙번은 1415년에 자신과 부인 정씨 명의의 재산을 딸(강순덕 부인)을 포함한 자녀들에게 상속하였고, 이 재산은 다시 강순덕의 부인 이씨에 의해 1440년에 양자 강희맹에게 상속되었다. 이숙번도 죽고 딸도 죽은 뒤에 연결고리가 끊어지자 외할머니 정씨와 입양된 외손자 강희맹 사이에 재산 분쟁이 벌어진 것이다.

이 문제는 단순한 재산 분쟁이 아니라 유교제도가 정착되어 가는 조선초기의 한 단면을 보여주기에 흥미롭다. 이숙번 부부가 합의하여 작성한 문권(文券, 分財記)을 남편이 죽은 뒤에 아내 혼자서 수정할 수 있는가? 입후자(立後者)의 상속권을 임의로 무효처리할 수 있는가? 이러한 법률적인 쟁점 뿐만 아니라, 남편이 생전에 결정한 사안을 미망인(未亡人, 당시 표현)이 임의로 수정한다면 남편의 뜻을 어기는 불종(不從)이 아닌가? 과부가 된 장모의 요구를 사위가 따르지 않으면 불순(不順)이 아닌가? 하는 윤리적인 문제까지 복합적으로 일어난 것이다.

이 사건의 당사자인 강희맹은 문종(文宗)과 이종사촌이었으니 단종에게는 이종오촌이었으며, 문제를 제기한 정씨는 개국공신 정총의 딸이었다. 이 문제를 판결하기 위해 육조의 당상관을 비롯하여 집현전·사헌부·사간원의 관원들이 참여하였고, 최종적으로 의정부의 영의정부사 황보인, 우의정 김종서, 좌찬성 정본, 우찬성 이양 등의 재상들이 판단하였다.

제사(祭祀)와 입후(立後, 양자) 등 예(禮) 관련 업무를 맡은 예조(禮曹)와 이조(吏曹)는 강순덕, 강희맹 부자에게 유리한 판단을 하였지만, 재산 및 윤리 사건을 맡는 호조(戶曹)와 사헌부(司憲府)는 이들 부자에게 불리한 판단을 하였다. 중립적인 집현전(集賢殿) 학자들은 강희맹과 친하였다. 신숙주(申叔舟)는 강석덕의 밑에서 일했었고, 강희안과 집현전 동료였으며, 후에 강희맹과 사돈을 맺을 정도로 친하였다. 이개·한계희·이승소 등도 강희안·강희맹과 어릴 적부터 친구여서, 집현전 학자들이 강희맹에게 우호적인 의견을 내어놓았다.

그러나 의정부는 '재산권은 부모의 임의 권한'이라는 의견을 적극적으로 받아들여 일체 재산의 처분 및 사용권을 정씨에게 유리하게 결정하였다. 강희맹 부자에게 유리한 법적, 윤리적 쟁점은 일체 부정되고, 불리한 논점에 의해 판결받은 셈이다. 결과적으로 강희맹이 20대 초반에 머물던 함양의 농장은 외할머니 정씨에게 돌아갔다. 그러나 외할아버지 이숙번이 물려준 안산(安山) 일대의 농장과 노비는 그대로 보전하여 진주강씨가 진주 뿐만 아니라 경기도(京畿道) 안산(安山)에도 근거지를 마련하는 결과를 낳게 되었다.

강희맹이 문과에 장원급제하여 화려하게 관직에 진출하게 되자, 세종은 처조카 강희맹의 장원급제 소식을 사돈에게 직접 알려주었고, 수양대군도 장원을 축하하는 편지를 써서 보냈다. 외할아버지에게 상속받은 안산의 농장까지 있어 당대 최고의 가문이 될 바탕이 모두 이루어졌다.

강희맹은 세종에서 성종까지 여섯 명의 왕을 모셨다. 세조가 즉위한 뒤에는 집현전 관원으로 임명되어 원종공신으로 이름을 올렸으며, 발영시(拔英試)와 등준시(登俊試)에 잇달아 갑과(甲科)에 합격하여 판서(정2품) 벼슬에 올랐다. 예종(睿宗)이 즉위하면서 남이(南怡)의 옥사(獄事)가 일어나 일당이 처벌되자 적극적으로 상소하여 익대공신(翊戴功臣) 진산군(晉山君)에 봉해졌다.

『예종실록』 1년(1469) 6월 27일 기사에 "마침내 이조에 명하여 강희맹과 이존을 익대공신(翊戴功臣) 3등에 추록(追錄)하게 하였다"고 기록하였다. '반룡부봉(攀龍附鳳)'이란 '용의 비늘을 끌어잡고 봉황의 날개에 붙는다'는 뜻으로, 영주(英主)를 섬겨 공명(功名)을 세운다는 뜻이다. 신숙주가 예종을 영특한 군주[英主]로 치켜세우면서, 강희맹이 벼슬을 탐내는 것이 아니라 왕을 더 가까이에서 모시어 훌륭한 임금이 되도록 보필하려는 뜻이라고 설득하여 친구 강희맹이 공신에 이름을 올리게 된 것이다. 좌익공신의 예에 따라서 익대공신의 공신전(功臣田)에 세금을 부과하려다가 신숙주의 청에 의해서 세금까지 면제받았다.

강희맹을 공신으로 끌어들인 도승지 권감은 외아들 권만형이 강희맹의 사위였고, 옆에서 거들었던 원상(院相) 신숙주는 손녀가 강희맹의 아들과 혼인한 사이였다. 공신에 오를 만한 사연도 있었지만, 왕의 측근들이 모두 절친한 사돈이었기에 강희맹은 뒤늦게나마 공신에 이름을 올릴 수 있었다. 이러한 인맥과 방대한 토지가 아들 귀손에게 그대로 이어졌다.

예종이 즉위 1년만에 갑자기 세상을 떠나면서 왕위 계승문제가 복잡해졌는데, 정희왕후와 측근들이 의경세자(덕종)의 맏아들이 아니라 둘째 아들인 자을산군(者乙山君)을 후계자로 결정하였다. 이 과정에 참여한 강희맹이 좌리공신(佐理功臣)에 이름을 올리고, 대비(大妃)가 수렴청정하는 기간에 지경연사(知經筵事 정2품)로 임명되어 왕의 교육기관인 경연(經筵)을 실질적으로 이끌었다. 준비기간이 없이 하루 아침에 왕위에 올랐던 성종은 경연을 통하여 비로소 왕이 되는 공부를 하였으며, 스승 강희맹에 대한 신임이 그대로 아들 강귀손에게로 이어졌다.

3. 은진송씨 문중에 장가들면서 호서에도 근거지를 마련하다

강귀손에 관해 당시에 지은 행장이나 비문이 없기 때문에 자세한 행적이 알려지지 않았는데, 성년이 되어 관례를 치르고 혼인하는 과정에서 회덕에 방대한 근거지를 지닌 은진송씨 문중과 연결이 되었다.

『사숙재집』에는 안주 교생 김경명(金敬明)에게 지어준 「김성지자설
(金誠之字說)」, 조카사위 생원 우수(禹樹)에게 지어준 「우민보자설(禹敏甫
字說)」, 삼종손 강세창(姜世昌)에게 지어준 「강세창백겸자설(姜世昌伯兼
字說)」 등이 실려 있다. 아들에게 지어준 자설이 실려 있지 않아, 누가
무슨 뜻으로 용휴(用休)라고 지어주었는지는 알 수 없다. 그러나 성년
이 되어야 장가들 수 있으므로, 관례를 치르고 자를 받은 뒤에 장가든
것만은 확실하다.

용휴(用休)라는 자(字)는 아마도 『서경(書經)』 「익직(益稷)」에 "하늘이
임금에게 거듭 명해서 더욱 아름답게 해 줄 것이다.[天其申命用休]"라는
말을 가져다가 지은 듯하다. 후대의 인물이지만 문장가 이용휴(李用休,
1708~1782)의 자가 경명(景命)인 것도 이 구절에서 이름에 맞게 자를 지
은 것이다.

용휴(用休)는 우임금의 글에도 나오는 글자인데, 『서경』 「대우모(大禹
謨)」에 우임금이 이렇게 말하였다. "아! 황제여 생각하소서. 덕은 정사
를 선하게 하고, 정사는 백성을 기르는 데 있습니다. 수·화·금·목·토
와 곡식이 잘 닦여지며, 정덕(正德)과 이용(利用)과 후생(厚生)이 화하여
아홉 가지 공이 펴지게 하소서. 아홉 가지 펴진 것을 노래로 읊거든,
경계하고 깨우쳐서 아름답게 여기고 독책하여 두렵게 하며 권면하되,
구가(九歌)로 하시어 무너지지 않게 하소서.[於帝念哉 德惟善政 政在養民
水火金木土穀惟修 正德利用厚生惟和 九功惟敍 九敍惟歌 戒之用休 董之用威 勸
之以九歌 俾勿壞]"라고 하였다.

강귀손이 몇 살에 장가들었는지 확실치 않은데, 『사숙재집』에는
1466년 등준시(登俊試)에 2등으로 합격해 지은 시 다음에 회덕으로 장가
가는 아들에게 지어준 시가 실려 있다. 아마도 그 해에 장가간 듯하다.

아들 귀손이 회천으로 장가들었으므로 시를 지어 감회를 서술하다

지난해 서원에서 헤어진 것 생각하면
멀리 꿈속에서 괴로웠던 적도 많았지.
타향에 가서 잘난 척하지 말고
진중하게 몸조심하여 내 마음을 위로하라.
憶昨西京取別離。遠勞魂夢亦多時。
他鄕莫作驕矜者、珍重加飱慰我思。

두 개의 공을 던지고 받듯 세월이 바삐 지나니
학업을 때에 따라 마땅히 힘쓰거라.
권하노니 네 청춘이 한창 좋다고 자랑 말거라
우연히 눈 깜짝할 사이에 백발이 되느니라.
跳丸日月走何忙。學業隨時當自强。
勸汝莫誇靑鬢好、偶然一瞥已成霜。

시골에서는 응당 부귀 남아라고 부르겠지만
이런 말은 도리어 사람을 해치는 말이니라.
수양 잘하고 지조를 세워 부지런히 공부하면
공명을 거두기란 잠시 동안이니라.
鄕曲應稱富貴兒。此言還是害人辭。
淸修立節勤爲業、收取功名在暫時。

뒷날 강귀손이 승정원이나 사헌부에서 벼슬하며 충청도 관련 사건에 관해서 발언할 때에는 "처향(妻鄕)이어서 사정을 잘 안다"고 말하거나 피혐하였는데, 강귀손의 장인 송요년(宋遙年, 1429~1499)은 회덕에 은진송씨의 터를 닦은 쌍청당(雙淸堂) 송유(宋愉, 1389~1446)의 손자이

우측부터, 그림1. 기해년 문과방목 / 그림2. 송요년 뒤에 강귀손 이름이 보인다.

다. 송유의 조부 송명의(宋明誼)가 판서 황수(黃粹)의 따님에게 장가들어 회덕의 방대한 토지를 상속받았는데, 그 땅이 강귀손에게도 일부 상속되었다.

장인 송요년의 자는 기수(期叟)인데, 25세 되던 1453년 생원시(生員試)에 아우 순년(順年)과 함께 합격하였다. 51세 되던 1479년에 한산군수로 재직하면서 문과에 응시하여, 30세 되던 사위 강귀손과 함께 급제하였다. 방목에 실린 성적으로는 장인이 병과 5위이고, 사위가 6위이다.

장인과 사위가 함께 급제한 기록은 은진송씨의 『덕은가승(德恩家乘)』에만 흥미롭게 기록된 것이 아니라, 강귀손의 선배 성현(成俔)이 지은 송요년의 묘표(墓表)에도 특별하게 기록하였다.

　　성화(成化) 기해년(1479) 문과(文科) 별시(別試)에 합격하여 특별히 사옹원(司饔院) 정(正 정3품)을 제수받았다. 그때 사위 강군(姜君)도 또한 같이 합격하였다. 장인과 사위가 함께 급제한 것은 옛날에도 드문 일이어서, 사람들이 모두 영광스런 일이라고 하였다.

　　상주목사로 나갔는데, 공의 부친(송계사)도 예전에 상주 판관(判官)으로 치적(治積)이 좋아 이름이 있었다. 공이 어렸을 때에 따라간 일이 있었는데, 이번에는 목사로 부임하여 고을에서 어머니를 봉양하니, 고을 사람 가운데 감탄하지 않는 자가 없었다.

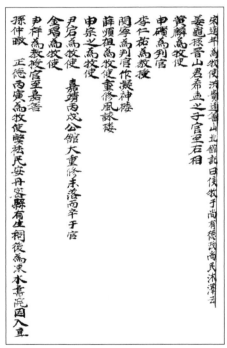

그림 3. 『상주목읍지』 선생안 첫 줄에 송요년 이름이 보이고,
그 다음에 강귀손 이름이 보인다.

이들 장인과 사위는 문과 급제만 나란히 한 것이 아니라 상주목사
에도 차례로 부임하였다. 강귀손 경우에는 『성종실록』에 상주목사에
제수한 기록이 보이지 않고 『공목공파대동보(恭穆公派大同譜)』에만 1485
년에 부임했다고 기록되어 있는데, 『상주목읍지(尙州牧邑誌)』 선생안(先生案)
에 송요년·강귀손 순서로 잇달아 이름이 실려 있다. 송요년 기사에는
홍귀달의 「선산북관기(善山北館記)」 가운데 "상주에서 목사로 다스리
며 덕정(德政)을 베풀어 상주 백성들이 혜택을 입었다"는 구절을 소개
하였다.

　1501년 정월에 처조모 공인(恭人) 김씨(金氏)가 세상을 떠나자, 이조
판서로 재임하던 강귀손이 당질(堂姪)인 홍문관 교리 강혼에게 묘표(墓
表)를 지어달라고 부탁하였다. 강혼은 2월에 정시(庭試)에 합격하여 한
품계 승진된 상태에서 묘표를 지었다.

　홍치(弘治) 신유년(1501) 정월 기미일에 사헌부 지평 송공(宋公) 계사
(繼祀)의 부인 김씨가 병환으로 충청도 회덕현 집에서 세상을 떠나니,
수가 95세였다. 그의 맏아들 군자감(軍資監) 정(正) 요년(遙年)의 사위인
진원군(晉原君) 강공(姜公) 귀손(龜孫)이 부인의 여러 자손들과 함께 장례
날을 받아, 이해 3월 신유일로 정하고, 장지를 가려 회덕(懷德) 주산(主山)
에 예를 갖추어 장례지냈다. 묘소는 지평공 묘소 왼쪽에 있다. (줄임)
　부인은 어려서부터 현숙한 덕행이 있었다. 출가해서는 한결같이 여칙
(女則)에 따랐으며, 공손하게 시부모를 받들었다. 지평공(持平公)이 세상
을 떠나자 집상(執喪)할 때에 극진히 슬퍼하였다. 혼인할 때에는 문벌만
가리고, 부귀는 논하지 않았다. 천성이 엄숙하면서도 인자하였으며, 집을
다스림에 법도를 지켜, 악착스럽게 재물을 늘리려 하지 않아도 재산이
수만 금이나 되었다. 그러면서도 화려한 것을 좋아하지 않았고, 불교도

좋아하지 않았다. 법인(法人, 불교도) 가운데 권하는 이가 있으면 반드시 "부인은 달리 할 일이 없다. 일가 가운데 외롭고 가난한 사람을 돌봐주면 된다"고 말하였다. 늘 마음을 다하지 못하는 것처럼 아쉬워하였다.

두 아들을 두었는데, 감정(監正, 요년)과 그 아우 순년(順年)이 모두 문과에 급제하였다. 아우는 벼슬이 예조정랑에 이르렀는데, 둘 다 (부인 보다) 먼저 세상을 떠났다.

(맏아들인) 감정(監正)은 2남 1녀를 두었다. 장자 여림(汝霖)은 진사에 합격하여 고산(高山) 현감이 되었으니, 이 분이 주상(主喪)이다. 차자는 여집(汝楫)이다. 사위는 진원공(晉原公)인데, 지금 굉장한 재질과 돈후한 덕행으로 나라 일을 두루 다스리며 보필하여 육경(六卿)의 수장이 되었다. (줄임)

이미 장수하고 부귀하게 되었으며 어진 자손이 많으니, 천도(天道)가 착한 사람에게 복주는 것을 참으로 여기에서 징험할 수 있다. 장례가 끝난 뒤에 진원공(晉原公)이 나 혼(渾)이 낭속(郎屬)으로 있다고 하여 이 분의 묘갈(墓碣)을 쓰라 하니, 사양할 수 없어 증거의 자료가 되게 한다.

이 달 하순에 통선랑(通善郎) 이조정랑(吏曹正郎) 강혼이 삼가 쓰다

실록에나 문집에는 강혼이 이조정랑이 되었다는 기록은 보이지 않는다. 홍문관 교리나 이조정랑이나 둘 다 정5품인데, 2월 정시에 합격하면서 이조정랑으로 옮긴 듯하다. 이 글을 보면 송요년이 세상을 떠난 뒤라서 그랬겠지만, 공인 김씨의 맏아들인 송요년이나 상주인 송여림보다 강귀손 중심으로 서술한 느낌이 든다.

비문에서 재산이 수만 금이나 된다고 한 것처럼 은진송씨는 회덕의 많은 재산을 바탕으로 하여 조선초기의 명문들과 혼인을 맺어 차츰 중앙으로 진출하였다. 처조모 공인(恭人) 김씨(金氏)의 묘표에는 강귀손 처남들의 소개가 간단하지만, 성현이 지은 장인 송요년의 묘표에는 자

세하게 소개되어 있다.

> 공은 판관 김양(金壤)의 따님에게 장가들어 2남 1녀를 두었다. 장남 여림(汝霖)은 진사에 합격하여 고산 현감을 지냈고, 차남 여집(汝楫)은 선무랑(宣務郞)이다. 따님은 판서 진원군 강귀손에게 출가하였다.
> 여림은 좌의정(左議政) 김국광(金國光)의 따님에게 장가들어 7남을 두었는데, 세훈(世勛)·세적(世勣)·세감(世勘)이며, 나머지는 어리다. 여집(汝楫)은 종실(宗室) 아림군(娥林君) 정(禎)의 따님과 혼인하여 2남을 두었는데, (첫째는) 세영(世英)이고, 하나는 어리다.

송요년은 종5품 판관 집안에 장가들었지만, 딸을 진주강씨 좌찬성(종1품) 강희맹의 집안으로 시집보내면서 중앙으로 진출하여, 장남은 좌의정(정1품) 김국광의 딸에게, 차남은 왕자의 딸에게 시집보내게 되었다. 글자 그대로 문벌을 중요하게 여겨 혼맥을 맺은 것이다.

은진송씨는 송요년의 후손 가운데 150년 뒤에 우암(尤庵) 송시열(宋時烈)과 동춘당(同春堂) 송준길(宋浚吉) 같은 산림(山林)들을 배출하여 조선 후기 노론 정권을 형성하였다.

4. 아버지가 글을 지어 아들을 가르치다

강귀손은 학자가 되려고 생각하지 않았기에, 특별한 학자를 찾아가 배우지는 않았다. 그러나 가장 훌륭한 스승인 아버지에게서 기회 있을 때마다 가르침을 받았다. 본인이 기록한 글이 남아 있지 않기에, 『사숙재집』에서만 그 흔적을 일부 찾아볼 수 있다.

통정공파의 후손들이 대대로 명문거족을 유지할 수 있었던 비결 가

운데 하나는 강희맹의 가족 사랑이었다. 그러한 마음을 알았기에 성종
도 의지할 데 없이 불안해진 원자 연산군을 그의 집에 맡겨서 사랑으로
길러 달라고 부탁했을 것이다. 형 강희안이 36세 되던 1452년에 아들
을 낳자, 아우 희맹이 축하하는 글을 지었다.

> 우리 강씨는 진주에서 나왔다. 어느 시대부터 흥왕했는지 알 수 없지
> 만, 원조(遠祖)로부터 지금까지 대마다 사람이 모자라지 않았고, 청검
> (淸儉)으로 가법(家法)을 이루어 왔다. (줄임)
> 우리 백숙(伯叔)의 형제는 모두 네 명인데 동당자(同堂者)도 역시 이
> 숫자에 지나지 않는다. 강씨의 자손은 전보다 더욱 줄었는데 우리 형제
> 가 장년이 되도록 모두 후사가 없었으니 전열(前烈)을 잇지 못할까 걱정
> 되었다.
> 그러다가 지난 경오년(1450)에 아우가 처음으로 아들 귀손(龜孫)을
> 얻었고, 그 이듬해 임신년(1452) 정월 29일에 형이 또 아들을 얻었으니,
> 몇 해 사이에 한 집안에 경사가 겹쳤다. 이는 참으로 우리 선조의 충청
> (忠淸)과 절검(節儉)과 적덕(積德)에서 이루어진 것인가.
>
> − 「인재의 득남을 축하하다[賀仁齋得男]」

강희맹이 형과 조카를 사랑한 것처럼, 강희안도 조카들을 사랑하여
귀손과 인손에게 그림을 그려주었다. 그림을 통하여 가르침을 전한 것
인데, 강희맹이 그 뜻을 풀어서 시를 지어 아들들에게 주었다. 꽃과 나
무 가꾸기를 일삼던 형제의 즐거움을 아들에게도 물려주려 한 것이다.

> 인재가 내 아들 귀손과 인손을 보고 솔과 대나무를 그려 주기에 그림에
> 담긴 뜻을 그 위에 펼쳐 쓰다
> 작은 소나무는 원래 대부송(大夫松)의 손자여서

굳센 마디가 응당 후손에게까지 미쳤네.
이마를 만져보면 벼락 감춘 줄을 이미 알겠으니
뿌리 뻗은 건 아마도 천지를 덮으려 함이겠지.
파도 소리 얼핏 나니 솔바람 소리 들리고
용의 그림자 나누어지자 달에도 흔적 보이네.
너희들이 언제 좋은 꿈 이뤄지나 보려고
앉아서 향 피우고 아침 저녁으로 비노라.
小松元是大夫孫。勁節應當泊後昆。
摩頂已知藏霹靂、托根終欲蔭乾坤。
濤聲乍起風生韻、龍影纔分月有痕。
看汝何時成吉夢、坐拈香炷祝晨昏。

—「仁齋見龜孫·麟孫, 畵松竹以贈, 遂題其上.」

 진시황이 태산에 봉선(封禪)하려고 올랐다가 갑자기 비바람을 만나 소나무 아래에서 피신하고는, 돌아온 뒤에 진(秦)나라의 관작(官爵)을 상고해서 이 소나무에 오대부(五大夫)의 작위로 봉해 주었다는 대부송(大夫松)의 고사가 『사기(史記)』 권6 「진시황본기(秦始皇本紀)」에 실려 있다. 오대부는 20등급(等級)의 작위 가운데 제9등의 작위이다.

 강희맹 형제가 꽃과 나무 기르기를 즐겼을 뿐 아니라, 실제로 이들의 집 마당에는 큰 소나무가 있었다. 강희맹은 손자들이 그 소나무를 보면서 자라 진시황의 대부송처럼 기품을 지니고 남들에게 덕을 베풀어 잘 되기를 바랐는데, 실제로 나중에 원자가 이 소나무에서 즐겨 놀았던 기억을 되살려 금띠를 둘러 주었다는 설화가 『연려실기술』에 실려 있다. 귀손과 인손에게 이 시를 지어준 것을 보면 아직 학손이 태어나기 전, 귀손이 5세 무렵에 받은 그림과 글인 듯하다.

셋째아들 인손(麟孫)이 13세 어린 나이로 세상을 떠나자, 강희맹이 가슴 아파하며 「도자편(悼子篇)」을 7수나 지었다.

> 늙은 아비가 중국에 사신으로 가서 어려움 겪을 때에
> 너는 늙은 아비 얼굴이 여위었다고 말했었지.
> 네가 구천(九泉)으로 돌아가 늙은 아비와 헤어졌으니
> 늙은 아비가 너를 따라갈 길이 없구나.
> 다락 문을 닫아걸고 말없이 오똑 앉았노라니
> 벼슬길이 어찌 근심 걱정을 가라앉히랴.
> 아아! 두 번째 노래에도 슬픔이 그치지 않으니
> 곁에 있는 사람들까지 나 때문에 괴로워하네.
> 老夫朝燕蒙險艱。兒呼老夫毁形顔。
> 兒歸九泉別老夫、老夫無路能追攀。
> 兀然閉閣坐無語、終南安得齊憂端。
> 嗚呼二謌兮歌未闌、傍人爲我茹辛酸。

이 시는 칠언고시 7수 가운데 제2수인데, 첫머리에서 어린 아들은 늙은 아비를 걱정했건만 늙은 아비는 어린 아들을 지켜주지 못한 안타까움을 토로했다. 늙은 아비를 네 번이나 말하고 어린 아이를 두 번이나 찾아 어린 아들이 늙은 아비보다 먼저 떠난 자신의 충격을 걷잡지 못했으니, 두번째 노래에도 슬픔이 그치지 않아 일곱 수가 되도록 거듭 아들에 대한 사랑과 슬픔을 노래하였다.

강희맹은 자식들에 대한 애정이 남달랐다. 첫 부인과의 사이에 6남 5녀를, 두 번째 부인과의 사이에 2남 3녀를 두었는데, 부인이 세상을 떠난 지 얼마 되지 않아 하룻밤 사이에 두 아이를 연이어 잃는 등 자식

들을 모두 일찍 떠나보냈다. 다행히 맏아들 귀손은 잘 자라 강희맹에게 큰 위안이 되었다.

귀손은 문과에 급제하기 전에 음보(蔭補)로 벼슬을 시작하였다. 통정공파는 공신의 집안이었으므로 시험에 관계없이 벼슬을 받을 수 있었는데, 강희맹의 행장에 그런 사연이 실려 있다.

공은 부유한 가문에서 성장하였지만 벼슬을 마음에 두지 않았으므로, 나이 24세가 될 때까지도 서민 신분으로 있었다. 그때 나라에서 선대의 문덕(文德)이 있는 집안의 자제를 모집하여 충순위(忠順衛)를 설치하였는데, 그곳에 나아가면 벼슬길이 상당히 빨랐다. 대민공이 공에게 말하였다.

"네 나이 약관(弱冠)이 넘었으므로 공명(功名)을 반드시 이룰 것이라고 기대할 수 없으니 충순위에 소속하라."

공이 이렇게 대답하였다.

"머리가 희어지도록 경전을 연구하는 것이 선비가 해야 할 본분입니다. 어찌 품계 하나를 위하여 병사의 대열에 낄 수 있겠습니까?"

대민공이 기뻐하며 "내가 너의 뜻을 시험해본 것이다." 하였는데, 이해 가을 별시(別試)에서 1등으로 합격하였다.

뒷날 귀손이 세상을 떠나자, 『연산군일기』 11년 8월 17일 졸기(卒記)에 "문음(門蔭)으로 군기시(軍器寺) 주부(主簿, 종6품)를 거쳐 돈녕부(敦寧府) 첨정(僉正, 종4품)에 제수되었다."고 하였다. 그런데 음직으로 벼슬길에 나섰던 귀손이 19세 되던 1468년에 스스로 벼슬을 그만두고 공부하겠다고 나섰다.

주위에서는 "벼슬을 그만두면 안 된다"고 말리기도 하고, "공부를 더

깊게 하려고 한 것이니 잘한 일이다"라고도 했다. 그러나 강희맹은 "왜 벼슬을 그만두었느냐?" 묻지도 않고, "그러면 안 된다"고 윽박지르지도 않았으며, "앞으로 어찌하려느냐?"고 다그치지도 않았다. 아들을 불러다 놓고 타이르다 보면 감정이 앞설까 염려되어, 다섯 편의 이야기를 지어서 넌지시 훈계하였다. 아들을 가르치기 위해 지은 글이 바로 「훈자오설(訓子五說)」이다.

강희맹이 귀손을 불러다 직접 타이르지 않은 이유는 주자(朱子)가 맏아들 수지(受之)에게 준 편지를 읽어보았기 때문이다. 주자는 이 편지에서 아들에게 이렇게 타일렀다.

"근(勤, 부지런함)과 근(謹, 삼가고 공손함)이란 두 글자를 토대삼아 올라가면 무한한 좋은 일이 있을 것이니 내가 비록 과감하게 말하지는 않지만 너를 위해 원하는 바요, 이를 반대하고 내려가면 무한히 좋지 못한 일이 있을 것이니 너를 위해 근심하지 않을 수 없다. 네가 만약 학문을 좋아한다면 집안에 있어도 실컷 책을 읽고 글을 지으며 의리를 강명(講明)할 수 있으니, 멀리 부모의 슬하를 떠나야 할 것도 없다. 그러나 네가 그렇게 하지 못하게 되었다. 지금 너를 보내는 것은 네가 집안에 있으면 세상일에 골몰하여 공부에 전심하지 못할까 염려한 때문이다. 네가 그곳에 가서 분발하고 용기있게 나아가 예전 버릇을 힘써 고치고, 한결같이 근근(勤謹)이란 두 글자에 전념하면 내가 오히려 희망을 가질 수 있을 것이다. 그렇지 않고 집안에 있을 때와 같다면 나중에 돌아와서도 여전히 그전 인물 그대로일 것이니, 네 장차 무슨 면목으로 부모·친척·향당(鄕黨) 친구들을 대하겠느냐. 네 부조(父祖)를 욕되게 하지 않는 것이 이 한 걸음에 달렸다."

강희맹은 주자의 편지를 읽고, "아비가 자식을 가르치는 것은 농사꾼이 곡식을 가꾸는 것과 같으니, 곡식을 잘못 가꾸면 마침내 굶주리는 근심을 보게 되는 것이요, 자식을 잘못 가르치면 마침내 위태로운 화를 이루는 것이다."라고 깨달았다. 그랬기에 아들 귀손에게 "거름 주고 김 매는 일과, 훈계하고 격려하는 법을 어찌 잠깐이나마 마음에 소홀히 할 수 있으랴. 하물며 늘그막에 자녀들의 불행을 많이 당하고 다만 두 명 밖에 안 남았으니, 여름 날 겨울밤이면 다시 만날 수 없는 슬픔을 참지 못하며, 여러 사람 모인 자리에도 생각이 나면 눈물이 떨어지곤 하여 갑자기 하나의 괴물이 되고 말았으니, 너를 위해 바라는 정이 과연 어떠하겠느냐."라고 아비의 속마음을 진솔하게 털어놓았다.

강희맹은 「훈자오설」에서 도둑질을 가르치는 아버지 이야기[盜子說], 뱀을 잡아먹는 사람들 이야기[啗蛇說], 세 형제가 산에 오르는 이야기[登山說], 세 종류의 꿩 이야기[三雉說], 시장통에서 오줌 누는 도령 이야기[溺桶說] 등 다섯 가지 이야기를 귀손에게 들려주었다.

「도자설(盜子說)」은 자신이 최고라고 우쭐대는 아들 도둑의 교만을 고쳐 주기 위해 아버지가 아들을 위험에 빠뜨리는 이야기이다. 남을 통해 배우는 데는 한계가 있으니, 스스로 깨달아 가며 공부하길 바라는 마음이 담겨 있다.

「담사설(啗蛇說)」은 처음에는 뱀을 먹지 않다가 나중에 가서는 뱀을 먹고 죽기까지 한 사람들에 대한 이야기이다. 잘못된 일을 반복하다 보면 위험에 빠져 있다는 사실조차 모르게 된다는 것을 일깨워 주었다.

「등산설(登山說)」은 세 아들이 태산 일관봉에 해 뜨는 광경을 보려고 길을 떠나는 이야기이다. 몸이 성한 두 아들은 일관봉에 오르지 못하고, 다리를 저는 큰아들만 일관봉에 오른다. 자만심을 버리고 꾸준히 노력하면 어떠한 어려움이 있더라도 원하는 목표를 이룰 수 있다는 이야기이다.

「삼치설(三雉說)」은 조심성이 없어 미끼로 유인하면 단번에 잡히는 꿩, 조심성이 있긴 하지만 두세 번 유인하면 결국 잡히는 꿩, 그리고 아주 신중해서 절대로 잡히지 않는 꿩, 이 세 종류의 꿩에 대한 이야기이다. 세번째 꿩처럼 아들이 굳은 심지를 가지고 외부의 유혹에 쉽게 흔들리지 않기를 바라는 아버지의 마음이 담겨 있다.

「요통설(溺桶說)」은 시장통에서 오줌을 누는 버릇을 가진 아들이 아버지의 말을 듣지 않다가, 아버지가 죽고 난 뒤에야 뉘우친다는 이야기이다.

각각의 이야기 뒤에는 강희맹이 아들 귀손에게 들려주는 당부가 실려 있다. 사랑하는 아들이 세상을 지혜롭게 살아가기를 바라는 아버지의 마음을 느낄 수 있다.

「훈오자설」은 서문과 5편의 설(說), 귀손에게 보내는 편지 성격의 발문으로 이루어졌는데, 강희맹이 아들 귀손에게 보낸 편지는 아래와 같다.

경순이 목욕재계하고 생각을 깨끗이 한 다음에, 자식을 훈계하는 다섯 가지 이야기 한 질(帙)을 지어서 손수 쓰고, 아울러 맏아들[胤子] 귀손(龜孫) 용휴(用休)에게 편지를 보낸다.

공자가 선비의 효도에 대해 논하면서 "입신양명(立身揚名)하여 부모를 드러내게 하는 것"이라고 말한 까닭이 무엇이겠느냐. 마음이 세워지지 않으면 이름이 떨쳐지지 않아 자신을 구제할 겨를도 없으니, 하물며 부모를 드러낼 수 있겠느냐.

입신양명이라는 것이 선조의 음덕으로 벼슬을 얻어 날마다 근근이 때워가며 관청 일이나 보는 것을 말했겠느냐. 부모를 드러낸다는 것이 하나의 일을 잘하여 하나의 명예를 얻어 부모를 한때 기쁘게 해주는 것을 말하는 것이겠느냐. 반드시 흠없이 자신을 세워 썩지 않을 이름을 드날림으로써 부모를 드러내고 후손에게 영광을 남겨야 할 것이다.

이름난 재상의 가문에는 (후손 가운데) 이름난 재상이 드물어 대대로 찬란한 자가 적다. 그런데 어찌 그 까닭을 생각하지 않느냐. 나는 소견이 없지만, 그럴만한 이유가 있다고 생각한다. 호화롭게 자란 자제들은 날마다 부귀를 누리는 부형을 보고, 마음속으로 반드시 사람마다 모두 그럴 것이라고 여길 것이다.

그들이 오늘날 가볍고 따뜻한 비단옷을 입는 것이 선대에서 거친 옷을 입은 효험이라는 것을 어찌 알겠으며, 오늘날 부드럽고 맛있는 고량진미를 먹는 것이 예전에 푸성귀와 거친 밥을 먹어서 쌓인 결과라는 것을 어찌 알겠느냐? 오늘날 앞에서 길을 열고 뒤에서 호위하면서 영광스럽게 출입하는 것이 예전에 발이 부르트도록 걸어다닌 결과라는 것을 어찌 알겠느냐? 그 근본을 알지 못하면 무엇을 할 수 있겠느냐?

경순(景醇)이 비록 당시에 성립하여 큰 일을 한 부류는 아니지만, 선조의 가르침을 삼가 이어받고 선친의 뜻을 떨어트리지 않았다고는 말할 수 있다. 그러기에 근면 고심하여 일찍이 학문에 뜻을 두었던 일과 아버지와 스승의 말씀을 마음에 깊이 새긴 일들을 대략 기록하여 너를 권면하니, 너는 잘 살펴보아라.

경순(景醇)이 나이 겨우 두 살 때에 양모(養母)에게 맡겨 자라면서 법도가 없이 놀아, 나이 열두 살이 되도록 학문을 알지 못하였다. 그때 선군 대민공(戴愍公)께서 양근군수(楊根郡守)로 나갔는데, 나의 양모를 찾아보고 나를 군학(郡學, 향교)에 보내라고 하였다. 양모가 눈물을 흘리며 말하였다.

"제가 이 아이 덕분에 마음에 위안이 되었습니다. 학문이 성취되고 안되고는 운명에 달렸으니, 어찌 반드시 슬하를 멀리 떠나야만 배운단 말입니까?"

선군께서도 눈물을 흘리고 나의 등을 어루만지며 말씀하셨다.

"네가 스스로 학문을 알고 스스로 성립할 줄을 아는 것도 운명이고, 네가 스스로 망녕된 짓을 하여 끝내 떨치지 못하는 것도 운명이다. 네가 하고 싶은 대로 해라."

내가 그 말씀을 듣고는 스스로 다잡아서, 이듬해 을묘년(1435) 2월에 성유(省柔) 스님에게 수업하겠다고 청하였다. 처음에 구두(句讀)를 배웠는데, 마치 입에 재갈을 물린 것처럼 껄끄러워 무어라 형용할 수가 없었다. 그러나 아버지의 가르침을 곰곰이 생각해보면 스스로 그만둘 수가 없었다. 남보다 열 배 백 배로 애썼더니, 그제서야 남들과 비슷해졌다.

경순(景醇)이 비록 시골의 한미한 선비는 아니었지만 학문에 뜻을 둔 사람이 옷차림에 마음을 쓰면 큰 일에 소홀해지기 때문에, 겨울에는 바지와 웃옷 몇 벌, 여름에는 거친 갈옷 몇 벌로 추위와 더위에 대비할 뿐이었다.

병인년(1446) 겨울에 관찰사 김겸광(金謙光) 등 몇 명의 군자들과 같이 광교산(光敎山) 창성사(昌盛寺)에서 글을 읽고 있었다. 집에서 심부름꾼을 보내지 않은 지 오래 되자, 이가 잠방이에 가득 차서 가려워 견딜 수가 없었다. 불을 피워 놓고 그을려 보았지만, 다 없앨 수가 없었다. 오랜 뒤에 집에서 심부름꾼이 왔기에 새 잠방이로 갈아 입고, 내 손으로 입던 옷을 싸서 돌려보냈다. 어머니가 받아 가지고 차마 볼 수가 없어, 여종으로 하여금 빗자루로 이를 쓸어내고 끓는 물에 빨래하게 하였다. 빨래가 끝난 뒤에도 이의 껍질이 꿰맨 솔기에 다닥다닥 붙어 있었다. 어머니가 그 옷을 간직해놓고 내가 벼슬하기를 기다렸다가 보여주었으며, 또 자손들에게도 보여주려 하였으니, 너희들도 본 적이 있었다. 지금은 비단옷을 입고 있지만, 그때의 괴로움을 잊은 적이 없다.

갑자년(1444) 여름에 관찰사 이윤인(李尹仁) 등과 같이 금주산(衿州山)에서 글을 읽고 있었는데, 사람은 많고 양식은 적었으므로 한 사람이 하루에 한 되 반씩만 먹기로 약속하였다. 그 사이에 어찌 굶주리고 허기진 괴로움이 없었겠느냐.

이해 겨울에는 조리(趙離)공과 같이 황산(黃山) 사나사(舍那寺)에서 글을 읽었는데, 마침 눈이 내려 숲에 가득 쌓이고 날씨가 몹시 추웠다. 가끔 그곳에 사는 스님에게 김치를 얻어먹고 요기할 수 있었다. 지금은 궁중 수라간의 맛있는 음식이 눈앞에 즐비해 배불리 먹느라고 고생이지만, 그때의 괴로움을 잊은 적은 없다.

병인년(1446) 여름에 정승 한계희(韓繼禧)와 같이 삼각산에서 글을 읽었는데, 머물던 절에 일이 많이 생겨 다른 암자를 찾아보았으나 모두 거절 당하였다. 끝으로 어느 한 암자에 이르러 한정승과 함께 의논하였다.

"두건과 갈옷 차림의 선비는 천대받기 마련이다. 수치를 참고 역경을 받아들이는 것이 참다운 군자이니, 잠시 참고 이 절에 머물자."

그 절에 머무는 중이 사람을 맞아들여 재(齋)를 베풀 때에 우리들이 옆에 있는 것을 꺼려하였다. 어떤 나쁜 중이 벌거벗고 책상 곁에 시체처럼 누워 잠든 척하면서 기지개를 켜고, 책에 발을 올려 놓았다. 우리들을 화나게 하여 쫓아내려 했지만, 나와 한정승은 웃으면서 책을 제대로 놓고 계속하여 글을 읽었다. 우리들이 흔들리지 않자 그 중이 "재연(齋筵)에 공양을 올리느라고 솥이 빌 새가 없다"고 핑계를 대면서 한낮이 되도록 아침밥을 지어주지 않았다. 우리들은 할수없이 짐을 싸 가지고 집으로 돌아왔다. 지금은 나졸이 앞에서 인도하면서 사람들의 통행을 막고, 가는 곳마다 영장(迎將)이 배알하고 아전들이 분주히 움직이지만, 그때의 괴로움을 잊어본 적이 없다.

정묘년(1447) 가을 과거시험에 급제하여 종부시(宗簿寺) 주부(主簿, 종6품)가 되어 남지(南智) 정승의 집으로 찾아가 인사드리자, 남정승이 타일러 주었다.

"자네는 내가 대뜸 이렇게 말하는 것을 이상하게 여기지 말게. 사람의 마음이 매우 사나워서, 남의 나쁜 점을 들으면 드러내지 못할까 염려하고, 남의 좋은 점을 들으면 덮어두지 못할까 염려한다네. 그러니 처음 벼슬할 때에 처신하기가 가장 어렵고, 대대로 벼슬한 집안의 자제들이 더욱 어렵다네. 빈한한 집안의 자제는 방자한 행동을 해도 사람들이 모두 '저 사람은 무엇을 믿기에 감히 저런 짓을 하는가.' 하고, 세 번 잘못한 뒤에야 비로소 의심한다네. 그렇지만 대대로 벼슬한 집안의 자제가 방자한 행동을 하면 사람들이 '저 사람은 반드시 집안을 믿고 횡포를 부리고, 집안을 끼고 교만을 부린다'고 말한다네. 사람들이 이미 그렇게 의심하고 있는데 또다시 한번 의심받을 짓을 하면 말이 급속도로 퍼지니, 악명(惡名)이 유포된 뒤에는 어떻게 집집마다 찾아다니며 해명할 수 있겠는가. 이게 바로 대대로 벼슬한 집안의 자제가 입신양명하기 더욱 어려운 이유라네.

지금 자네는 젊은 나이로 과거에 급제했으니 사람들이 첫 번째 의심할 테고, 대대로 재상을 지낸 집안의 후손이므로 사람들이 두 번째 의심하겠지. 파계(派系)가 외척과 연결되니 사람들이 세 번째 의심할걸세. 자네가 세 가지나 의심받을 대상이 되었으니, 조금이라도 근신하지 않으면 그 잘못에 따라 사람들이 술주정을 한다거나 음란을 탐한다거나 교만을 부린다고 말할걸세. 악명이 한번 씌워지면 그대가 그런 일을 하지 않았다고 누가 감싸주겠나. 이렇게 되면 도리어 빈한한 집안의 자제보다도 못하게 되니, 조심하게나."

내가 그 말을 듣고 물러나와 그 말씀을 외우며 평생의 경계로 삼았다. 지금도 모든 일이 뜻대로 될 때마다 이 가르침을 생각하지 않은 적이 없다.

을축년(1445)에 조정에서 충순위(忠順衛)를 설치하고 음덕이 있는 집안의 자제를 선발하여 보임(補任)하였다. 이해에 보임된 사람은 곧바로 5품의 직책을 받았으므로, 학적(學籍)에 이름이 있는 자들은 앞다투어 보임받으려 하였다. 장인께서 나에게도 보임받으라 하였지만, 나는 그때 한창 학문에 뜻을 두었기에 대수롭지 않게 여기자, 장인이 선군께 편지를 보내어 청하였다. 선군이 나를 불러 "너는 어떻게 하려느냐?" 묻기에, 경순이 이렇게 대답하였다.

"저는 오로지 학문에 뜻을 두었기 때문에 다른 것을 생각할 겨를이 없습니다. 40세까지 부지런히 학업을 닦아 성취한다면, 지금 5품의 직함을 잃더라도 후일에 그 효험이 없을는지 어찌 알겠습니까? 만약 성취하지 못하더라도, 천한 것이 저의 분수입니다. 어찌 학문에 뜻을 둘 나이에 녹봉을 구할 생각을 하겠습니까? 그렇게는 하지 않겠습니다.”

선군이 얼굴에 기쁜 빛을 띠고 말하였다.

“지금 너에게 물어본 것은 너의 뜻이 어떤지 보려고 했을 뿐이다. 그렇지만 대답을 잘하지 못할까 염려했는데, 너의 뜻이 그렇다니 기쁘구나.”

그리고는 잔에 술을 따라 상으로 주었다.

나와 정종주(鄭宗周) 선생은 동갑인데, 정선생은 남수문(南秀文) 선생의 문하에서 수업하였다. 남선생이 선군에게 정선생을 칭찬하자, 선군이 나를 불러 정선생의 시문(詩文)을 보여주며 꾸짖었다. 내가 물러나와 정선생보다 못한 점을 생각해보니 거친 것이 몹시 부끄러워, 서재의 벽에 칠언절구 한 수를 썼다.

세 단계 파도가 높고도높아 관문을 뚫지 못하니
붉은 꼬리가 몇 년이나 파란(波瀾)에 시달렸나.
은근하게 바람과 번개의 계제를 빌리면
한달음에 뛰어올라 용 되기도 어렵지 않으리.
三級浪高未透關。幾年頳尾困波瀾。
慇懃若借風雷便、一躍成龍也不難。

선군이 이 글을 보고는 조금 턱을 끄덕였다. 내가 객사에 있는 정선생을 찾아가 보고 동갑내기 친구의 의를 맺었다.

내 친구 광성군(廣城君) 이극감(李克堪) 공이 예전에 나에게 말하였다.

“내가 일찍이 한확(韓確) 정승의 서장관(書狀官)이 되어 북경(北京)에 갔는데, 이야기를 하던 참에 한정승에게 물었네. ‘대인(大人)께서는 첩을 몇 명씩이나 데리고 살면서도 창녀와 자는 자를 특별히 미워하는 까닭이 무엇입니까?' 한정승이 웃으며 말하였다. '내 스스로 어질다고 여겨서 그런 것이 아니라, 내 들은 이야기가 있어서 화를 자초한 사람을 미워한 것이다. 옛날 한 재상이 관찰사로 나가면서 무뢰배(無賴輩)를 막하(幕下)로 삼겠다고 요청하자, 사람들이 이상하게 여겼다. 얼마 뒤에 그 무뢰배가 가벼운 군법을 범하였으므로 군리(軍吏)가 심문한 다음에 죄목을 작성하여 관찰사의 막사로 찾아가 아뢰자, 관찰사가 「사형에 처해야 한다」고 판결하였다. 군리(軍吏)가 물러나와 별도의 지시를 기다리노라니, 관찰사가 막사에서 왔다갔다 하면서 원망하였다. 「그 나쁜 놈이 내가 사랑하는 첩을 훔쳐갔으니, 사형에 처해도 마땅해.」 그제서야 군리가 관찰사와 무뢰배 사이에 묵은 혐의가 있다는 것을 알게 되었다. 아! 혈기(血氣)있는 사람 치고 그 누가 남녀의 정욕이 없겠는가. 그러나 창녀에게 정욕이 생기면 아름다운 창녀를 택할 것이고, 아름다운 창녀는 많은 사람들의 관심을 받을 것이니, 이러한 일을 어찌 모면할 수 있겠는가. 내가 어질어서 그런 것이 아니라, 화를 자초하는 사람을 미워하는 것일세.'"

선군이 일찍이 나에게 말하였다.

"창녀는 선비에게 몹시 큰 피해를 끼치니, 뱀이나 전갈처럼 피해야 한다. 옛날 태종이 송도(松都)에 행차하였을 때에 수행하는 조사(朝士)들이 모두 백성들의 집에서 묵었는데, 어느 조사 두 사람이 한 집에서 같이 묵었다. 을(乙)은 자신이 사랑하는 창녀를 데리고 갔는데, 갑(甲)은 항상 그 여인을 형수라고 부르면서도 마음속으로 탐내었다. 밤을 새울 생각으로 술자리를 만들어 세 사람이 함께 마시다가, 취기가 오르자 갑이 말하였다. '긴 밤을 보내려면 해학(諧謔)을 하지 않고는 힘들다. 내가 먼저 우스개소리를 할테니, 그대들은 보기만 하라.' 이불 자루로 들어가서 을로 하여금 이불 입을 단단히 묶고 방안에서 굴리게 하다가 풀어달라고 하여 나왔다. 그리고는 을에게 이렇게 말하였다. '이불 자루에 들어가보니 몹시 답답하였다. 그대도 견딜 수 있겠는가?' 을이 말하였다. '내가 몹시 답답하다고 말하면 풀어달라.' 그리고는 자루 안으로 들어갔다. 갑이 그 자루를 외진 곳에 끌어다 놓고, 청녀와 촛불 아래에서 함께 사랑을 나누고나서 을에게 말하였다. '그대가 정말 잘 참고 있네. 더 참을 수도 있는가?' 을이 말하였다. '긴 밤이 다 가도 전혀 답답하지 않다.' 갑이 창녀와 다시 사랑을 나누고 술자리가 끝났다. 안주인이 다 엿보고는, 이튿날 을에게 말하였다. '어제 작난이 몹시 괴이하니, 다시는 하지 마소.' 을이 말하였다. '친구끼리 친하게 논 것이니, 이상하게 생각하지 마소.' 이 소문이 세상에 퍼져, 을은 평생 세상에 나가지 못하였다."

이 몇 가지 이야기는 모두 내가 귀로 직접 듣고서 마음속으로 경계하고 반성한 것이다. 내가 젊었을 때에 뜻한 바가 적지 않았는데, 세상사를 익히 알고난 뒤에 처음에 바라던 바를 더듬어 생각해보니 십중팔구는 잃어버렸다. 요행히도 하찮은 글재주로 성조(聖朝)의 인정을 받아 귀밑머리가 희어지기 전에 이미 지극히 높은 자리에 이르렀지만, 돌아보건대 아무런 덕도 없이 성은을 입었으니 오직 자손을 훈계하여 시대에 쓰이도록 해서 만분의 일이라도 보탬이 되기를 바랄 뿐이다.

네가 이미 벼슬을 그만두고 배움의 길로 돌아왔으니 마음을 비우고 받아들여 따지려고 하지 말아라. 마음속에 사견(私見)이 있으면 선한 길을 보고도 자기 마음대로 하여 마치 바위 위에 말뚝을 박는 것처럼 된다. 그러나 마음속에 사견이 없으면 의로운 말을 듣고 고치게 되니 물속에 돌을 던지는 것과도 같다. "아버지의 품행도 바르지 않다"고 말하지 말고, "나도 나중에 아버지처럼 될 것이다"라고도 말하지 말아라.

내가 옛사람의 찌꺼기를 말하더라도 너는 그 정수(精粹)를 취하고, 내가 옛사람의 껍데기를 말하더라도 너는 그 골수(骨髓)를 취해야 한다. 너의 가문을 헤아려보면 지금 성쇠(盛衰)의 기로에 서 있고, 너의 일신을 따져봐도 참으로 중차대한 흐름을 이어받았다. 이는 정말로 나의 지극한 마음이니, 패설(稗說)을 버리지 말아라.

성화(成化) 4년 무자(1468) 6월 하순에 아버지 경순(景醇)이 쓰다.

　　과거시험을 치르지 않고 아버지 덕에 벼슬길에 올랐던 귀손은 결국 아버지의 가르침을 받고 열심히 공부하여 그해에 진사시에 합격하였다.

　　과거시험에 응시하려면 진사시(進士試) 1차 과목인 시(詩) 짓기를 어려서부터 공부한다. 직업적인 시인이 아니더라도 조선시대의 양반들이 기본적으로 한시를 지은 것은 어려서부터 시 짓는 공부를 하기 때문이다. 귀손의 아우인 인손(麟孫)이 13세에 요절하자 강희맹이 아들의 죽음을 슬퍼하는 글[悼子篇 幷序]을 지었는데, 아들에게 시를 짓지 못하게 했던 이야기를 소개하였다.

　　신사년(1461) 가을에 아이가 함께 공부하던 아이들과 같이 시를 지었는데, 아이가 지은 시가 장원을 하였다. 아이가 기뻐하며 찾아와 말하기에, 내가 주의를 주었다. "일찍부터 헛된 이름이 나면 학문에 도움되지 않으니, 시를 배우면 안 된다." 그랬더니 아이가 다시는 시를 짓지 않았다.

　　이 글 속의 아이는 물론 아우 인손이지만, 강희맹은 아마 귀손에게도 같은 방식으로 주의를 주었을 것이고, 귀손도 시 짓기를 즐기지 않았다. 그러나 그가 19세에 진사시에 합격한 것을 보면, 시를 남들 만큼은 지은 듯하다. 『사숙재집』은 비교적 연대순으로 작품을 편집하였는데, 기축년(1469) 정월 초하루에 지은 시 바로 앞에, 아들 귀손의 진사 합격을 기뻐하는 시가 실려 있다.

　　귀손이 진사시에 합격했다는 소식을 듣고 기뻐하다[喜聞龜孫中進士試]
　　자정에 종이 울리고 비바람 치는데
　　불심지 타서 불똥 맺히는 것을 즐거이 보네.
　　귀손이 자립했다는 말을 들으니

어찌 이 늙은 애비만큼 날아오르지 못하랴.
三更動動雨兼風。喜見燈花綴玉蟲。
聞說龜兒能自立、飛騰何讓乃嚴翁。

　선조들 덕분에 어린 나이에 군기시(軍器寺) 주부(主簿, 종6품)라는 높은 벼슬을 얻어 벼슬길에 나섰지만, 그는 자신이 과거시험에 합격하여 스스로 일어설 수 있다는 것을 부모에게 보이기 위해 벼슬을 그만두고 공부를 시작하였다. 강희맹이 「훈자오설(訓子五說)」을 지어 격려하고 몇 달 만에 진사시에 합격하자, 밤 늦게까지 소식을 기다리던 강희맹이 아들의 자립(自立) 소식을 듣고 자기만큼 높이 날아오르기를 기원한 것이다.

　귀손은 진사에 합격한 뒤에도 10년 동안 열심히 공부하여 30세에 문과에도 급제하였다. 귀손이 급제하자 여러 친지들이 강희맹에게 축하하는 시를 지어 보냈는데, 그 가운데 최세원이 축하하여 지은 시에 차운하여 강희맹이 시를 지었다. 강귀손이 편집한 금속활자본 『사숙재집』에는 칠언율시 6수가 다 실렸지만, 후대에 편집한 목판본에는 이 가운데 2수만 실렸다. 그 가운데 제1수이다.

　　한 잔의 물로 어찌 바다 물결을 도우랴
　　부끄럽게도 선조의 은덕으로 다시 가문이 이어졌네.
　　뜰 지나며 예 배우던 것에 어찌 감히 비하랴만
　　대를 이어 이름 이루었으니 모두에게 자랑스러워라.
　　거쳐야 할 등용문이 세 단계 파도인데
　　계원의 바구니에 두 가지 꽃을 담았네.
　　당시에 농담삼아 했던 말을 기억하시게

귀 기울여 말하던 사람이 이젠 백발 되었다네.

勻水安能助海波。愧將餘澤更傳家。

過庭學禮渠何敢、繼世成名衆所誇。

首尾龍門三級浪、牢籠桂苑兩枝花。

當年戲語君須記、傾盖人今髮已華。

「귀손이 급제하였다고 최세원이 시를 지어 축하하였기에 차운하여 답하다[龜孫登第 崔勢遠詩以賀之 步韻以答]」라는 제목인데, 세원(勢遠)은 1456년에 급제한 최호(崔灝)의 자이다. 공자가 뜰에 혼자 서 있을 때에 아들 리(鯉)가 종종걸음으로 지나가자, 공자가 불러 세우고는 "예(禮)를 배우고 있느냐?"고 물었다. 자신은 공자처럼 그렇게 가르치지 못했는데, 아들이 선조들의 음덕으로 급제하였다고 겸양하면서도, 초시(初試), 복시(覆試), 전시(殿試)의 세 차례 시험에 모두 합격한 아들을 대견하게 생각하였다. 진(晉)나라 극선(郤詵)이 과거에 장원 급제한 뒤에 "월계수(月桂樹) 가지를 꺾었다[月宮折桂]"고 자칭하여, 진사시를 연방(蓮榜)이라 하고 대과를 계방(桂榜)이라 하였다. 숙제처럼 여겼던 진사시와 문과를 다 합격하자, 꽃가지를 둘 다 담았다고 자랑한 것이다. 마지막 구절에 "나도 이젠 백발이 되었다"는 말은 늙었다는 탄식이 아니라, 이제는 여한이 없다는 여유이다.

1486년 10월 24일에 실시된 문과 중시(重試) 제목인 책문(策問)은 성종이 직접 출제하였는데, 『성종실록』의 이날 기사에 실려 있다.

임금이 인정전(仁政殿)에 나아가 문과 중시(文科重試)를 전시(殿試)하였다. 독권관(讀券官) 홍응·정괄·노공필과 대독관(對讀官) 노자형·안처량이 입시(入侍)하였는데, 책문(策問)은 이러하였다.

"선비의 유용(有用)함은 지극히 크다. 임금을 도와 치평(治平)을 가져오고, 백성을 편안하게 하고 물건을 풍성하게 하며, 풍속을 순미(淳美)하게 하여, 형벌을 버려두고 드물게 쓰게 하며, 전리(田里)에 칭송하는 소리를 일으키고, 병기(兵器)를 녹여서 농기(農器)를 만들게 하니, 크게 어진 사람이 아니면 누가 할 수 있겠는가? 이 때문에 예전의 성왕(聖王)은 높은 지위를 기쁘게 여기지 않고, 어진 사람을 얻는 것을 염려하였다. 당(唐)·우(虞)의 세상에서는 여러 성인(聖人)이 덕을 돕고 여러 현자(賢者)가 직사(職事)를 도왔으므로, 임금이 팔짱을 끼고서 아무 것도 하지 않아도 천하가 태평하였는데, 한(漢)나라·당(唐)나라 이후로 명철한 임금은 누구나 다 현량(賢良)을 뽑아 썼으나 다스린 보람이 드러나지 않고 큰 은택이 퍼지지 못하였으니, 그 허물이 무엇에 말미암았는가? 그 실정을 두루 가리켜 말할 수 있는가? 요·순(堯舜)의 신하는 다 어질고, 한나라·당나라의 선비는 다 어리석은가? 내가 덕이 없는 몸으로 큰 통서(統緒)를 이어받아 밤낮으로 찾고 자나 깨나 생각하여, 조종(祖宗)의 큰 기업을 실추(失墜)하지 않으려 하고, 만사에 체통을 잃을까 늘 두려워하며, 명량(明良)한 무리를 얻으려고 생각하고, 오제(五帝)의 정치를 듣기를 바랐으나 그 도리를 알지 못하였다. 어떻게 닦고 어떻게 베풀어야 여기에 이를 수 있겠는가? 지금의 재상 중에도 어찌 고요(皐陶)나 기(夔)같이 어진 사람이 없겠는가마는, 내가 치평(治平)을 도모하는 데에는 분명하게 부족함이 있으니, 그 까닭은 무엇에 말미암은 것인가? 내가 어리석어서 천직(天職)에 맞지 않으므로, 대신(大臣)의 도움과 고명한 사람의 가르침에 힘입어야 바랄 수 있을 것이다. 대부(大夫)가 늘 보고 들은 것을 대한 듯이 묻는 것이니, 조금이라도 마음을 정성스럽게 하고 생각을 다하지 않으면 어찌 대도(大道)의 요체와 지론(至論)의 극진한 것을 아뢸 수 있겠는가? 대부는 각각 마음을 다하여 대답하되 숨기는 것이 없게 하라."

임금이 지은 것이었다.

중시(重試)는 진사시나 문과와 달리 이미 문과에 급제하여 현직에 있는 관원들이 응시하였으므로, 대부(大夫)의 입장에서 답해보라고 요구한 것이다. 이 문제는 자신의 자 용휴(用休)와도 관련된 주제였으므로, 강귀손은 평소 가르침받은 대로 잘 설명하고 잘 서술하였다.

이날 강귀손이 제출한 시권에 대해서, 허균(許筠)이『성옹지소록(惺翁識小錄) 상』에 다른 이야기를 기록하였다.

성화(成化) 병오년(1486) 중시에 정승 강귀손이 응시하였는데, 마침 그의 장인의 아우인 성허백(成虛白, 성현)이 지신사(知申事)로서 성중(省中)에 있었다. 그의 부친 진산(晉山, 진산군 강희맹)이 총관(摠管)으로서 입직해 있다가 허백에게 말하였다.

"우리 집안에서 연달아 장원하는 것도 좋은 일이니, 그대와 내가 귀손(龜孫)의 대책(對策)을 지어주면 좋지 않겠는가?"

허두(虛頭)에서 조대(條對)까지는 강(姜)이 짓고, 당금 설구폐(當今設救弊)에서 끝까지는 성(成)이 지어서 귀손에게 베껴서 바치도록 하였다.

당시 고관(考官)인 서사가(徐四佳 서거정)와 이삼탄(李三灘, 이승소)은 다 무릎을 치고 탄복하며 1등으로 해야 마땅하다 하였으나, 상시관(上試官)으로 참석했던 김괴애(金乖崖 김수온)는 자는 체하면서 귀담아 듣지 않았다. 참시관(參試官)들이 의견을 물으니,

"등수를 고치라."

하였다. 다시 물어봐도 같은 대답이었다. 밤에 고단해서 그런가 하고 보관해 두었다가 새벽에 다시 읽어보고 품의하니,

"차상(次上)으로 매기는 것이 마땅하다."

하였다. 모두들 이상하게 생각하여 물었다.

"이 글이 매우 훌륭한데 어째서 등에도 들지 못한다는 것입니까?"

김(金)이 웃으면서 말하였다.

"이 글의 작자가 성씨(成氏)나 강씨(姜氏) 집 자제가 아니면 의당 장
원감이다."

급히 봉미(封彌)를 뜯고 살펴보니, 과연 강 정승의 글이었다. 김(金)이,
"나는 강희맹과 함께 공부하였고 성현은 나에게 배웠으니, 그들의 글
을 구분할 수 있는 것이 당연하다. 여기서 저기까지는 강의 글이고 저기
서 여기까지는 성이 지은 것이다. 내가 어찌 그들에게 속아서 나라에서
시행하는 시험을 그르치겠는가."

하니, 모두들 탄복하였다. 결국 강의 글을 빼버리고 신종호(申從濩)를
장원으로 뽑게 되었다 한다.

그래서 강귀손이 2등으로 급제하였다는 이야기인데, 기억력이 비상
하게 뛰어난 허균이지만 이 기록은 잘못되었다. 상시관 김수온은 중시
가 실시되기 5년 전인 1481년에 이미 세상을 떠났으며, 아들의 장원급
제를 부탁했다는 강희맹도 1483년에 세상을 떠났고, 채점관인 이승소
도 1484년에 이미 세상을 떠났다. 도와줄 사람이 아무도 없는 상황에
서 자신의 능력만으로 2등으로 급제하였는데, 예전의 강귀손 문장보다
차이가 나게 잘 썼으므로 이런 설화가 생겨난 듯하다. 이야말로 강희맹
의 「오자설」이 아들 귀손에게 끼친 영향을 가장 분명하게 보여주는 사
례라고 할 수 있다.

5. 원자를 잘 돌봐준 부모 덕분에 권력의 핵심에 들어가다

인수대비(仁粹大妃)와 생모(生母) 윤씨(尹氏)의 갈등 사이에서 원자(元
子) 연산군(燕山君)의 처지가 곤란하게 되었으므로, 성종은 병구완을 내
세워 두 살 된 원자를 신임하던 강희맹의 집에 맡겨 기르게 하였다.

성종이 처음에는 세종(世宗)의 여덟 번째 아들이자 자신의 작은할아버지인 영응대군(永膺大君, 1434~1467)의 집에 맡기자고 제안했는데, 영응대군의 집 위치는『성종실록』에 자세하게 기록되어 있다.

> 하동군(河東君) 정인지(鄭麟趾) 등이 와서 아뢰었다.
> "지금 내불당을 지을 만한 곳을 살피니 장의동(藏義洞) 화약고(火藥庫)의 예전터가 좋습니다."
> 또 서계(書啓)로 아뢰었다.
> "경복궁(景福宮) 청룡(靑龍)은 장원서(掌苑署) 북쪽 고개로부터 가각고(架閣庫)에 이르는데, 그 산등성이 너비가 20척쯤 됩니다. 전에는 나무를 심어서 산맥을 보호하였였는데, 지난날에 양정(楊汀)의 집이 그 곁에 있어서 인하여 침점(侵占)하여 담을 쌓았고, 영응대군(永膺大君) 집에서 또 산등성이를 파고 집을 지었으며, 기타 함부로 점거한 자가 또한 많습니다. 청컨대 금하고 옛날같이 나무를 심어서 산맥을 북돋우소서. 또 숭례문 밖의 못과 수구문(水口門) 안팎의 못이 지금 모두 메워졌고, 흥인문 안의 조산(造山) 세 곳이 또한 무너졌으니, 청컨대 수축하소서."
> "경복궁 청룡은 아뢴 것에 의하여 시행하되, 못과 조산은 지금 국휼(國恤)의 일이 많으니, 아직 정지하라."
> 라고 전교하였다.
>
> ─『성종실록』 1년(1470) 2월 12일

이 기록을 보면 경복궁 동북쪽 담장과 북악(北岳) 사이에 있었던 듯하다. 그러나 원자를 영응대군의 집으로 보내서 보살피게 하자, 승정원에서 반대하였다.

야대(夜對)에 나아가자, 우승지 박숙진(朴叔蓁)이 아뢰었다.

"엎드려 듣건대, 근래 원자(元子)가 편찮으시지만, 신의 뜻으로서는 영응대군의 집은 (요양하기에 적합치 않다고 생각됩니다.) 영응대군은 본디 부호라고 소문났으며, 낳은 아들을 모두 유모(乳母)에게 맡기고 친히 기르지 아니하였는데, 자손이 또한 많지 않았으니 어찌 아이를 기르는 방도를 알았을까 하고 망령되게 생각합니다. 호화스럽고 사치스럽게 하는 데에는 한결같으면서도 보호하여 기르는 데에는 적당함을 잃을까 신은 두려워하기 때문에 이와 같이 불안한 생각을 하게 된 것입니다. 보통 사람이 아들을 잘 기르는 까닭은 양육(養育)하는 기술을 잘 알기 때문입니다. 인생은 열 살 이전에는 본 바를 반드시 기억하여 아무리 오래 되더라도 잊어버리지 않지만, 열 살 이후에는 거의 다 잊어버리니, 사리의 형세가 그러한 것입니다. 신은 원컨대, 여러 대신(大臣) 가운데 본디 검소하고 자손이 아주 많아서 양육하는 적당한 방도를 미리 알고 있는 자를 골라서 원자를 이거(移居)시키는 것이 좋겠습니다. 그러면 반드시 부부가 마음을 합하며 차고 따뜻한 데 맞추어 잠자리와 음식을 알맞게 하여 질병이 다함이 없도록 할 것이요, 원자도 또한 검소한 것을 익히 보고서 민간의 질고(疾苦)를 자세히 알게 될 것입니다."

임금이 말하였다.

"영응대군 부인이 아들을 많이 낳았으나 모두 죽었고, 다만 구수영(具壽永)의 처(妻)만 생장하였는데도 자손이 오히려 많았으니, 아이를 기를 줄 모르는 자라고 일컬을 수는 없다. 그러나 경(卿)의 말을 들으니, 심히 내 마음에 합치한다. 만약 원자가 대신의 집에 이거(移居)한다면 대신이 안심하고 편안히 쉬지 못할까 두렵다. 그렇지 않다면 옮겨서 머물게 하는 것이 정말 좋을 것이다."

박숙진이 아뢰었다.

"원자가 대신의 집에 옮겨서 머문다면, 참으로 성상의 뜻을 마땅히 본받아서 마음을 다하여 보호할 것이니, 어찌 싫어하거나 꺼리는 마음이 있겠습니까?"

　임금이 말하였다.

　"마땅히 다시 생각하여 보겠다."

—『성종실록』 8년(1477) 11월 10일

원자는 결국 강희맹의 집으로 가게 되었는데, 그 이유가 실록에는 자세하게 기록되지 않았다. 이긍익이 지은 고사본말체(故事本末體) 역사서『연려실기술(燃藜室記述)』「성종조 고사본말(成宗朝 故事本末)」의「성종조 명신 강희맹」조에 자세하게 기록하였다.

　　공의 부인은 안씨(安氏)인데 감사 숭효(崇孝)의 딸이다. 14세에 공에게 시집와서 부인의 도리를 지킴에 실수함이 없었다. 8년 정유(1477)에 원자가 병이 나서 민간에 우거(寓居)하게 되었다. 승정원에서 법도 있는 장상(將相)의 집을 가려 원자를 기르기를 청하니, 두 서너 집을 가려 아뢰라고 명하였다. 임금께서 부인의 집에 옮기게 하였더니 춥고 따뜻함을 조절하고 젖을 알맞게 먹여 10일이 못 되어 건강하여졌다.

　　궁중에서 부인이 집안을 다스림에 법도가 있다는 말을 듣고, 특별히 임금이 입는 옷 두서너 벌과 순면(純綿) 직물과 소목(蘇木)과 백미 70석을 내려 주었다.

　　경오년(1510)에 부인이 더위를 먹었는데[暑症], 중종이 특별히 약품을 내려 주고 반찬까지 연달아 보내었다. 임신년(1512)에 죽으니 특별히 곡식과 베, 종이, 관곽(棺槨), 유석(油席), 송지(松脂) 등의 물건을 내려 주었다. 일찍이 부인에게는 내려진 적이 없었던 은혜로운 명이었다.

원자를 훌륭하게 돌본 주인공인 강귀손의 어머니는 좌익공신 충청도관찰사(종2품) 안숭효(?~1460)의 딸이었다. 안숭효의 할아버지는 개

국공신 안경공(安景恭)이고, 아버지는 호조판서(정2품) 판중추원사를 지
낸 안순(安純, 1371~1440)이었으니, 강귀손의 외가도 공신 집안이어서
뒷날 든든한 울타리가 되어 주었다.

　강희맹은 노심초사하며 원자를 보살피고 양육하였는데, 어린 연산
군이 그림을 좋아하자 화사 배연에게 중국 궁궐에서 노는 그림 다섯
장을 그리게 하고, 그 사연을 설명하는 칠언절구를 다섯 수 지은 뒤에
서문과 함께 병풍을 만들었다.

　　병신년(1476) 겨울 11월 7일에 원자가 탄생하자 대사령(大赦令)을 내
려 중앙과 지방에 알리니, 국본(國本)이 있음을 경사스럽게 여긴 것이었
다. 이해 겨울에 (원자가 피접(避接)으로 인하여) 영응대군의 집에 나가
있었다. 그 다음해인 정유년(1477)에 승정원에서 "마땅히 법도있는 대
신의 집에서 길러 어릴 때 올바르게 교양하여야 합니다."라고 아뢰자,
(임금께서) "옳다. 조정의 신하 가운데 적합한 자 십여 인을 골라서 아뢰
도록 하라." 하셨다.

　　신(臣)의 집안이 대대로 검박함을 스스로 지켰다고 하여 선발하는 가
운데에 참여하게 되었으므로, 신은 공경하고 두려워하며 어찌할 바를
모르고 있던 차에, 겨울 11월 27일(경인)에 원자가 우리 집으로 옮겨와
머무셨다. 신이 삼가 보건대, 뛰어난 풍채가 우뚝하여 모든 길상(吉相)
을 갖추고 있었다. 날마다 아침저녁에 안고서 놀게 하였는데, 정신이
아주 뛰어나 보통 아이들과는 대단히 달라서 병풍에 그린 인물(人物)·
조수(鳥獸)·화훼(花卉)의 종류를 지적하는 것에 따라 문득 기억하였다.
명칭을 부류에 따라 모두 나누어서 날마다 시험하였으나 조금도 어긋남
이 없었다.

　　그 다음해(1478) 정월 3일에 비로소 세 걸음씩 옮겨 놓았는데, 이때부
터 꼿꼿이 걸어서 남의 부축을 받지 않았다. 한 달 뒤에는 바깥 뜰에

나가서 놀았는데, 굳세고 재빨라서 나는 것 같았다. 규모와 기상의 체단(體段)이 이미 갖추어지고 신령스런 마음이 차츰 열리어 날로 고명(高明)해졌으니, 그렇게 될 줄을 깨닫지도 못하는 사이에 그렇게 된 것은 장차 하늘이 우리 조선(朝鮮)을 도와서 끝없는 휴명(休命)을 더욱 뻗어 나게 한 것이다. 하늘에서 복록(福祿)과 자손을 내리심이 어찌 이토록 대단하다는 말인가?

원자가 그림을 사랑하여 보고 구경하면서 조금도 지칠 줄을 모르므로, 신이 화사(畵史) 배연(裵連)의 손을 빌려 궁중에서 유희하는 그림을 다섯 가지 만들었다. 첫째는 사자를 보고 희롱하는 것이고, 둘째는 연꽃을 꺾어 희롱하는 것이며, 셋째는 살구나무 숲에서 살구를 따는 것이고, 넷째는 파초 잎이 핀 뜰에서 서늘한 바람 쐬는 것이며, 다섯째는 가르침을 받아 어릴 때에 몽매함을 깨우쳐 주는 것이다.

그림마다 지적한 바가 있으나 계몽(啓蒙)으로써 끝마친 것은『주역』에 이르기를, '몽매함을 바르도록 교양하는 것이 성공(聖功)이다.'라고 하였으며,『예기(禮記)』에 이르기를, '어린아이에게는 항상 속임이 없는 것을 보여 주도록 하라.' 하였기 때문이다. 무릇 어린아이의 성품은 타고날 때부터 순명(純明)하여 배운 바가 없이는 성취하지 못하니, 쇠붙이가 녹이는 화로에 있는 것 같으며 진흙이 질그릇을 만드는 바퀴 위에 있는 것과 같다. 오직 사람이 본보기로 삼을 따름이다.

계몽하는 방도는 반드시 올바른 데로 인도하는 것에 있으므로, 맹모(孟母)는 돼지 잡는 것을 속이지 아니하여 아들이 아성(亞聖)이 되었으며, 온공(溫公)은 복숭아 씻는 것을 속이지 아니하여 자신이 명상(名相)이 되었다. 보통 사람의 어린아이도 오히려 올바른 데로 인도하는 것이 마땅한데, 하물며 세자(世子)의 중요한 위치로서 백성들의 의탁하는 데에 있어서이겠는가? 그 교양하는 법도로는 「문왕세자(文王世子)」한 편이 있으므로, 여기에 덧붙여 말하지 않는다.

봄 깊은 후궁에서 다투어 손을 끌며
붉은 깃발 높이 펴고 북을 두드리네.
왕자의 참 모습 알아 보려고
웃으며 쇠사슬의 사자를 데리고 가네.
春深永巷競提携。赤幟高張打鼓鼕。
欲識天人眞氣像、笑領金鎖製狻猊。

　　　　　　　　－ 위는 사자를 희롱하는 모습[弄狻猊]

태액지(太液池)의 연꽃같이 연꽃자루가 자라
옷소매에 따 오니 좋은 향기가 일어나네.
아이들 떼지어 높고 낮은 이 없는데
손 깍지 낀 채로 보고 있는 이가 소왕(小王)일세.
太液芙蓉柄柄長。採來衫袖惹天香。
兒家作隊無高下、又手看連是小王。

　　　　　　　　－ 위는 연꽃을 꺾어 희롱하는 모습[戲折荷花]

상림원(上林苑)에 봄 한창이라 살구꽃 활짝 피었으니
웃으며 궁녀 시켜 꺾어서 오네.
어려서는 아름다운 궁녀들 따를지언정
자란 뒤에는 다시 양대(陽臺) 꿈꾸지 말기를.
上林春漲杏全開。笑倩宮娥折得來。
小少從他羅綺伴、長成休更夢陽臺。

　　　　　　　　－ 위는 살구나무 숲에서 살구꽃을 따는 모습[擷芳杏林]

남훈전(南薰殿)에 서늘한 바람 일어
파초 잎 처음 펴져 봉의 꼬리 기다랗구나.
궁궐에서는 물같이 맑다고 믿겠지만

농촌에는 미음 뒤범벅된 땀이라고 알겠지.

南薰殿閣動微涼。蕉葉初舒鳳尾長。

最信天家淸似水、須知壟畝汗翻漿。

       – 위는 파초 잎 핀 뜰에서 서늘한 바람 쐬는 모습[納涼蕉階]

낭낭하게 책 읽으니 좋은 목소리를 지녀

하나를 들면 세 가지를 깊이 깨닫네.

학식이 넓어져 끝까지 캐어물으니

분명코 그것은 성현(聖賢)의 마음일세.

琅琅讀過帶嬌音。得反三隅領會深。

博學到頭須審問、分明那箇聖賢心。

      – 위는 교훈을 받아 계몽하는 모습[受訓啓蒙]–「진원자도병시(進元子圖屛詩)」

  강희맹이 병풍에 그린 인물(人物)·조수(鳥獸)·화훼(花卉)의 종류를 손으로 가리키면, 두 살 난 연산군이 문득 기억하고는 날마다 시험하여도 틀린 적이 없었다고 한다.

  강희맹은 원자를 안전하게 보호하기에 노심초사하여, 왕에게 호위 군사를 늘려달라고 요청하기도 하였다. 『성종실록』 9년(1478) 1월 30일 기사에 강희맹이 경연(經筵)에 나아갔다가 강(講)하기를 마치자,

  "신의 집은 삼면에 인가가 있고 서북간에만 인가가 없는데, 지금 원자가 와 있으므로 신이 항상 도둑의 변고가 있을까 두렵습니다. 청컨대 군사로 하여금 호위하게 하소서."

하고 요청한 기록이 보인다. 왕이 "몇 사람을 써서 지켜야 하겠는가?" 하고 묻자 강희맹이 "(지금은) 20인에 지나지 않습니다." 대답하였다. 왕은 "10인이라도 지킬 수 있을 것이다."하고 늘려주지 않았다. 호위

군사가 더 늘어나지는 않았지만, 원자에게 무슨 변고라도 생길까봐 강희맹이 노심초사하며 정성껏 길렀던 모습을 엿볼 수 있다.

어느 날 갑자기 원자가 잘못하여 실꾸리를 삼키는 바람에 목구멍이 막혀 매우 위급하였다. 여러 시종들은 너무 급하여 어찌할 바를 모르고 울부짖기만 할 뿐이었다. 부인이 달려와서 보고, "어찌 물건 삼킨 어린이를 반듯이 눕혀 물건이 더욱 깊이 들어가게 하느냐." 하며 즉시 안아 일으키고 유모를 시켜 양편 귀 밑을 껴잡게 하였다. 이어 부인이 손가락으로 실꾸리를 뽑아 내니 기운이 통하여 소리를 내었다. 여러 시종들이 부인을 향하여 머리를 조아려 감사하였다.

"부인께서 우리들의 목숨을 살렸습니다. 어찌 다만 우리들을 살렸을 뿐입니까. 나라의 근본(원자)이 부인 때문에 편안하게 되었습니다."

부인이 "공(功)을 받을 사람이 있으면 죄 받을 사람도 생기는 법이니, 아예 다시는 말하지 말라." 하고, 입을 다물고 절대로 자신의 공을 말하지 않았다고 한다.

국가 차원에서 편찬한 종합지리지 『동국여지승람(東國輿地勝覽)』 권3 「한성부(漢城府) 제택(第宅)」 조에 강희맹의 집과 원자 이야기가 실려 전한다.

> 강희맹의 집은 숭례문 밖에 있었다. 연산군이 세자로 있을 때 일찍이 잠시 그곳에 머물렀다. 늘 그 동산 안의 소나무 밑에서 놀았는데, 뒤에 즉위하게 되자, 그 소나무에 관작을 내리고 금띠를 두르게 하고, 또 그 문을 지나는 사람은 모두 말에서 내리게 했다. 지금의 순청동(巡廳洞)이다.

이긍익이 편찬한 기사본말체 역사서인 『연려실기술』 「연산조 고사본말(燕山朝故事本末)」에서는 그 사연을 좀더 자세하게 소개하였다.

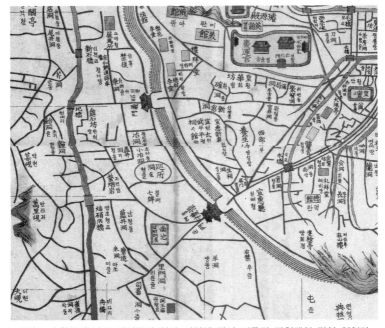

그림4. 순청동에 바로 연산군이 원자 시절에 잠시 머물던 강희맹의 집이 있었다.

강희맹의 집이 숭례문 밖에 있었는데, 폐주가 일찍이 그 집에 우거(寓居)하였다. 성종 정유년(1477)에 원자(연산)가 병이 났으므로 그 집에 가서 치료하였다. 그 때 늘 정원의 소나무 밑에서 놀았는데, 왕위에 오르고 나자 진시황(秦始皇)이 소나무 다섯 그루에 대부(大夫)의 벼슬을 준 것처럼 그 소나무에 벼슬을 주고 금띠[金帶]를 둘러 주고, 또 그 문 앞을 지나가는 사람들에게는 말에서 내리게 하였다. 지금의 순청동(巡廳洞)이 바로 그 피마병문(避馬屛門)이라 한다.

연산군은 자신이 불안하던 시절에 보살피고 길러 준 강희맹의 은덕을 잊지 않았으며, 여러 차례 투서나 비난을 받아도 그 아들 강귀손을

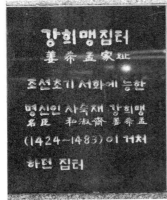

그림5. 서울역에서 염천교 지나 의주로 가에 '강희맹 집터' 표석이 세워져 있다.

끝까지 신임하였다. 강귀손이 정승까지 승진할 수 있었던 첫 번째 이유는 합리적이고 과감한 행정 추진력이고, 두 번째 이유는 아버지 강희맹의 가르침과 인덕이었으며, 세 번째 이유는 원자 연산군을 잘 보살펴 길러준 부모 덕분이었다. 연산군이 어린 시절 소나무 밑에서 놀던 강희맹의 집 터에 서울시에서 표석을 세워 그 사연을 밝혔다.

성공한 관원 강귀손

1. 목민관으로 나가서 치적을 이루다

강귀손은 성종과 연산군의 신임을 받아, 관원생활을 대부분 임금의 측근에 있는 승정원이라든가 사헌부, 사간원, 육조(六曹) 등에서 근무하였다. 그러나 잠시 지방에 목민관(牧民官)으로 나가 있는 동안에도 백성의 교화에 힘썼기에, 그 치적이 문장가의 기록으로 남아 있다.

그가 목민관으로 나갔던 경험은 두 차례이다. 36세 되던 1485년에 상주 목사(정3품)로 부임하였으며, 48세 되는 1497년에 경기도 관찰사(종2품)으로 부임하였다.

상주에는 장인 송요년의 후임 목사로 부임하였으므로, 인계인수 절차인 해유(解由) 문서를 무난하게 작성하였을 것이다. 창고의 재고 물품을 비롯한 장부 정리에서 자주 분쟁이 일어나고, 재고 확인을 허술하게 하다가 잘못하면 후임자가 전임자의 부정을 뒤집어쓰는 경우도 자주 일어나기 때문이다.

상주는 장인 송요년이 전임 목사였을 뿐만 아니라 장인의 아버지인 송계사(宋繼祀)가 판관(判官, 종5품)으로 있던 곳이어서 아는 사람이 많아, 처음 부임하면서도 익숙한 곳이었고, 그만큼 감회가 깊은 곳이었다.

목민관으로 부임할 때에는 친지들이 시를 지어주어 송별하는 풍습이 있었다. 시는 주고받는 것인데, 강귀손이 평소에 시를 짓지 않았으므로 그가 부임할 때에도 특별히 시를 지어준 친지가 없었다. 그의 장인 송요년이 상주목사로 부임할 때에 친지들이 지어준 시를 보고 그 느낌을 대신할 뿐이다.

> 상주목사를 전송하며
>
> 과거시험에 높은 성적을 더하고
> 대관(大官)인 목사를 분부 받으셨네.
> 예전 목민관들은 관리의 체통에 어두웠지만
> 이제는 유관(儒冠)을 업수히 여기지 못하네.
> 오마(五馬)가 달려가기를 서로 이끄니
> 영전할 길몽이 너무 늦으셨네.
> 다음에 비석을 세워 덕스런 정사를 칭송하리니
> 눈물 떨어뜨리며 몇 사람이나 보려나.
> 射策增高價、分符牧大官。
> 昔曾暗吏體、今不侮儒冠。
> 五馬行相引、三刀夢已闌。
> 他時碑德政、墮淚幾人看。

이 송별시는 서거정의 문집인 『사가집(四佳集)』에는 실려 있지 않고, 회덕(懷德)에 있는 은진송씨 종가의 『덕은가승(德恩家乘)』에만 실려 있다. 송요년은 1460년에 별좌(別坐, 5품)로 원종3등공신(原從三等功臣)으로 녹훈된 이래 벼슬생활을 하여 문과에 응시할 때에도 한산군수(종4품)에 올라 있다가, 1479년 문과에 급제하면서 상주 목사로 부임하였다. 조선초기에는 고려시대의 습속이 남아 있어서 지방 토호(土豪)나아전들이 텃세를 부렸지만, 유교 체제가 정착하면서 조정에서 파견하는 목민관을 무시하지 못하게 되었다. 송요년 경우에는 특히 목민관의 경험이 이미 많은데다가 문과 급제까지 했으니 상주에서 존중받으리라는 덕담이다.

한나라 태수의 수레는 사마(駟馬) 외에 곁말[駙] 한 마리를 더 붙여 다섯 마리가 끌었으므로, 태수를 오마(五馬)라고도 불렀다. 삼도몽(三刀夢)은 영전할 꿈이다. 진(晉)나라 왕준(王濬)이 벽에 칼 셋이 걸려있는 것을 꿈에 보았는데, 칼 하나가 더 걸렸다. 그가 꿈을 깨고 매우 불길하게 여겼는데 다른 사람이 해몽하였다. "칼 셋을 벽에 건 것은 '고을 주(州)'자인데 거기 하나를 더하였으니 '더할 익(益)'자를 붙여서 익주(益州)의 태수가 될 꿈이다."

진(晉)나라 양호(羊祜)가 양양(襄陽)을 다스리면서 항상 인정(仁政)을 베풀었기에, 그가 죽자 백성들이 사모하는 마음으로 현산(峴山)에 비석을 세웠다. 그 비석을 보는 사람들이 모두 눈물을 흘렸다 하여 타루비(墮淚碑)라고 불렀다는 고사가 『진서(晉書)』 권34 「양호열전(羊祜列傳)」에 실려 있다. 장인이 받은 이 송별시를 강귀손도 보았을 테고, 그도 상주로 부임하면서 어진 정사를 다짐했을 것이다.

친지들이 전송하면서 지어준 시가 많아지자, 송요년이 홍귀달에게 서문을 부탁하였다.

> 상주로 부임하는 목사 송요년을 전송한 시축 서문[送宋牧使遙年赴尙州詩序]
>
> 벼슬살이에는 두 갈래 길이 있다. 경세제민(經世濟民)의 재주와 원대한 뜻을 품고 구만리 하늘에 날아오르는 능력을 지녀 힘들이지 않고도

저절로 성취하는 자가 최상이다. 한미한 가문을 생각하고 부모와 처자를 봉양하기 위해 분발하여 뜻을 내세우고 열심히 종사하는 자가 그 다음이다.

내가 보니 최상인 자들이 조정에 나아가 많이들 요직을 밟아 승진한다. 간혹 외직으로 나아가는 경우도 있는데, 그렇게 되면 스스로 유배되는 것으로 여기고, 주위 사람들도 놀라서 수군거린다.

송목사 같으면 때를 잘 만나 힘들이지 않고 성취하는 자라고 할 수 있다. 송목사는 좋은 가문에서 태어나 대대로 내려온 가산을 바탕으로 추위나 굶주림 같은 고달픔을 몰랐다. 또한 시서(詩書)와 육예(六藝)를 배워 학식이 넉넉한데도 공부를 그치지 않았으며, 소과(小科)에 합격했지만 뜻이 더욱 원대하여 오랜 경험을 쌓고 연마한 뒤에 문과에 급제하였으니, 앞으로 진취하는 데에 어찌 끝이 있겠는가? (줄임)

영남은 우리 동방의 여러 도(道) 가운데 으뜸이고, 상주는 영남에서도 형승(形勝)의 땅에 자리잡고 있어 공무가 집중되고 번대한 빈객들이 다른 고을의 몇 배나 되니, 이 고을에서 벼슬하는 자들은 그 덕행과 재능이 모든 지방에서 으뜸이 되어야 그 일을 감당할 수 있다. (줄임)

옛날 한(漢)나라의 충직한 관리 가운데 군(郡)의 태수를 거쳐 조정에 들어가 국사를 도운 자들이 줄지어 나왔다. 만일 당시에 영천(潁川)과 발해(渤海)에서의 치적이 없었다면 공수(龔遂)와 황패(黃霸)의 명성과 업적이 과연 어떠했을는지 알 수 없다

나는 우리 송목사의 비상하는 날개가 상주의 낙동강 가에서 다시 더욱 세차게 날아오를 것을 알고 있다. 상주 사람들은 얼굴을 들어 바라보라.

홍귀달은 함창(咸昌) 사람인데다가 처가가 상주에 있어 상주 목사의 임무가 얼마나 중요한지 잘 알기에, 송요년에게 가장 적합한 당부와 격려를 해주었다. 사위 강귀손의 집안배경과 능력도 송요년과 비슷했

그림1. 상주목 지도

기에, 이 모든 서문은 강귀손에게도 그대로 적용되었다.

　상주(尙州)는 이름 그대로 경주(慶州)와 함께 경상도(慶尙道)를 대표하는 가장 큰 고을인데, 『동국여지승람』 제28권에서 상주목을 이렇게 소개하였다.

[건치 연혁] 본래 사벌국(沙伐國)인데, 신라 점해왕(沾解王)이 빼앗아서 주(州)로 만들었다. 법흥왕(法興王)이 상주(上州)로 고쳐 군주(軍主)를 두고, 진흥왕(眞興王)이 상락군(上洛郡)으로 고쳤으며, 신문왕(神文王)이 다시 주(州)로 만들었다. 경덕왕(景德王)이 지금의 이름으로 고치고, 혜공왕(惠恭王)이 다시 사벌주(沙伐州)로 만들었다. 고려 초에 다시 상주(尙州)로 고치고, 뒤에 안동도독부(安東都督府)로 고쳤으며, 성종(成宗) 2년(983)에 상주목(尙州牧)으로 고치고, 뒤에 절도사(節度使)를 두어 귀덕군(貴德軍)이라 이름하여 영남도(嶺南道)에 예속시켰다. 현종(顯宗)이 절도사를 폐지하여 다시 안동대도호부(安東大都護府)로 만들고, 뒤에 상주안무사(尙州安撫使)로 고쳤다가 9년에 8목(牧)의 하나로 정하였는데, 본조(本朝)에서 그대로 하였다. 세종 때에 관찰사(觀察使)가 목사(牧使)를 겸하게 하였다가 조금 뒤에 혁파하였고, 세조 때에 비로소 진(鎭)을 두고 목사로서 우도병마절도부사(右道兵馬節度副使)를 겸하게 하였다가 조금 뒤에 파하고 진(鎭)으로 만들었다.

신라 경덕왕 때에 상주(尙州)라는 이름이 처음 정해진 뒤에 고려 성종 2년(983)에 상주목으로 승격하고, 전국 8목(牧) 가운데 하나가 되었으며, 세종 때에는 경상도 관찰사가 목사를 겸할 정도로 경상도의 대표적인 도회지로 인정받았다.

[풍속]에서 "습속(習俗)이 간소하고 인색한 것을 숭상한다. 백성의 풍기가 순고하고 질박하다. 모두 권근의 기(記)에 있다."고 소개하였다. 큰 고을이어서 커다란 관아와 아름다운 누정이 있었는데, 객관(客館)에는 안축(安軸)의 기문, 풍영루(風詠樓)에는 이색(李穡)·권근(權近)·이숭인(李崇仁)·김종직(金宗直) 등 대표적인 문장가의 기문이 걸려 있었다.

교육의 중요성을 체득한 강귀손이 상주에 부임하여 향교를 중수하자, 상주향교의 유생 김보형(金寶荊)이 홍귀달(洪貴達)에게 부탁하여 그 사연을 기록케 한 「상주향교중수기(尙州鄕校重修記)」가 『허백정문집(虛白亭文集)』 권2에 실려 있다. 홍귀달은 이 기문을 지은 뒤 대제학에 올랐다.

　　진산(晉山) 강공(姜公) 귀손(龜孫)의 자는 용휴(用休)이다. 그의 선세(先世)는 모두 유아(儒雅)를 업으로 삼아 학문을 바탕으로 벼슬에 올랐으며, 다른 방도를 거치지 않았다. 용휴에 이르러 비로소 학문과 관리의 술(術)을 겸용하고 한가지에만 능하지 않았으므로 승진하는 것이 더욱 쉬웠다.

　　이미 여러 벼슬을 거쳤으므로 얼마 뒤에는 높은 자리로 날아오를 터인데, 임금께서 '상주(尙州)는 영남의 요충지라서 적임자가 아니면 다스릴 수 없다'고 여겨, 이조의 추천을 거치지 않고 특별히 그를 뽑아서 목사(牧使)로 삼았다. 부임하자마자 위엄과 덕을 아울러 행하니, 아전들은 두려워하고 백성들은 은혜롭게 여겼다.

　　정사가 이루어지자 향교의 유생(儒生) 김보형(金寶荊) 등이 연명(聯名)으로 서울로 글을 보내어 나에게 말하였다.

　　"우리 사또의 여러 가지 우뚝한 치적들을 하나하나 다 서술하지 못한다 하더라도, 우리 유학(儒學)에 공이 있는 것을 우리들이 잠자코 있으면서 후세에 전하지 않을 수 없습니다.

　　삼가 살펴보니 우리 고을의 향교가 지어진 지 오래 되어 성전(聖殿) 3칸과 누(樓) 5칸은 기둥이 휘고 서까래가 꺾여서 비가 새고 바람이 들이쳐 단청이 희미해졌습니다. 동재(東齋) 5칸도 당(堂)만 세워졌을 뿐 창과 벽이 없으며, 밖으로 난간이나 담장 같은 것도 모두 부서져 내부가 횅하니 드러나 보이니, 선성(先聖)을 봉안하고 사생(師生)을 거처하게 할 수 없을 지경이 되었습니다.

　　지금 목사공이 부임한 초기에 가장 먼저 선성(先聖)과 선사(先師)를 배알하고 강당에 앉아 여러 유생들의 예를 받은 뒤에, 곧바로 전당(殿

堂)과 재사(齋舍)를 두루 살펴보고 말하였습니다.

'아아! 이 지경이 되었구나. 이런 곳에서는 참으로 큰 일을 해낼 수 없을 것이니, 이는 성상께서 내게 위임하여 보내신 뜻을 저버리는 것이다. 뒷날 조정에 돌아갈 때에 어떻게 어전에서 내가 한 일을 아뢸 수 있겠는가?'

한편으로는 자재를 모으고 한편으로는 기와를 굽게 하였습니다. 백성들을 번거롭게 하지 않으려고 관아의 장인들을 불러다 공사하게 하였으며, 공무를 보다가 틈이 나면 몸소 들려서 감독하였습니다. 몇 달이 되지 않아 기둥이 휘었던 것은 다시 반듯해지고 서까래가 부러진 것은 새것처럼 되었으며, 재실의 빈 곳에는 창과 벽이 제대로 갖추어졌습니다. 벗겨지거나 이즈러진 곳까지 모두 다시 칠하고 고쳐 쌓아 훤하게 일신시키니, 우리들이 그 안에서 편안히 잠자고 고요히 앉아서 송독(誦讀)할 수 있게 된 것이 모두 공이 힘쓴 덕분입니다.

이제 공께서 이곳을 떠나 조정에서 의표(儀表)가 될 날이 머지 않았습니다. 바라건대 공에게 한 말씀을 얻어서 그 행적을 남기고자 하니, 지어주시지 않겠습니까?"

내가 마침내 붓을 들어 쓴다.

"다스림에는 선후(先後)가 있고, 일에는 완급(緩急)이 있다. 지방에서 관리 노릇을 하는 자가 과연 공처럼 선후와 완급을 알 수 있다면, 주군(州郡)들이 거의 잘 다스려질 것이다. 상주는 큰 고을이니, 영남을 선도하고 사방에서 모여드는 곳이다. 날마다 많은 공무가 밀려들어 눈으로 보고 입으로 말할 겨를도 없을텐데, 공이 급선무로 여겼던 것이 여기에 있고 저기에 있지 않았으니, 공의 내면에 온축된 바를 알 수 있다.

옛날에 문옹(文翁)은 한나라의 순리(循吏)였다. 그가 촉군(蜀郡)을 다스릴 때에 훌륭한 일이 얼마나 많았으랴만, 한나라 사관(史官)은 그의 열전을 엮으면서 학교를 일으키고 풍속을 교화한 한 가지 일에만 무게를 두었다. 공이 상주에서 행한 것이 어찌 문옹이 촉군에서 행한 것과

그림2. 강귀손이 중수한 상주향교

다르겠는가?

　그대들이 또 공의 이러한 업적이 공의 치적 가운데 큰 일임을 잘 알아서 글을 청하여 기리고자 하니, 가상할 따름이다. 나 또한 다른 사람의 선한 점을 말하기 좋아하는 자이니, 마침내 사양하지 않고 써서 보낸다.”

　홍귀달이 지은 이 기문이 다른 중수기와 다른 점은, 첫 글자부터 상주 고을이나 상주향교가 아니라 강귀손에게 초점을 맞춰 지었다는 점이다. 『동국여지승람』에 실린 상주의 기문들을 살펴보면, 대부분 상주라는 고을의 특성부터 소개하였다.

　권근(權近)이 지은 풍영루(風詠樓) 기문은, “상주(尙州)는 본래 사벌국(沙伐國)인데 신라에 속하여 큰 부(府)가 된 지 천여 년이 되었다. 산천의 수려한 것과 인물의 번성함이 도내(道內) 여러 고을의 우두머리가 되었다.”고 시작하였으며, 홍귀달이 지은 응신루(凝神樓) 기문도 “고을 객헌(客軒) 동쪽에 ‘풍영’이라는 다락이 있는데 목은(牧隱) 이선생(李先

生)이 이름과 기문을 지었고, 그 서북 모퉁이에 또 지붕마루를 연하여 새로 세운 누각이 있으니 이름하여 응신(凝神)인데 지금의 통판(通判) 민녕(閔寧)이 세우고 함종(咸從) 어자익(魚子益) 선생이 이름지은 것이다."라고 시작하였다. 상주라는 고을, 응신루라는 건물을 먼저 내세워 설명한 것이다.

문옹은 한(漢)나라 여강(廬江) 사람이다. 경제(景帝) 말년에 촉군태수(蜀郡太守)가 되어서 성도(成都)의 시중에다 학교를 설립해서 입학하는 사람은 부역을 면제해 주고, 성적이 우수한 사람은 고을의 관리로 삼았는데, 촉군이 이때부터 문풍(文風)이 크게 진작되어서 교화가 흥기하였다. 『한서(漢書)』권89「문옹전(文翁傳)」에 그의 치적이 실렸는데, 한나라가 지방까지 널리 학교 교육을 실시하게 된 것은 문옹에 힘입었다고 한다. 강귀손이 향교를 중수하여 건물만 새로워졌을 뿐만 아니라, 상주의 문풍도 크게 진작되었음을 칭찬한 글이다.

향교가 세워진 마을은 교촌리라 불렸고, 그 일대에 진주강씨가 일찍이 정착하여 이룬 마을은 봉(鳳)이 앉은 형상이라 하여 봉두리(鳳頭里) 또는 봉대리(鳳臺里)라 불렸다. 1914년 행정구역 개편에 따라 신안(新安), 봉대(鳳臺), 봉두(鳳頭), 봉원(鳳院), 교촌리(校村里) 등을 병합하여 신봉리(新鳳里)로 이름을 고쳤다.

강귀손이 중수한 상주향교는 1982년 2월 24일에 경상북도 지방유형문화재 제155호로 지정되었으며, 2020년 12월 28일에 대성전(大成殿)·동무(東廡)·서무(西廡)가 보물 제2096호로 지정되었다.

강귀손은 1497년 6월 14일에 경기관찰사(京畿觀察使)에 제수되어 부임하였다. 당시에는 관찰사가 감영(監營)에 주로 머물며 행정을 처리하는 것이 아니라, 여러 고을을 연중 돌아다니며 글자 그대로 관찰(觀察)

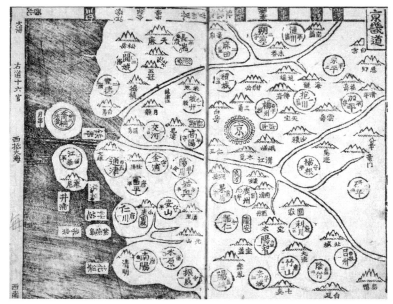

그림3. 경기도지도(여지도)에서 마전현이 임진강 위에 표기되어 있다.

하는 것이 주요 임무였다. 그래서 건국 초기에는 도관찰출척사(都觀察
黜陟使)라고 부르다가 1466년에 관찰사로 개칭하였는데, 출척(黜陟)이
란 수령(守令)의 정적(政績)을 고사(考查)해서 좋은 사람은 승진시키고
나쁜 사람은 파면시키는 것을 말한다.

　강귀손이 경기도 여러 고을을 돌아다니며 민정을 살피고 조정에 장
계를 올린 기록은 실록에 보이는데, 『연산군일기』 3년(1497) 6월 28일
기사에 염전(鹽田)과 과수원(果樹園)의 실태에 관한 보고와 청원이 실려
있다.

경기관찰사 강귀손이 아뢰었다.

"국가에서 바닷가에 있는 여러 고을로 하여금 소금을 굽게 하고 산간 고을에 수송하여 곡식과 바꾸어 군자(軍資)에 충당하고 있는데, 이는 실로 아름다운 제도입니다. 그러나 민가에서 소금을 쓰는 시기가 봄 3, 4월과 가을 7, 8월이 가장 용도에 적절한데, 염분 차사원(鹽盆差使員)이 군소금의 숫자를 감사(監司)에게 보고해서 감사가 계준(啓准)해야 여러 고을에 나누어 수송하게 되므로 항상 적절한 시기에 미치지 못합니다. 이 때문에 백성들이 즐겨 사지 않아 결과적으로 백성에게 강매해서 그 값을 거둬가니 그 폐단이 적지 않습니다.

더구나 실어 보낼 때에 날이 차서 얼음이 얼면 백성으로 하여금 얼어붙은 소금을 떠 가게 하니 백성이 또 괴롭게 여깁니다. 금년 가을에 주어야 할 소금은 명년 봄을 기다려서 주고, 명년 봄에 주어야 할 소금은 또 가을을 기다려서 주어, 길이 상례로 삼으시면 백성의 소금받는 것이 적절하게 쓸 시기에 미칠 수 있습니다.

또 '무우 4백 석을 각관(各官)에서 채전(菜田)에 심었던 것으로 폐단 없이 상납하라.' 하였으나, 각관에는 본시 채전이 없으므로 반드시 백성에게 나누어 맡겨 거두어 들여야 하니, 그 폐단이 적지 않습니다. 신 등의 생각으로는 사포서(司圃署)의 채전이 심히 많고 또 차비(差備)한 종도 120명이 있으니 그 많은 종들로 하여금 많은 채전에 심어 가꾸게 하면 어찌 부족하겠습니까.

지금은 그렇지 아니하여, 그 밭에다 콩이나 보리를 심고 채소를 심지 않으면서 진상할 무우가 부족하다 하며 각관에서 거두어 들이면 가하겠습니까. 지난번에 또 역시 경기 백성으로 하여금 무우를 사포서(司圃署)에 들이라 하고, 본서에서 검사하여 퇴각하고 받지 않는 바람에 겨울이 넘도록 백성들이 바치지 못했습니다. 그러자 사포서의 종들이 서로 방납(防納)하겠다고 나서, 무우 한 말의 댓가가 면포(綿布) 3필까지 되었으니, 그 폐단이 적지 않습니다. 청컨대 무우를 서울 가까운 고을에서 수집하여 서원(署員)으로 하여금 와서 받아가게 하소서. 또 전에 제향에 사용할 무우가 부족하여 봉상시(奉常寺)의 오래 묵은 면포로 무역한 일이 있는데, 만일 부득이할 경우에는 이 예에 의하기를 청합니다.

또 금년에 경기도 과원(果園)에서 생산된 대추 10여 말을 이미 봉상시에 납입하였으나, 용도에 부족되므로 예조에서 또 10여 말을 더 납입하라고 독촉했습니다. 그러나 금년은 과물(果物)이 부실하여 모두 바칠 길이 없으니 감해 주소서. 또 경상도의 전세(田稅)를 실은 조선(漕船)이 양근(楊根) 지방에서 침몰되어 그 침수된 쌀을 이미 백성들에게 나누어 주었는데, 그 중 50여 석이 너무나 썩어서 먹을 수 없음에도 역시 백성에게 주어서 그 값을 거둬들이고 있으니 민폐가 역시 대단합니다. 아울러 탕감하여 주소서."

전교하였다.

"모두 아뢴 바에 의해서 하라. 다만 무우에 대하여는 3백 석만 감하고 1백 석은 본도에 소장된 오래 묵은 면포로서 값을 주고 무역해 들이도록 하라."

경기도에 염전이 많았으므로 강귀손이 부임 초기에 아마도 인천이나 안산, 또는 남양 고을부터 순찰한 듯하다. 그는 경기도의 소금을 거두어서 조정에 보낼 책임자 입장에서 일년간의 유통상황을 미리 점검해보고 문제점을 파악하여, 수요(需要)와 공급(供給)이 일치하지 않는 점을 임금에게 아뢰고 개선책까지 제시하였다. 소금에 관하여 "아뢴 대로 하라"는 긍정적인 결정을 받아냈을 뿐만 아니라, 400석이나 공납하던 무우도 연간 300석을 감면받고, 100석은 돈을 받아내는 결실을 거두었다. 그뒤에도 여러 고을을 돌아다닌 결과와 대안책을 조정에 아뢰었겠지만, 다른 기사는 보이지 않는다.

이듬해인 1498년에도 여러 고을들을 순행하다가 경기도 북부에 있는 마전군의 관아가 피폐한 것을 보고 조정에 청하여 수리하게 하였다. 홍귀달이 지은 「마전군관사중수기(麻田郡館舍重修記)」가 『허백정문집』 권2에 실려 있는데, 『신증 동국여지승람』 제13권 「경기도 마전군」 편에도 전문이 그대로 실려 있다. 마전군은 지금의 경기도 연천군 미산면이니 당시에도 작은 고을이었는데, 국가 차원에서 편찬한 지리지(地理志)에 관아 중수기가 실린 것은 그만큼 중요한 일이었다는 뜻이다.

【궁실】객관(客館) : 홍귀달이 지은 중수기에 이렇게 쓰여 있다.

"마전은 본래 작은 현(縣)인데, 군(郡)으로 승격한 것은 무엇 때문인가? 우리 태조가 하늘 뜻에 순응하여 혁명(革命)하고서 왕씨(王氏)의 제사가 아주 없어질까 염려하여 여기에 사당을 짓고 왕씨의 시조(始祖) 이하로 몇 대의 제사를 지내게 하였다. 문종조(文宗朝)에 와서 왕씨의 후손을 찾아 그 제사를 주관하게 하고, 그 사당 이름을 숭의전(崇義殿)이라 하였으며, 인하여 그 고을의 이름을 군으로 승격시켰다.

그러나 땅이 더 넓어지지 않고 백성이 더 많아지지 않아서 읍(邑)의 쇠잔함이 옛날과 같으니, 사명(使命)을 받들고 오는 사람은 침식할 곳이 없고 이졸(吏卒)은 평상시에도 비바람조차 가리지 못하며, 학사(學舍)는 허물어져 선생과 제자가 있을 곳이 없다.

군수의 아문(衙門)에 이르러서도 초가집에 나무 울타리를 둘러서 자못 관가(官家) 같지 않으니, 지붕을 일 때마다 백성들이 매우 귀찮게 여겼다. 사람들이 말하기를, '이 고을은 없애는 것이 편한데, 그래도 감히 없애지 못하는 것은 숭의전이 있기 때문이다.' 하였다.

홍치(弘治) 무오년(1498)에 진산(晉山) 강 상공(姜相公)이 나와서 경기 안찰사(京畿按察使)가 되었을 적에 군사(郡舍)가 그 꼴이 된 것을 보고 개연히 탄식하고, 대궐에 나아가 아뢰었다.

'마전 고을 관사가 너무 쇠잔하여 어느 도에도 그런 데는 없으니, 급히 새로 지어야 하겠습니다. 그 고을에 사는 백성이 너무 적으므로 만약 본 고을의 백성들만으로 힘을 쓴다면 공사를 빨리 마칠 수 없으니, 본도(本道)의 수군(水軍) 1백 명을 주어서 그 역사를 하도록 하소서.'

임금이 그 말을 따랐다. 얼마 뒤에 지금 군수 정후(鄭侯)가 부임하여 관우(館宇)를 두루 돌아보고 눈살을 찌푸리며 자기가 감당하여 처리할 수 없겠다고 낙심하다가, 강 상공이 아뢴 것을 알고 기뻐하며 말하였다.

'아! 내가 어떻게 감히 힘쓰지 않겠는가. 비록 조명(朝命)이 없어도 진실로 마땅히 나의 마음을 다해야 할 것인데, 하물며 왕명이 하늘에서 내려왔으니 내가 어찌 감히 힘쓰지 않을 수 있겠는가.'

그때부터 본군(本軍, 경기도의 수군 100명)을 부리고 본 고을의 이졸(吏卒)로 보충하되, 평민들은 부역에 참여하지 않았다. 먼저 객사(客舍)를 짓고 다음에 향교를 짓고 그 다음에 군수 아문을 지었는데, 모두 150여 칸이다. 초가를 기와로 바꾸고 나무 울타리를 담으로 쌓았는데, 1년도 못 되어 모든 관우(館宇)가 아주 새로워졌으니, 부지런히 마음을 쓴 사람이 아니면 그렇게 할 수 있겠는가.

얼마 있다가 또 나에게 편지를 보내 기문(記文)을 구하는 데, 글이야 내가 어찌 능하겠는가. 그러나 정후(鄭侯)와는 같은 마을 친구로서 정후의 마음 씀을 나만큼 깊이 아는 이가 없으니, 감히 사양할 수 있겠는가. 이에 말한다.

'마전에 고을이 생기기는 대개 고구려에서 시작하여 신라와 고려를 거쳐 성조(聖朝, 조선)에까지 이르렀으니, 지금까지 몇 년이나 되었는지 알 수 없으며, 절월(節鉞)을 잡고 동장(銅章)을 찬 사람(관찰사)이 또 몇 사람이나 되었는지 알 수 없는데, 강상공 같이 마음을 쓰고 정후 같이 보람을 본 사람이 몇이나 있었던가. 그러나 짓기도 어렵지만 지키기는 더욱 어려운 것이니, 잘 짓고 또 잘 지킨다면 어찌 전처럼 영락해지는 폐단이 있겠는가. 이 뒤에 지금을 계승하는 사람들로 하여금 모두 강상공과 정후와 같도록 한다면, 어찌 고을의 다행이 아니겠는가. 강상

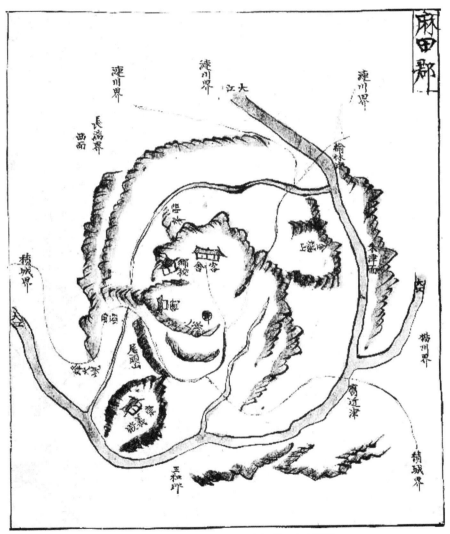

그림4. 마전군지도에 관아와 객사, 향교가 보인다.

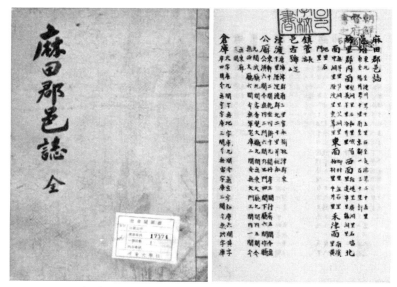

그림5. 『마전군읍지』 표지와 관아 규모를 소개한 본문 첫 장

공의 휘(諱)는 귀손(龜孫)이요, 정후의 이름은 연경(延慶)이다.'"

마전은 작은 현(縣) 규모였는데, 고려 왕실을 제사하는 숭의전을 지으면서 군(郡)으로 승격하였다. 그러나 땅이 넓어진 것도 아니고 백성이 늘어난 것도 아니어서 군수가 초라한 초가집에서 정사를 보는 실정이었다. 마전군수 정연경의 부탁을 받고 홍귀달이 지은 글의 제목은 관사(館舍) 중수기이고, 『신증 동국여지승람』에는 객관(客館)이라고 하였지만, 실제로 기문 내용을 보면 객사(客舍) 뿐만 아니라 향교(鄕校)와 군수 아문(관아)까지 다 수리하였다. 150여 칸의 초가집을 기와집으로 바꾸고, 나무 울타리를 담으로 쌓아 마전군의 면모를 일신한 것이다.

　대한제국 시기에 편찬한 『마전군읍지』를 보면 대부분의 관아 건물이 없어졌다. 마전군에서 거둬들이는 세금으로는 150칸의 건물을 수리할 형편이 못 되는데다가, 강귀손같이 적극적으로 조정에 청원하여 예산이나 인력을 배정받는 관찰사나 군수도 없었던 것이다. 마전군은 결국 1914년 행정구역 통폐합 과정에서 연천군에 편입되어 미산면이 되었다.

　마전군 공사를 시작해 놓고 강귀손은 그해 4월 4일에 병조 참판(兵曹 參判, 종2품)에 제수되어 조정으로 돌아갔다. 이날의 『연산군일기』에 특별한 기록이 보인다.

　　지평(持平) 신복의(辛服義)가 "경기감사 강귀손이 만기가 되지 못했는데 특별히 병조참판을 제수한 것은 잠저(潛邸) 시대의 옛 은혜로써 사람에게 사정을 보인 것이니 개정하시라."고 청하였지만, 연산군이 "특지(特旨)는 차한에 부재한다. 너희들이 정사를 하려느냐."고 전교하였다.

　관찰사의 주요 임무는 도내를 순력하면서 1년에 두 차례 수령을 비롯한 모든 외관(外官)에 대한 성적을 평가, 보고하는 일이었다. 너무 오래 근무하면 수령들과 관계가 맺어져 불공정한 평가가 생길 수 있으므로, 임기는 1년을 넘지 못하게 하였다. 그러나 강귀손이 10개월만에 조정으로 복귀하자 사헌부에서 문제삼은 것인데, 연산군이 특지(特旨)에 관해서는 개입하지 말라고 경고하였다. 강귀손을 늘 옆에 두고 싶어했던 연산군의 속마음을 엿볼 수 있다.

　강귀손이 병조참판에 제수되어 처음 제안한 정책이 『연산군일기』 4월 21일 기사에 실려 있다.

강귀손 등이 의논드렸다.

"변장(邊將)은 이조·병조에서 뽑아서 제수하고 또 감사·절도사가 동의하여 포폄(褒貶)하니 간택하고 거취하는 방법이 진실로 남은 계책이 없는데, 하필 사람을 시켜 각각 천거하게 하여 따로 권장하고 징계하는 방법을 세울 까닭이 있습니까. (줄임)

신 등의 의사로는, 명장(名將)을 녹용(錄用)하고 관방을 설치하는 계책이 일에 유익됨이 없고, 혹 도리어 폐단이 있을 듯하니 아무래도 시행하는 것이 불가할 것입니다."

실록에는 '강귀손 등'이라고 기록되었지만, 관찰사로 1년 활동한 강귀손의 체험이 반영된 정책임을 알 수 있다. 관찰사로 부임하여 조정에 처음 제안했던 내용과 마찬가지이니, 그가 물자나 인재의 수요와 공급을 감안하여, 적재적소에 배치하고, 중복 관할을 금지하는 등의 효율적인 행정을 펼쳤기에, 다른 점에서는 그를 비판하던 사관(史官)도 그를 행정의 달인이라고 칭찬했던 것이다.

그는 50세 되던 1499년에 한성부 판윤(정2품)으로 부임하였지만, 1500년 1월 5일에 도총부(都摠府) 도총관(都摠管, 정2품)에 제수되었으며, 실록에서 한성부 판윤으로서의 행적은 보이지 않는다. 성현이 지은 시를 보면 창덕궁 확장 공사를 맡기느라고 한성부 판윤에 임명한 듯하다.

그가 세상을 떠나던 1505년 8월 25일 『연산군일기』에 졸기(卒記)가 실렸는데, "성품이 억세고 재간이 있어 직무에 임하면 엄밀했으며, 일에 따라 잘 처리하여 하는 일마다 남의 마음을 시원하게 하였다. 친척과 친구를 후하게 대우하여 곤궁하거나 영달함에 따라 태도를 달리하지 않았다."는 평가가 바로 목민관 강귀손의 능력이자 장점을 가장 잘 보여주었다고 할 수 있다. 남달리 뛰어난 행정력을 지녔기에, 그를 비

판하는 익명서(匿名書)가 던져지고 방(榜)이 나붙더라도 임금의 신임을
받아 관직을 유지할 수 있었다.

2. 왕실 공사를 책임맡아 감독하다

연산군은 왕실과 관련해 많은 공사를 벌였는데, 하나는 생모 윤씨의
묘를 원(園)과 능(陵)으로 승격 수축하는 공사이고, 다른 하나는 창덕궁
이나 창경궁을 확장하는 공사였다. 강귀손이 이러한 왕실 관련 공사를
자주 책임지고 감독하였는데, 연산군이 어렸을 때에 강희맹의 집에서
자란 인연으로 신뢰한 이유도 있지만, 다른 관원들과 달리 합리적인
사고방식으로 일을 처리하는 것도 마음에 들었기 때문에 그에게 자주
공사 감독이 맡겨졌다.

2.1. 합리적인 일 처리를 연산군이 인정하다

승정원에 전교하였다.
"문소전의 지붕을 고칠 때에 신위판(神位板)을 앞뒤의 전(殿)에서 서로
옮겨서 모실 것인가, 옛 동궁에 옮겨 모실 것인가? 영돈녕(領敦寧) 이상과
의정부·육조·대간·홍문관의 관원을 불러서 이를 의논하게 하라."
강귀손 (줄임) 등이 의논하였다.
"앞뒤 전(殿)이 상거가 매우 가까우니, 이제 지붕을 고치면서 비록 서
로 받들어 옮겨 모신다 하더라도 역도(役徒)가 많아서 형세가 반드시 시
끄러워, 신도(神道)가 고요함을 숭상하는 뜻에 어긋날 듯합니다. 다른
전(殿)으로 받들어 옮기는 것이 적당하겠습니다." (줄임)
강귀손 (줄임) 등이 의논하였다.

"지붕을 다시 고치지 않는 것이 적당합니다."

전교하였다.

"이는 큰 일이므로 마땅히 참작하고 헤아려서 해야 할 것이다."

-『성종실록』 24년(1493) 10월 16일

이 기록은 성종 때의 일인데, 왕이 문소전 공사를 어떻게 할 것인지 물어보자, 강귀손은 시끄럽게 공사하지 말고 신위판을 다른 전(殿)으로 옮기자고 건의하였다. 성종이 결국 그 의견을 받아들여 공사를 중지하였다.

승정원에 전교하였다.

"지금 날씨가 얼고 추워지니 비록 큰 집안에서 화로를 끼고 앉아도 추위를 견딜 수 없다. 대내(大內)를 수리하는데 일 나온 군사들이 어찌 고생하지 않으랴. 백성은 나라의 근본이니 근본이 굳건해야 나라가 평안하다 하였다. (줄임) 역사를 정지함이 어떠한가."

승지 강귀손 등이 아뢰었다.

"전하께서 진념하심이 이러하니 백성들이 반드시 감명하여 받들 것입니다. 그러나 내년 2월 이후에는 마땅히 정전(正殿)에 거처하셔야 합니다. 대내의 역사가 끝나 가는데 아직 미급한 것은 장인(匠人)들의 일뿐이니, 군인들을 일 시키지 않아도 됩니다. 전하께서 삼년상 중이어서 지금까지 정전에 거처하시지 않았는데, 금년에는 수리를 끝내고 옮겨 거처하셔야 합니다."

전교하였다.

"군인들의 고생이 심하다. 그러나 사세가 이와 같으니 좋도록 하라."

-『연산군일기』 2년(1496) 10월 24일

성종이 세상을 떠난 뒤에 연산군이 즉위하여 삼년상을 지내는 동안 정전(正殿)에 머물지 않고 창경궁에 머물렀으므로, 새해부터는 거처를 정전으로 옮기기 위해 한창 창덕궁 공사를 하였다. 날씨가 추워지자 연산군이 군사들을 위하여 공사를 중지하자고 제안하였지만, 승지 강귀손은 공사 일정이 넉넉지 않은데다가 군사들의 일은 끝났으니 장인(匠人)들이 서둘러서 마무리하는 것이 좋겠다고 아뢰어 연산군의 윤허를 받아내었다.

> (판서 이세좌 등이) 아뢰었다.
> "성균관 앞 길의 민가 10여 채를 철거하고 보상으로 면포(綿布)를 관에서 내어 줄 것을 예조에서 청했습니다. 그런데 지금 왜(倭) 황금과 동철(銅鐵)을 무역하는 경비가 적지 않습니다. 신이 보건대, 중국에도 문묘(文廟)가 동네 한가운데 있으니 추후에 철거하는 것이 좋겠습니다."
> 그대로 좇았다. 이세좌가 (이 일을) 아뢰려는데 승지 강귀손이 중지시키려다가 이루지 못하였다. 이세좌가 나가니, 강귀손이 말하였다.
> "즉위한 초기이니 문교 장려에 관련된 모든 일이라면 대신이 된 자는 마땅히 찬성하여야 하는데, 어찌 적은 비용을 계산하여 중지시키겠는가. 또 중국의 문묘가 여염 중에 있더라도 어찌 본받을 것인가. 지금 금과 철을 무역하는 것이 급하다 하여 주상이 문교를 장려하는 뜻을 저지하는데, 금·철과 문묘가 어느 것이 경하고 어느 것이 중한가."
> — 『연산군일기』 3년(1497) 1월 12일

강귀손은 무역보다 문교(文敎)가 중요하며, 왕이 즉위한 초기이니 특히 문교를 장려할 필요가 있다고 말하였다. 합리적으로 일을 처리하면서도 일의 순서를 결정하는 기준이 재물이 아님을 보여주는데, 연산군이 닷새 뒤인 1월 17일에 그에게 생모(生母) 윤씨(尹氏)의 묘소 옮기는 여러 가지 일을 관장하도록 명하였다. 그가 왕의 최측근인 도승지였기 때문이기도 하지만, 일처리하는 방법을 인정한 것이기도 하다.

2.2. 윤씨 묘소 이장을 감독하다

연산군의 생모인 윤씨가 폐비(廢妃)되고 사사(賜死)된 뒤에 경기도 장단(長湍)에 매장되었다. 그러나 장지가 좋지 않다고 지관(地官)이 지적하자, 성종이 1488년에 신하를 보내어 둘러보게 하였다.

> 최호원(崔灝元)이 장단에서 돌아와 복명하고 이어서 아뢰었다.
> "신이 장단의 묘소에 가서 보니, 건좌 손향(乾坐巽向)이었는데, 수파(水破)가 정방(丁方)이었고, 청룡(靑龍)·백호(白虎)는 낮고 미약하였으며, 도국(圖局)이 협착 하였습니다. 곁에는 고총(古塚)이 있고 근처의 산기슭에는 밭이 있어 모두 경작하고 있었는데, 보통 사람이 묘를 쓴다면 가하겠지만, 국용(國用)에는 합당하지 못합니다. 또 묘(墓) 앞이 몹시 비좁아서 단지 두 계단만 만들 수 있는데, 만약 세 계단을 만들려면 반드시 보토(補土)를 하고서야 가능할 것입니다."
> 전교하였다.
> "그대들로 하여금 가서 보게 한 것은 단지 세자를 위하여 길흉을 살피도록 한 것일 뿐이니, 다른 것은 생각할 것 없이 길흉만 말하는 것이 옳다."
> 최호원이 아뢰었다.
> "길흉은 참으로 미리 헤아릴 수가 없으니, 흉화(凶禍)의 응(應)함을 가리켜 말하는 것은 지리가(地理家)도 꺼리는 바입니다. 또 신(臣)은 곽박(郭璞)에 비교할 수가 없는데, 어찌 능히 알 수 있겠습니까? 다만 자손 만세(子孫萬世)의 계책을 위해서는 부족할 듯합니다."
> 전교하였다.

"이미 서인(庶人)이 되었으므로 그 집에서 진실로 거두어 장사지내야 마땅하겠지만, 세자가 있음으로 해서 국가에서 터를 가려 장사한 것인데, 당시에 어찌 불길한 터에다 정했더란 말인가? 만약 불길하다면 천장(遷葬)하는 것이 어찌 어렵겠는가? 김석산(金石山)이 말한 바가 옳은가?"

최호원이 말하였다.

"건좌 손향(乾坐巽向)은 그렇습니다만, 수파(水破)는 그렇지 않습니다. 또 음양가(陰陽家)가 말하기를, '복(福)이 없는 사람으로 하여금 그 것을 보게 해서도 안되고, 이름을 입에 담아 말하는 것도 진실로 불가하다.' 하였습니다."

윤필상·서거정·임원준·어세겸을 불러들여 전교하였다.

"이 일을 어떻게 하는 것이 마땅하겠는가?"

윤필상 등이 아뢰었다.

"천장(遷葬)은 중대한 일입니다. 그러나 이 산(山)이 만약 좋지 않다면 옮기지 않을 수 없으니, 청컨대, 풍수(風水)를 이해하는 재상을 보내어 가서 살펴보게 한 뒤에 다시 의논하소서."

명하여 서거정으로 하여금 가서 살펴보게 하였다.

－『성종실록』19년(1488) 4월 17일

행호군(行護軍) 최호원은 문과 출신이지만 풍수지리에 능하였는데, 그의 말에 따라 이장하는 쪽으로 방향을 정하고, 서거정을 보내어 한 번 확인하게 하였다. 서거정이 다녀와서 "좋지 않은 듯하다"고 아뢰었다.

처음에는 묘비도 없이 윤씨의 시신을 장단에 묻었으나, 성종이 세자가 즉위한 뒤에 생모를 찾을 것을 대비하여 '윤씨지묘(尹氏之墓)라는 비석을 세워 주라'고 1489년 5월 20일 예조(禮曹)에 전지(傳旨)하였다.

폐비(廢妃)의 악덕은 사책(史策)에 분명히 드러나 있어 나라 사람들이 함께 통분해 할 뿐만 아니라 천왕(天王) 역시 폄출(貶黜)을 허락한 것이니, 어찌 다시 논할 수 있으랴? 내가 덕이 없어 어진 배필을 얻지 못하여 위로는 조종(祖宗)의 큰 덕에 누가 되고, 아래로는 신민(臣民)들의 큰 비램을 저버렸으니, 부끄러운 마음을 어찌 다 말할 수 있으랴?

그러나 천지 신명과 조종(祖宗)의 몰래 도우심에 힘입고, 정녕하신 삼전(三殿)의 가르치심을 받들어 이 몸은 당나라 중종(中宗)과 같은 신세를 면했고, 죄는 이미 진나라 가후(賈后)와 같이 밝혔으니, 이는 대신들이 함께 기뻐하며 하례하는 바이다.

나는 지금도 옛날의 일을 생각하면 한밤중에까지 두려워하며 홀로 앉아 잠못 이룬 날이 얼마나 되는지 모른다. 비록 영원토록 제사를 지내지 않는다고 하더라도 혼령에게 어찌 원통함이 있겠으며, 내가 어찌 불쌍한 생각이 들겠는가?

다만 어미가 자식 때문에 영화롭게 되는 것은 임금의 은혜이며, 후일의 간악함을 방지하는 것은 임금의 정사이다. 지금 세자의 정리를 돌아볼 때 어찌 측은하지 않는가? 지금 특별히 그 묘를 이름하여 '윤씨지묘(尹氏之墓)'라 하고 묘지기 2인을 정해 주며, 이어 소재지의 수령으로 하여금 속절(俗節)마다 제사를 드리도록 해서 자식의 심정을 위로하고 혼령이 감응하게 하라. 그러나 내가 죽은 뒤에도 영원토록 고치지 말고 아비의 뜻을 지키도록 하라.

성종은 폐비 윤씨의 묘를 '윤씨지묘(尹氏之墓)'라 비석을 세우고, 제관 2명을 보내 기일에 제사를 올리도록 하되, 묘의 이름을 영구히 고치지 못하도록 명하였다. 서인(庶人)의 묘이니, 왕비의 능으로 승격하지 못하게 못을 박은 것이다.

연산군이 즉위하여 삼년상을 지낸 뒤에 가장 먼저 한 일 가운데 하나

가 바로 생모 윤씨의 묘를 옮기는 일이었다. 1497년 1월 17일에 최측근
인 도승지 강귀손에게 생모 윤씨의 묘소 옮기는 여러 가지 일을 관장하
도록 명하였다.

　묘소를 옮기는 책임자 강귀손은 이에 관한 기록을 남기지 않았지만,
한성부 판윤으로 있던 친구 성현이 강귀손과 함께 다니면서 그 과정을
시로 지어 남겼다.

> 묘소를 옮기는 일로 장단에 가다. 이때 용휴와 동행하였다. 7수
> 以遷墓事往長湍時 與用休同行 七首
>
> 자욱하게 안개 낀 임진 나루터
> 물가에 모여 서서 배를 부르니,
> 정성스러운 파주 태수가
> 술을 들고 나와서 우리를 배웅하였네.
> 靄靄臨津渡、呼舟簇水濱。
> 殷勤坡太守、壺酒送行人。

　고관이 공무로 출장가면 인근 지역의 관아에서 숙식을 제공하였으
므로 첫 번째 지대관(支待官)인 파주 목사(坡州牧使) 한충순(韓忠順)이 임
진 나루로 와서 전송하였다.

> 회오리바람이 급히 눈을 몰고 와
> 별안간에 앞 난간을 때려 대니,
> 술잔과 쟁반들은 어지러이 흩어지고 술자리 파해
> 다시 만나자는 말도 못했네.
> 回風吹急雪、倏忽打前軒。
> 狼藉杯盤散、相逢不得言。

그림6. 임진팔경 가운데 하나인 적벽. 에코뷰 사진

이웃 고을인 풍덕(豐德)의 군수 한절(韓嵒)이 찾아와 한바탕 술자리를 벌였으나, 눈을 만나 흩어졌다. 제3구는 소동파(蘇東坡)의 〈적벽부(赤壁 賦)〉 구절에서 가져온 말이니, 성현과 강귀손이 임진강 가에서 적벽의 풍류를 즐겼다는 뜻이기도 하다.

소동파는 "객이 기뻐하여 웃고 잔을 씻어 다시 술을 따르다보니, 안 주와 과일은 이미 바닥이 나고 술잔과 쟁반은 어지러이 흩어졌다. 배 가운데에서 서로들 베고 누워 잠이 든 채, 동녘이 벌써 훤하게 밝아오 는 것도 알지 못하였다.[客喜而笑 洗盞更酌 肴核旣盡 杯盤狼藉 相與枕藉乎舟 中 不知東方之旣白]"라고 했었다. 임진강 가의 수직절벽인 적벽(赤壁)은 임진팔경(臨津八景) 가운데 하나이다.

기와집은 솔숲에 기대었고
긴 다리는 강가에 걸터앉았네.
곡식 창고가 나날이 퇴락해 가니
기염이 지난날과 같지 않구나.
瓦屋依松嶠、長橋跨江邊。
囷倉漸頹落、氣燄不如前。

서거정은 이 시에 "고(故) 조상(曹相)의 별서(別墅)를 지났다."고 소주
(小注)를 달았는데, 장단에 살았던 조정승이라면 영의정을 지낸 조석문
(曹錫文, 1413~1477)이다. 『신증 동국여지승람』 제12권 「장단도호부」 편
에 "조석문(曹錫文)의 묘가 (장단)부의 남쪽 15리에 있다."고 하였다. 조
석문이 예조정랑 재임 중에 노모를 봉양하기 위해 벼슬을 그만두고 장
단에 물러가 있자, 조정에서 그 재주를 애석히 여겨 지안산군사(知安山
郡事)를 삼을 정도로 신망이 높았다.

세 고을을 합하여 한 고을이 되었는데
구역이 개경과 한양 사이에 땅이 있어,
한스럽게도 징수하는 세금 명목이 많으니
민간에 사는 사람 소리가 들리지 않네.
合三爲一邑、地在兩京間。
却恨煩徵斂、民居未得聞。

서거정이 장단(長湍)의 동헌(東軒)에 쓴 시이다. 세조 때에 장단과 임
진, 임강의 3개 현을 합하여 장단현을 설치하였는데, 중궁의 증조·고
조·현조의 묘가 장단에 있다고 하여 군(郡)으로 승격시키고, 예종 때에

도호부로 승격시켰다. 그러나 도호부 관아를 유지하기에 걸맞게 인구
는 늘지 않아서 백성들의 부담만 커졌다는 뜻이다.

> 구름 뚫고 험준한 고개를 넘어
> 물 건너고 들판을 지났네.
> 안개 덮인 강물로 아득한 골짝
> 허정승의 마을이라 말을 하누나.
> 穿雲踰峻嶺、涉水度平原。
> 煙水濛濛谷、人言許相村。

성현이 가좌동(加佐洞)을 지나면서 지은 시인데, 우의정을 지낸 충정
공 허종(許琮)이 장단에 살았고, 묘도 장단에 모셨다.

> 산 위에 자리 잡은 초라한 봉분
> 찾아온 사람 모두 서글프구나.
> 처량한 술과 떡이여.
> 네 명절에만 올려야 하다니.
> 馬鬣依山上、人來摠愴神。
> 凄涼酒與餅、只薦四名辰。

이들은 백동(白洞)의 윤씨 묘소에서 떡과 술을 차려놓고 제사를 지냈
다. 1489년에 성종이 속절에만 제사를 지내 주고 자신의 사후에도 절
대 변경하지 말고 그대로 따르라고 명을 내린 적이 있어서 제대로 제사
를 받지 못한 윤씨의 슬픔을 대변한 것이다.

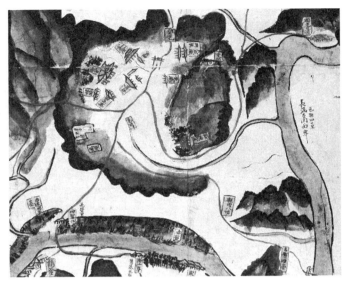

그림7. 적성현지도 임진강 적벽 위에 적성현 동헌이 그려져 있다

일이 많아 관리는 고달프고
땅이 척박해 백성들은 굶주리네.
보이는 건 창 밖의 나무뿐이니
둘레가 수십 아름은 너끈하구나.
事叢官吏苦、土瘠里民飢。
惟見窓前樹、龍鍾數十圍。

 공사를 마치고 나오는 길에 적성현(積城縣)의 동헌(東軒)에 쓴 시이
다. 묘소를 양주(楊州) 천장산(天藏山) 남쪽으로 옮기고 묘호를 회묘(懷
墓)라고 고쳤으며, 효사묘(孝思廟)를 세웠다. 뒤에 윤씨의 묘가 회묘, 회
릉(懷陵), 회묘로 변경되면서 지명이 되어 지금의 서울특별시 동대문구
회기동이라는 지명이 생겼다.

그림8. 서삼릉 경내로 이장된 회릉

『한국민족문화대백과사전』에서는 회릉(懷陵)을 이렇게 소개하였다.

　　성종의 비이며 연산군의 생모인 폐비 윤씨(尹氏)의 묘이다. 원래는 서울특별시 동대문구 회기동 산 5번지 경희의료원 자리에 위치했으나, 1969년 10월 25일 경기도 고양시 원당읍 원당리의 서삼릉(西三陵) 경내로 이장되었다. 윤씨는 1479년 폐출당했으며, 1482년(성종 13) 8월에 사약을 받았다. 이 때 성종은 예조에 교지를 내려 폐비 윤씨의 묘소를 '윤씨지묘(尹氏之墓)'라 표시하고, 묘지기 2인을 배치, 소재지 관원에게 민속적인 절기마다 제사를 지내며 영구히 고치지 못하게 하였다. 그러나 1494년 왕위에 오른 연산군은 1496년 효사묘(孝思廟)라는 사묘(私廟)를 짓고, 윤씨의 묘를 수봉해 회묘(懷墓)라 하였다. 그 뒤 1504년 갑자사화를 겪고 난 뒤 폐비 윤씨를 제헌왕후(齊獻王后)로 추존하고 회묘를 회릉으로, 효사묘를 혜안전(惠安殿)으로 승격시켰으며, 모든 석물(石物)을 왕릉의 형식과 같이 하는 한편 제향 절차도 종묘 의식과 같게 하였다. 그러나 1506년 중종반정으로 연산군이 쫓겨나자 회릉은 회묘로 강봉되고, 혜안전도 철폐되어 윤씨의 신주(神主)는 묘 곁에 묻혔다. 석물은 봉분과 함께 그대로 남아 있다가 서삼릉 내 귀인(貴人)·숙의 묘역 바로 뒤로 이장되었다. 이장된 회묘는 곡장이 불타 기단부만 남았다. 봉분을 두른 난간석도 일부 무너졌으나, 문인석·무인석 등 다른 석물과 함께 조선 초기 왕릉의 석물 양식을 보여주고 있다.

2.3. 직책상 궁궐 공사의 감독을 맡다

연산군의 갖은 폭정을 이기지 못한 신하들이 진성대군을 추대하여 반정에 성공하자, 진성대군의 즉위를 기록한 『중종실록』 1년(1506) 9월 2일 사평(史評)에 사관이 연산군의 악정을 여러 가지 열거하면서 그 가운데 하나로 궁실 공사를 지나치게 많이 벌인 것을 이유로 들었다.

선성(先聖)·선사(先師)의 위판(位版)을 처음에는 태평관(太平館)에 옮겼다가 얼마 뒤에 장악원(掌樂院)으로 옮기고 또 서학(西學)에 옮겼다. 그리고 강당(講堂)과 사전(祠殿)은 흥청들이 음희(淫戲)하는 장소로 변하였다. (줄임) 궁전과 사우(寺宇)를 연이어 짓고 은은히 보이도록 온갖 기묘한 솜씨를 다 부려 화려한 채색이 눈부셨는데, 집을 짓는 데에 쓰인 물건은 모두 시인(市人)에게서 나왔다. (줄임)

창경궁 후원에서 경복궁·경회루까지 임시 건물 3천여 간을 이어 짓고, 망원정 아래의 조수(潮水)를 끌어들여 창의(彰義)의 수각(水閣) 아래까지 파서 통하게 하려고 도감(都監)으로 하여금 수도(水道)의 깊이·너비·고저를 측량하게 하고, 거기에 동원될 역부(役夫)의 수를 헤아려 보니 50여만 명이나 되었는데 다음해에 역사를 시작하려다가 미처 성취하지 못하였다. 수리도감(修理都監)·축성도감(築城都監)을 두고 삼공(三公)으로 도제조(都提調)를 삼았으며, 그 나머지 부제조(副提調) 및 낭관(郎官)·감역관(監役官)이 2백여 원(員)이나 되었는데, 이들을 여러 곳에 나누어 맡긴 결과 백성을 몹시 가혹하게 침탈하였다. 축장군(築墻

軍)·축대군(築臺軍)·착지군(鑿池軍)·이궁 조성군(離宮造成軍)·인양전 조성군(仁陽殿造成軍)·작재군(斫材軍)·유재군(流材軍) 따위를 일시에 아울러 징발하여 독촉해서 부역하게 하니, 민간이 소란스러워 집에는 남은 장정이 없었고, 유랑하거나 피난하여 열 집에 아홉 집은 비었다. 부역은 과중하고 양식은 결핍하여 굶어 죽는 사람이 있었으니, 숭례문 밖 노량(路梁) 사이에 시체가 산더미처럼 쌓였다.

앞뒤의 다른 이유들은 연산군을 황음(荒淫) 무도(無道)하다고 비난할 때에 자주 인용되는 죄목들인데, 궁궐 공사는 나름대로 이유가 있기는 하였지만 역시 사치스럽다는 비난을 받았다.

"삼공으로 도제조를 삼고, 그 나머지 부제조 및 낭관(郎官)·감역관(監 役官)이 2백여 원(員)이나 되었다"고 했으니 조정에 있는 관원들이 대부분 크고작은 공사를 감독한 셈인데, 이 시기에 한성부 판윤과 이조판서를 역임한 강귀손 역시 제조(提調)로 차출될 수 밖에 없었다. 『연산군일기』 5년(1499) 1월 22일 기사에는 산릉도감(山陵都監) 제조(提調)로 기록되었으며, 『연산군일기』 8년(1502) 3월 5일 기사에는 선공감 제조(繕工監提調)로 기록되었다. 5월 9일에 이조판서 사직을 원하였지만 들어주지 않았다. 궁궐 공사에 적임자라고 여겨 놓아주지를 않았다.

『연산군일기』에서 강귀손이 궁궐 공사에 관련하여 발언한 내용이 두 군데 보인다.

선공감 제조(繕工監提調) 이세좌·강귀손이 아뢰었다.
"경복궁에 퇴락한 데가 많으니 빨리 수리해야 되겠지만, 영선할 곳이 너무 많습니다. 더구나 금년은 흉년이어서 백성들이 굶주리고 있으니, 진실로 큰 역사를 경솔히 일으킬 수 없습니다. 재목과 기와를 미리 구해 두었다가 다른 해를 기다려서 크게 수리하기를 청합니다. 또 인정전에 단청을 다시 칠하는 일은 모든 재료가 이미 갖추어졌으나 가뭄으로 인하여 정지되었는데 지금 곧 시작하는 것이 어떻겠습니까?"

　　전교하였다.

　　"경복궁은 마땅히 수리해야겠지만, 금년은 아직 정지하라. 인정전은 금이나 은으로 장식하는 것이 아니고 단지 단청을 고쳐 칠하는 것뿐이며, 또 중국 사신을 접대하는 일은 반드시 이곳에서 하게 되니 다시 채색하지 않을 수가 없다."　　　　　　　　－『연산군일기』 8년(1502) 7월 29일

　　이 날은 경복궁 공사 실무자로서, 올해는 흉년이니 경복궁 공사를 다른 해로 미루고, 중국 사신을 접대할 인정전의 단청 공사만 하자고 건의하였다. 세자책봉주청사(世子册封奏請使)로 북경으로 떠나기 전이었으므로 실무적인 차원에서 건의하여 윤허를 받고, 9월 17일 북경으로 출발하였다.

　　전교하였다.

　　"궁궐 담장 밑 백 자[尺] 안 내려다보이는 곳에 집을 지을 수 없는 것은 이미 법으로 금한 것이다. 법을 무릅쓰고 집을 지은 것을 그 관사에서 아뢰어야 할 것인데 말하지 않으니, 이는 원래부터 위를 업신여기는 풍습이 있기 때문이다. 재상이나 조사(朝士)들이 모두 위를 위하지 않고 아랫사람과 하나가 되어 태만하게 금하지 않는데, 신하로서 인군 섬기기를 의당 정성과 공경으로 하여야 할뿐만 아니라, 국법을 무서워하지 않고 집을 짓는 자 역시 참으로 그르다. 지금 집을 헐리게 된 사람 가운데 권성필처럼 원망하여 말하는 사람도 혹 있지만, 사리를 아는 사람으로서야 어찌 이럴 수 있겠는가? (줄임) 만일 궁궐 담장 밑이나 내려다보이는 곳에 집을 지어도 된다고 하여 금하지 않는다면, 궁궐도 반드시

엄숙할 필요가 없고 안팎도 반드시 분별할 필요가 없을 것이니, 병조·공조와 한성부 당상이 집 주인들을 모아놓고 철거할 뜻으로 효유하게 하는 것이 승지의 의견에는 어떠한가? (줄임)"

이어 병조·공조·한성부 당상을 불러 전하였다.

"집 헐리는 사람을 넉넉히 주지는 못하지만, 무명을 조금씩 나누어 주어 나라의 뜻을 알게 하라."

강귀손 등이 대·중·소·소소가(小小家) 4등급으로 나누어 아뢰었다.

"대가에는 무명 50필, 중가에 30필, 소가에 15필, 소소가에 10필씩 주시기 바랍니다."

"그리 하라."고 전하였다.

－『연산군일기』 9년(1503) 11월 5일

강귀손이 백성들이 궁궐 담장에 붙여 집 지은 실태를 조사하러 나섰는데, 이 역시 그가 지은 글이 없어서 『허백당보집(虛白堂補集)』에 실린 성현의 시를 통해서만 확인할 수 있다.

공조, 경조부와 함께 성안의 철거해야 할 민가를 자세히 조사하다
同工曹京兆府看審城中可撤家舍

근본인 도성 땅이 한강의 북쪽이니
청룡과 백호 산이 둘러 깊고도 아늑하구나.
백 년 동안 연화 피어올라 대도회지가 이뤄지니
만 집의 노랫소리와 종소리가 요란하네.
번화한 저자에는 사람이 바다 같고
길과 길이 엇갈리어 땅값이 금값일세.
다투어 비어 있는 땅 찾아 커다란 집을 짓고
깊은 산길 차지하여 숲까지 이르렀네.

대궐을 내려다볼 마음 가진 게 아니건만
우연히 땅이 없어 층층한 산을 끊었구나.
어느 누가 풍수설을 제대로 알겠는가
부질없이 흰머리를 슬퍼하는 내가 부끄럽구나.
내 몸이 아직까지 건강함을 자신하고
억지로 힘을 다해 험준한 산에 올랐네.
중양절이 가까운데 높은 곳에 올라보니
들국화가 활짝 피어 마음껏 잔질하네.
친구들과 반갑게 만나 취하도록 술 마시고
단란하게 둘러앉아 흉금을 터 이야기하네.
공무를 빙자하여 아름다운 모임 갖고
거나하게 취해서 돌아오니 날도 저물려 하네.
根本神都漢水陰。山回龍虎窈而深。
百年煙火紛成聚、萬屋歌鍾正鬧吟。
闌闠縱橫人似海、街衢交錯土如金。
爭尋隙壤開軒宇、分占幽蹊傍樹林。
不是有心臨魏闕、偶因無地屬層岑。
誰人能解靑烏術、愧我空悲白髮簪。
自信形骸猶矍鑠、强扶筋力陟嶇嶔。
重陽節近登高遠、野菊花開滿意斟。
邂逅故人同酩酊、團圝今日暢胸襟。
却憑官事成佳會、半醉歸來日欲沈。

 풍수설(風水說)에 왼쪽은 청룡(靑龍)이요, 오른쪽은 백호(白虎)라고 하
였으니, 한양의 동편 낙산(駱山)은 청룡이요 서편인 인왕산(仁王山)은
백호이다. 송나라의 시승(詩僧) 청순(淸順)의 〈십죽(十竹)〉 시에, "성중

에 한 치 흙이 한 치 금과 같다.[城中寸土如寸金]"라고 하였는데, 한양 성내의 땅값이 금값 같이 뛰어올라서 집 없는 백성들이 숲과 언덕까지 침범하다보니 왕궁을 내려다보게 되었다고 가엽게 여긴 것이다.

이 시가 『동문선』에는 「한성판윤 강용휴(姜用休)와 좌윤 한사문(韓斯文), 공조참판 김군량(金君諒), 참의 민사건(閔師騫)과 함께 궁성이 백성의 집에 눌린 것을 살펴본다.[與漢城判尹姜用休左尹韓斯文工曹參判金君諒僉議閔師騫同審宮城臨壓人家]」라는 제목으로 실려 있어, 시를 짓게 된 배경이 한층 자세하게 밝혀져 있다.

용휴는 강귀손의 자(字)인데, 그가 『연산군일기』 9년(1503) 11월 5일의 왕명을 받을 때에는 한성판윤을 그만둔 뒤의 일이어서 앞뒤 관계는 불분명하다. 1497년 5월과 1500년에도 정업원(淨業院) 북쪽 고개와 성균관 뒤편의 민가를 조사해서 철거하도록 왕명을 내렸으니, 그즈음 어느날에 있었던 일인 듯하다.

민가가 산등성이에까지 올라와 있어서 궁궐을 내려다 보는 것[臨壓]을 뜯어 내기 위하여 답사하라는 명령을 받았지만, 성현과 강귀손은 좁은 한양 성내에 집을 짓고 살아야 하는 백성들의 고충도 이해한 것이다. 이사(移徙) 비용 치고는 너무나 적은 무명을 나눠주고 철거해야 하는 그들의 고충도 함께 그렸다.

3. 외교 수완이 뛰어나다

강귀손은 행정에 달인이었지만, 외교에도 수완이 좋아 자주 일을 맡았으며, 외교 관련 사항에 많이 발언하였다. 진주강씨 문중에는 역대로 중국에 사신으로 다녀온 분들이 많으니, 문중의 전통이라고 볼 수 있다. 연행록을 따로 편집한 분만 해도 아래와 같이 많다.

燕行路程記(姜栢年, 1660年)

燕京錄(姜栢年, 1660年)

燕行錄(姜銃, 1699年)

看羊錄(姜銀, 1701年)

桑蓬錄 禮·樂·射·御·書·數(姜浩溥, 1727年)

燕京編(姜世晃, 1784年)

瀛臺奇觀帖(姜世晃, 1784年) 槎路三奇帖(姜世晃, 1784年)

燕行錄(三冥集, 姜浚欽, 1805年)

輶軒續錄(姜時永, 1829年)

輶軒三錄(姜時永, 1853年)

北轅錄(姜長煥, 1855年)

北游艸(姜瑋, 1870年)

北游續艸(姜瑋, 1873年)

北遊日記(姜瑋, 1873年)

北遊續草(姜瑋, 1873年)

乙亥燕行詩(松下雜著, 姜蘭馨, 1875年)

이외에 강회백·강희안·강희맹 조손(祖孫)도 역시 여러 차례 명나라에 사신으로 다녀왔는데, 따로 조천록(朝天錄)을 정리해놓지 않아서 외교활동의 편린(片鱗)만 찾아볼 수 있을 뿐이다.

강귀손의 외교활동도 문중의 전통을 물려받았다. 『성종실록』에 보이는 공식적인 첫 관직은 사헌부 집의(司憲府執義 종3품)인데, 우의정(정1품)으로 세상을 떠날 때까지 외교를 담당하는 예조(禮曹)나 승문원(承文院) 등에 벼슬한 적은 없지만 실제로는 외교 정책을 제안하거나 외교관

역할을 수행하였다.

3.1. 중국에 세자책봉 주문사로 파견되어 임무를 수행하다

강귀손의 공식적인 외교관 수행은 1502년의 세자책봉 주문사(世子冊封奏聞使)이다. 성종 말년에 원손(元孫)이 1494년에 태어나자마자 세상을 떠나, 연산군이 즉위한 뒤 1497년에 태어난 둘째아들 황(顡)을 서둘러 세자로 책봉하였다.

『연산군일기』 8년(1502) 9월 17일 기사에 "진원군 강귀손과 예조참판 김봉(金峯)을 북경(北京)에 보내어 세자 책봉을 청하도록 했다."고 하였다. 조천사(朝天使)나 연행사(燕行使)가 북경에 다녀오면 일행 가운데 누군가는 사행록(使行錄)을 기록하였는데, 이때에는 아무도 기록을 남기지 않아 강귀손이 어떻게 임무를 수행하였는지는 확실치 않다.

사신이 떠날 즈음에 송별시를 지어주거나 먼저 다녀온 선배들이 중국에서의 외교 지침을 전해주기도 하는데, 강희맹이 떠날 때에는 형 강희안이 시를 써 주고, 구체적인 지침까지도 전달하였다. 강희맹이 명나라에 사신으로 가서 유명해지자, 후배들이 명나라에 사신으로 갈 때에는 강희맹을 찾아가 지침이나 송별시를 부탁하였고, 강희맹도 흔쾌히 지어 주었다.

> 그대가 왕명을 받들고 연경으로 향하면
> 우리들 거쳤던 곳을 두루 찾아갈테지.
> 난하역에 이르면 대청 위를 살펴보시게
> 지금도 먹 자취가 희미하게 남아 있는지.
> 연 땅에는 가을 하늘이 높아 말이 살쪘을테니

만리 먼 길을 눈 깜짝할 사이에 지나가겠지.

사신 실은 배가 봄바람에 돌아올 때엔

동산에서 고사리 캐고 있으리.

君今承命向燕歸。歷訪吾曹也不非。

到得灤河廳上看、至今遺墨尙熹微。

燕塞秋高官馬肥、長亭萬里瞥然歸。

征軺政趁春風返、擬向東山採蕨薇。

-「이광릉이 북경에 사신으로 간다면서 나에게 영평 난하역 벽에 쓴 고죽청풍(孤竹淸風) 시를 청하니, 거칠고 조잡한 시를 군자가 감상하기에 어울리지않아 깊이 부끄러웠다. 그러나 여관의 외로운 등불 아래, 요동과 계주의 정자 위에서 흠이라도 찾아내면 나그네 시름을 돕는데 조그만 도움이라도 될듯하여 아래와 같아 삼가 적고, 이어서 절구 두 수를 차운하여 전별의 선물로 바친다. [李廣陵朝京師 索余永平灤河驛壁 孤竹淸風詩 深愧蕪拙 不稱雅鑑 然旅窓孤燈之下 遼薊長亭之上 針駁瑕纇 未必無遣懷之一助云 謹錄如左 因步韻二絶奉別云]」

그러나 강귀손이 명나라에 갈 때에는 아버지가 이미 세상을 떠난 뒤였으므로, 아마도 자신이 수집하여 간행한 『사숙재집』을 읽으면서 눈물을 흘렸을 것이다. 강귀손이 평소에 남에게 시를 지어주지 않다보니 그에게 송별시를 지어준 사람도 별로 없었다. 이미 북경에 네 차례나 다녀온 선배 성현(成俔)의 시가 대표적인 전별시이다.

북경으로 가는 강 진원군을 전송하다 2수 [送姜晉原赴京 二首]

이른 나이에 이름 날려 사림을 흔들었고

하사받은 통천보대가 조관 반열 비추었지.

운룡이 조우하여 명성 크게 떨치니

뜰에 넘친 복사와 오얏들이 큰 혜택을 입었다오.
전형을 이미 맡아 판서가 되었으니
장차 배와 노가 되고 장맛비가 되리라.
임금 은혜 두터울수록 조심하는 마음 깊어
밤낮으로 전전긍긍하며 정성을 다 바치시게.
早歲蜚英動士林。通天寶帶映朝簪。
雲龍際會名聲大、桃李門闌惠澤深。
已掌銓衡居冢宰、方將舟楫注商霖。
君恩愈厚心愈小、夙夜兢兢罄寸忱。

통천보대(通天寶帶)는 통천서(通天犀)라는 무소뿔로 장식한 고관(高官)의 띠이다. 당나라 헌종(憲宗) 연간에 회서절도사(淮西節度使) 오소양(吳少陽)의 아들 오원제(吳元濟)가 반란을 일으키자 헌종이 승상 배도(裴度)를 보내어 그를 토벌하게 했는데, 배도가 길을 떠날 때에 헌종이 친히 전송하며 통천어대(通天御帶)를 하사했던 고사가 『신당서(新唐書)』 권173 「배도열전(裴度列傳)」에 보인다. 연산군이 강귀손을 그 정도로 신임하여 대우하였다는 뜻이다.

『주역(周易)』「건괘(乾卦) 문언(文言)」에 "구름은 용을 따르고, 바람은 범을 따른다.[雲從龍 風從虎]"라고 하였다. '운룡이 조우한다'는 표현은 한 시대에 성군(聖君)과 현신(賢臣)이 서로 감응하여 회합하는 것을 이르니, 강귀손이 왕의 지우(知遇)를 입었다는 뜻이다.

당나라 때 적인걸(狄仁傑)이 천거하였던 인재 수십 명이 나중에 모두 명신이 되니, 어떤 사람이 적인걸에게 "천하의 도리(桃李)가 공의 문하에 다 있다.[天下桃李 悉在公門矣]"고 하였다. 수많은 현사(賢士)들을 복사꽃과 자두꽃에 비유하였는데, 여기서는 강귀손이 이조 판서로 있으면서 훌륭한 인재를 많이 천거했다는 뜻이다.

『서경(書經)』「열명(說命)」에 "만약 큰 내를 건넌다면 너를 배와 노로 삼을 것이며, 만약 큰 가뭄이 든다면 너를 장맛비로 삼을 것이다.[若濟 巨川 用汝作舟楫 若歲大旱 用汝作霖雨]"라고 하였다. 이번 임무에 성공하면 장차 삼공(三公)의 자리에 올라 국정을 담당할 것이라는 뜻으로 격려하였다. 첫 연은 북경 사행보다는 강귀손 자신의 성공적인 벼슬생활을 찬양하였다.

> 하룻밤에 앞의 별이 바닷가를 비춰 주니
> 송축하는 노랫소리 온 나라에 퍼졌네.
> 표전(表箋) 들고 서쪽으로 멀고 먼 길을 가서
> 예물 들고 기뻐하며 북극 하늘 우러르리.
> 밀조(密詔)를 받들고 가 황궐(皇闕)에서 전대하고
> 하사받은 비단 많아 어깨가 붉게 부풀겠지.
> 고생스런 일 마치고 돌아오신 뒤에는
> 나라 안의 수많은 백성 기뻐 뛰리라.
> 一夜前星耀海堧。謳歌所到頌聲連。
> 銜書遠出西郵路、執壤欣瞻北極天。
> 專對大庭擎密詔、承恩綵帛看頹肩。
> 辛勤竣事歸來後、無限邦人喜欲顚。

『한서(漢書)』 권27상 「오행지(五行志)」에 "심성(心星) 중에서 대성(大星)은 천왕(天王)에 해당하고, 그 '앞의 별[前星]'은 태자(太子)에 해당하고, '뒤의 별[後星]'은 서자(庶子)에 해당한다."라고 하였으니, 전성(前星)은 세자를 상징하는 별이다. 강귀손이 중국에 세자책봉주문사 임무를 성공적으로 수행하고 돌아와 백성들이 기뻐하기를 염원하였다. 이 시기에 조선이 명나라와 별다른 갈등이 없었기 때문에, 특별히 외교적인 현안을 당부하는 구절은 보이지 않는다.

북경으로 가는 진원군 강귀손을 전송하는 글 [送姜晉原龜孫赴京師序]

황제께서 천하를 다스린 지 15년 되는 임술년(1502)은 우리 임금께서 즉위하신 지 9년 되는 해이니, 원자(元子)께서 태어나신 지 6세가 되었다. 원자는 어린 나이에도 총명하고 의젓하여 벌써 배움에 뜻을 두시자, 성상께서 기뻐하시며 조정 신하들에게 말씀하셨다.

"나라의 근본을 일찍 정하는 것이 고금의 큰 계획이다. 나는 천자께 아뢰어, 원자를 세자로 책봉하려 한다. 2품 이상으로 능력과 식견을 갖추어 사리를 잘 아는 자 두 사람을 뽑아 주청사(奏請使)로 정하라."

이조에서 진원군(晉原君) 강귀손(姜龜孫)을 정사로, 호조판서 김봉(金崶)을 부사로 천거하니, 다들 "제대로 뽑았다"고 하였다. 성상께서 특명으로 품계를 한 등급 올려주니, 그만큼 이 일을 중시하신 것이다. 일관(日官)이 떠나는 날을 가려서 7월 1일을 출발일로 잡았다.

떠날 날이 되자 진원군이 나에게 편지를 보내었다.

"나의 아버님 사숙재(私淑齋)께 유고(遺藁)가 있는데, 그 글 가운데 중국에 사신으로 가는 이에게 지어준 글이 많습니다. 상국(上國)을 관광(觀光)하는 것은 사대부들이 모두 영광으로 여기지만, 떠나는 사람에게 노자 삼아 글을 지어주는 것도 예부터의 도리입니다. 그대가 어찌 한마디 말이 없을 수 있겠습니까?"

나는 사숙재의 문객(門客)이며 진원군과 동료이니, 의리상 사양할 수 없어 노자삼아 글을 짓는다.

진원군은 대대로 문장이 뛰어난 집안의 자손이다. 멀리로는 공목공의 유풍(遺風)과 통정공의 여파(餘波)를 이어받고, 가까이로는 완역재

(玩易齋)의 정화(精華)를 입었으며, 또 일찍이 부친에게서 시례(詩禮)를 배웠다. 학문이 많이 쌓였으므로 밖으로 드러낼 때에 넉넉하였고, 무슨 일을 하든지 안될 것이 없었으므로 어디를 가든지 여유가 있었다.

들어가면 부모를 기쁘게 해드리고 밖에 나가면 벗들에게 신임을 받았으며, 아래로는 백성들을 어질게 대하고 위로는 임금께 충성하였다. 이러한 도는 안자(顔子)·증자(曾子)·맹자(孟子)·이윤(伊尹)·부열(傅說)·주공(周公)·소공(召公)이 자신을 수양하고 임금을 섬겼던 도리이니, 집안에서부터 국가로, 나아가 천하에 이르기까지 그 법이 하나 같았다.

이제 장차 천자의 조정에서 임금의 뜻을 아뢰게 될 테니, 그 회포가 참으로 따로 있을 것이다. 아래의 뜻을 위에 아뢰어 황제의 은혜를 이끌어 펼치는 것은 사신의 한 가지 일일 뿐이니, 어찌 나의 말을 쓸 필요가 있겠는가. 천천히 머물며 커다란 성곽과 조정을 두루 살펴보고 예악과 문물의 마당을 거닐며, 듣지 못하던 것을 듣고 보지 못하던 것을 보면 그 얻음이 더욱 많아질 것이다.

조정으로 돌아올 때에는 함께 묵었던 사람들이 감히 자리를 다투지 못하고, 국경에 들어오면 길 가던 사람들이 눈을 씻고 바라볼 것이며, 서울에 들어오면 도성 사람들이 다투어 바라보고, 조정에 들어오면 구중궁궐이 기뻐하고 백관들이 축하할 것이다. 우리나라는 그대 덕분에 윤택이 나고 세자께서도 덕분에 빛이 날 것이니, 우리 동방의 억만년 무궁한 경사가 실로 이번 사행(使行)에서 비롯될 것이다. 그러니 어찌 말이 없을 수 있겠는가.

강귀손이 선배 홍귀달에게 "상국(上國)을 관광(觀光)하는 것은 사대부들이 모두 영광으로 여기지만, 떠나는 사람에게 노자 삼아 글을 지어주는 것도 예부터의 도리이니 한 마디 말을 적어 달라"고 부탁하자, 홍귀달이 국가의 문장을 책임진 대제학답게 격려하는 글을 지어 주었다.

관광(觀光)은 『주역(周易)』 「관괘(觀卦)」의 "육사(六四)는 나라의 광휘를 봄이니, 왕에게 손이 되는 것이 이롭다.[六四, 觀國之光, 利用賓于王.]"라는 구절에서 온 말로, 상국(上國)에 사신으로 가서 선진 문물을 접하여 견식을 넓힌다는 의미로 쓰인다. 견식만 넓어질 뿐만 아니라 세자가 책봉되면서 우리 동방의 억만년 무궁한 경사가 실로 이번 사행(使行)에서 비롯될 것이라고 덕담을 하였는데, 돌아온 뒤 2월 3일에 병조판서 겸 판의금부사(判義禁府事, 종1품) 동지경연사(判義禁府同知經筵事)에 승진하였다. 사행록이 전해지지 않아 그가 북경에서 구체적으로 어떤 성과를 이루었는지 확인할 수 없지만, 연산군이 그를 더욱 신임하여 재상에 오른 것도 결국 외교적인 수완을 높이 산 결과이다.

3.2. 명나라에서 온 세자책봉사를 접대하다

『연산군일기』 9년(1503) 2월 3일 기사에 "강귀손을 병조판서 겸 판의금부 동지경연사(判義禁府同知經筵事)로 삼았다."는 기록이 보인다. 세자책봉주문사 임무를 성공적으로 수행하고 돌아왔기 때문에 의금부와 경연(經筵)의 책임까지 맡긴 것이다. 그러나 사행(使行)에 대한 포상은 없다. 명나라에서 세자를 책봉하러 오는 사신을 안내하는 임무가 시작되었기 때문에, 그 결과에 따라 상을 주려고 잠시 늦춘 것이다.

명나라에서 파견한 세자책봉사 김보(金輔)는 조선 출신으로, 세조(世祖) 때에는 이만주(李滿住)를 쳐서 참수한 공을 포상하기 위해 왔었으며, 성종(成宗)이 세상을 떠났을 때에는 성종의 시호(諡號), 연산군과 왕비의 고명(誥命)과 관복(冠服)을 가지고 왔었다. 이육(李陸)이 지은 야담집 『청파극담(青坡劇談)』에 그에 관한 기록이 실려 있다.

광릉(光陵, 세조) 말년에 세 태감(太監)이 사신으로 (조선에) 돌아왔다. 그 중의 한 사람은 김보(金輔)로서 본국 장단(長湍) 사람이다. 활쏘기와 말타기로 천자에게 사랑을 얻어 갑자기 높은 반열에 올라가니, 권세가 조야(朝野)에 떨쳤다. 이때에 김초(金軺)가 영안도감(迎按都監)의 낭청(郎廳)으로 있었는데, 김보가 김초를 한 번 보고는, "불초한 사람이로다. 다시는 내 앞에 가까이하지 말게." 하였는데, 그 후에 김초는 범죄하여 부자가 모두 형벌을 받았다. 김보는 비루한 사람이어서 취할 만한 것이 없는 자였지만 그래도 사람을 알아보는 밝음이 있었다.

김보(金輔)는 압록강을 건넌 뒤에, 서울에서 책봉례가 끝나면 금강산에 가겠다고 통보하였다. 송나라 때에 고려에 왔던 사신이 "살아서 금강산에 한번 가보는 것이 소원이다"라고 말할 정도로 금강산의 아름다움과 수많은 절들이 중국에까지 널리 알려졌다.

> 원접사(遠接使) 김응기(金應箕)가 급히 아뢰었다.
> "이달 27일 유시에 중국 사신이 강을 건넜습니다. (줄임) 정사(正使)의 두목 말이 '태감이 은 3백 냥을 마련하여 황제·황후의 축첩(祝帖)을 모시고 금강산에 가서 부처에 공양하고 은혜를 빈다.'고 합니다."
> ―『연산군일기』 9년(1503) 4월 1일

태감(太監)은 환관(宦官)의 장(長)이어서 조선에 사신으로 많이 왔다. 강귀손이 세자책봉을 청하러 명나라에 갔었기 때문에, 조정에서는 그 결과를 가지고 온 사신을 접대하는 지대사(支待使) 임무도 강귀손에게 맡겼다. 금강산까지 사신을 안내하며 모든 접대를 책임맡은 것이다.

　　파평부원군 윤필상(尹弼商), 좌의정 이극균(李克均), 우의정 유순(柳
洵)이 예조판서 이세좌(李世佐)와 함께 아뢰었다.

　　"중국 사신이 금강산에 가는 일이 졸지에 생겨 빨리 조치하여야 하겠
으니 먼저 지대사(支待使)와 지대 경차관(敬差官)을 보내어 관사(館舍)
및 접대하는 일들을 살펴 준비하게 하소서. 또 조종(祖宗) 때부터 중국
사신이 금강산에 가게 되면 반드시 응대할 만한 중을 뽑아서 나가게 하
였습니다. 전하께서는 원래 (불교를) 숭상하지 않으시지만 중국 사신이
황제·황후를 위하여 불공을 드린다면 부처를 공양하고 중에게 재(齋)지
내는 일을 그대로 따르지 않을 수 없으니, 역마(驛馬)로 학조(學祖)를
불러 깨우쳐 보내어 조치하도록 하여야겠습니다. (줄임)"

　　그대로 좇았다.

　　"강원도는 빈곤하고 조잔함이 다른 도보다 배나 더하니, 이번 중국
사신이 내왕할 때에 날을 정하여 올리는 물품[日次物膳] 및 별례(別例)
의 진상을 일체 면제하여 접대하는 데 전력할 수 있도록 하소서."

　　하니, 그대로 좇았다.

　　예조판서 이세좌가 아뢰었다.

　　"중국 사신이 금강산에 가서 불공을 드릴 때에, 중 학조(學祖)를 불러
산반승(山伴僧)이 되어 주기를 청하였는데, 듣지 않습니다."

　　전에 광평대군(廣平大君)의 아내 신씨(申氏)가 죽은 남편의 재를 올린다
는 구실로 여러 번 학조를 청하여 출입에 절도가 없었고, 광평대군의
아들 영순군(永順君)이 또한 일찍 죽었는데 그 아내가 홀로 살면서 고부(姑
婦)가 다투어 (학조에게) 의복을 지어다 주니 사람들이 더러 의심하였다.

-『연산군일기』 9년(1503) 4월 4일

　　불교를 탄압하고 승려를 천대하던 시대였으므로 금강산 유점사를
중창한 승려 학조(學祖)를 징발하여 김보의 불공을 돕게 하였지만, 학

조는 거절하였다. 강귀손이 불공 드릴 쌀 30석을 청하자, 연산군이 부처에게 좋은 쌀을 줄 수 없다고 하여 질이 나쁜 쌀을 보내 주었다.

> 지대사(支待使) 강귀손이 아뢰었다.
> "중국 사신이 금강산에서 불공을 드릴 때에, 부처를 공양하고 중을 먹여야 할 것이니, 경창(京倉)의 쌀 30곡(斛)을 실어다 쓰게 하소서."
> 전교하였다.
> "어찌 중을 먹이는 일로 경창의 쌀을 허비할 수 있는가? 본도에서 준비해 주도록 하라."
> 귀손이 다시 아뢰었다.
> "신이 강원도 각 관창(官倉)에 저장된 쌀을 알아보니 10섬도 저장된 데가 없으며, 지금 벼를 방아 찧는다면 늦어서 제때에 대지 못하겠으니, 경창의 쌀을 쓰도록 하소서."
> 전교하였다.
> "불공을 드리는 것은 황제의 명이니 폐할 수는 없지만 어찌 경창의 쌀을 부처 공양하는 데 쓰겠느냐? 중이나 부처의 공양은 나쁜 쌀이라도 무방하니, 본도에서 가져다 쓰도록 하라."
> ─『연산군일기』 9년(1503) 4월 15일

4월 17일에 태감(太監) 김보(金輔)와 이진(李珍)이 서울에 들어오니, 연산군이 모화관(慕華館)에 나가 맞이하고, 경복궁에 이르러 칙서를 받았다. 세자가 왕을 따라 의식대로 예(禮)를 행하였다. 두 사신이 칙서를 반포하고 숙소인 태평관(太平館)으로 갔는데, 왕이 태평관에 가서 하마연(下馬宴)을 베풀었다. 칙서의 내용은 이러하였다.

짐이 생각건대 적자를 장자로 세우는 것은 예부터의 도리이니, 관작과 영토를 가진 자가 미리 후사를 정하여 국민들의 정을 결속시키는 것역시 이 도리를 따르는 것이다. 그러나 반드시 조정의 명령을 받아 하고, 감히 마음대로 하지 않아야 군신과 부자의 윤리가 바르게 된다.

근자에 왕의 주청(奏請)을 보니, 온 나라 신민들의 요청에 의하여 적장자(嫡長子) 이황(李隍)으로 왕세자를 삼는 일이므로 예관(禮官)에게내려 의논해서 아뢰게 하여 특별히 윤허해 준다. 이에 태감 김보를 정사(正使)로, 이진을 부사로 명하여 칙서와 함께 저사·사라(紵絲紗羅) 등물건을 가지고 가서 황을 봉하여 조선국 왕세자를 삼는다.

대체로 번방(藩邦)의 직책은 위를 섬기고 아래를 돌보는 것보다 더한것이 없는데, 왕은 조부 이래 성실하게 실천해 왔다. 지금 이미 세자를세웠으니 왕은 마땅히 이 훈계를 분명히 보여주어 세자의 습관이 천성과 함께 이루어지고 학업이 덕에 따라 진취되어 예절을 지키고, 의리를따르게 하라. 그래야만 대대로 나라를 누리게 되어 짐의 명을 저버리지않게 되고, 또한 선대에도 부끄러움이 없을 것이니, 조심할지어다. 그러므로 깨우치는 것이다.

책봉례가 끝나자, 4월 22일에 지대사 강귀손이 두 사신을 안내하여금강산으로 떠났다. 어떤 중국 사람이 우리나라의 금강산을 구경하고픈 마음이 간절한 나머지 "내생에는 고려국에 태어나서 / 금강산을 꼭한번 보고 싶네.[願生高麗國 一見金剛山]"라는 시를 지었을 정도로, 금강산은 중국인들에게 꿈의 여행이었다. 사신들이 원해도 대부분 허락하지 않았는데, 이번에는 황제와 황후를 위해 불공을 드린다니, 거절할수가 없었던 것이다. 강귀손이 사신들의 안내를 마치고 28일에 돌아와연산군에게 아뢰었다.

중국 사신이 금강산에서 돌아왔는데, 지대사 강귀손이 아뢰었다.

"상사(上使)가 도중에 신에게 묻기를 '재상들 역시 불도를 배척하는 가?' 하기에 신이 대답하기를, '본국의 풍속은 진사(進士) 출신만 되어 도 감히 부처에게 절하지 못하며, 절하면 사람들이 모두 웃는다.' 하였 습니다. 또 갈지 않은 밭을 보고 말하기를 '이 밭은 어찌하여 갈지 않았 는가? 전하께서 우리들을 위해 사냥하게 되므로 그런 것이 아닌가? 나 는 전하께서 학문을 좋아하신다는 것을 듣고 싶지, 사냥 좋아하신다는 말을 듣고 싶지 않으니, 속히 전하께 아뢰어 아예 사냥하시지 말게 하 라.' 하였습니다. 불공을 드릴 때에 상사는 전연 부처에게 절할 뜻이 없 고, 신의 손을 잡아 절하게 하며 장난삼아 웃기에, 신 역시 절하지 않았 습니다. 오직 부사(副使)만 부처에게 매우 공손하게 절하였습니다."

— 『연산군일기』 9년(1503) 4월 28일

신라시대나 고려시대에는 우리나라 사람들이 중국에 들어가 살면서 무역도 하고 공부도 하였으므로, 현지에서 중국어를 유창하게 배울 수 있었다. 그러나 명나라가 들어서면서 국경을 철저하게 봉쇄하여, 공식적 인 사절단 외에는 오가지 못하게 하였다. 그러자 역관(譯官)들이 현지인에 게 외국어를 배울 기회가 적어지고, 종이책으로만 배우게 되었다. 다른 때와 달리 중국 사신들이 두 달씩이나 머물게 되자, 사역원 제조(司譯院提調) 윤필상(尹弼商)·이세좌(李世佐)가 5월 8일에 연산군에게 아뢰었다.

우리 나라에서 중국 섬기기를 성의 있게 하는데, 한어를 아는 자는 이창신(李昌臣) 한 사람뿐입니다. 이 소임이 경한 것이 아니니, 배워 익 히게 하지 않을 수 없습니다. 지금 두 사신이 사관에 와서 두어 달 머무 니, 배울 만한 사람으로 최세진(崔世珍)·송평(宋平)·송창(宋昌)같은 사 람을 선택하여 배워 익히게 한다면 반드시 모두 정통할 것입니다.

연산군이 윤허하여, 이들이 태평관에 가서 중국인들에게 회화를 배웠다. 최세진은 사역원 정(司譯院正) 최발(崔潑)의 아들인데, 이때 36세였다. 40년 동안 중국에서 사신이 올 때마다 통역하고 『사성통해(四聲通解)』·『번역노걸대(飜譯老乞大)』·『번역박통사(飜譯朴通事)』·『훈몽자회(訓蒙字會)』·『이문집람(吏文輯覽)』 등의 중국 운서(韻書)나 중국어 회화 책을 지은 것이 모두 이때의 실습 덕분이다.

5월 18일에 경회루에서 사신을 접대하는 잔치를 베풀어 공식적인 접대가 마무리되자, 연산군이 세자책봉주문사이자 지대사인 강귀손에게 상을 내렸다.

> 세자책봉을 주청한 주문사 병조판서 강귀손에게 밭 50결과 노비 8명, 부사 예조참판 김봉에게 밭 40결과 노비 5명을 하사하였다.
>
> ─『연산군일기』 9년(1503) 5월 23일

그러자 김보도 연산군에게 자기 조카에게 벼슬을 달라고 청하였다.

> 중국 사신 김보가 조카 김헌장(金獻章)을 겸사복(兼司僕)에 제수하고, 또 김헌문(金獻文)의 장인 암성수 윤(巖城守倫)의 계품(階品)을 승진시켜 달라고 하므로, 그대로 좇았다.
>
> ─『연산군일기』 9년(1503) 6월 4일

7월 6일에 명나라 상사(上使) 김보가 갑자기 세상을 떠나, 우의정 유순을 호상(護喪)으로 임명하고, 7일에 사역원 판관(司譯院判官) 김돈(金敦)을 요동에 보내어, 김보의 상사를 부고(訃告)하였다. 7월 18일에 김보의 널[柩]이 숭례문을 거쳐 북경으로 떠났는데, 백관들이 천담복(淺淡

服) 차림으로 모화관(慕華館) 영조문(迎詔門)에서 전송하였다. 7월 22일
에 연산군이 모화관에 거둥하여 북경으로 돌아가는 부사 이진을 전송
하면서, 지대사 강귀손의 임무도 다 끝났다. 이듬해 4월에 우찬성(종1
품)으로 승진한 것은 세자책봉 외교에 대한 보은이라고 할 수 있다.

3.3. 왜(倭)와 여진(女眞) 류큐[琉球]의 속임수에 대해 원칙적으로 대응하다

정조가 조선시대 외교문서를 수합하여 『동문휘고(同文彙考)』 129권을
간행하면서 그 서문에서 "이는 사대교린의 문자를 모은 것이다.[此裒輯事
大交隣文字者也]"라고 설명하였다. 중국에 대한 외교는 사대(事大)이고,
그밖의 나라에 대한 외교는 교린(交隣)이니, 동등한 자격으로 사귄다는
뜻이다.

그밖의 나라는 일본을 비롯하여 여진(女眞), 류큐[琉球]이다. 외교에
필요한 외국어를 가르치는 사역원에서는 한어·왜어·만주어·몽고어를
시험보고 가르쳤다.

1404년 7월 조선과 일본은 조선국왕과 일본국왕[막부장군]의 명의로
된 국서를 교환하여 두 나라 관계를 '국가 대 국가'의 교린관계로 정형
화하였다. 그런데 조선은 고려 말 이래 왜구문제로 고심한 반면, 일본
의 막부정권은 각 지방의 왜구를 통제할 힘이 약하여, 교린정책은 중앙
의 막부정권과 왜구세력과의 관계로 이원화되었다. 조선과 일본 간에
는 조선국왕과 일본국왕[막부장군] 사이에 적례(敵禮)관계를 지향하는
대등교린과 쓰시마도주를 대리인으로 하는 지방세력과의 기미교린(羈
縻交隣)이라는 이중구조를 가진 교린체제가 성립했다. 강귀손 시기에는
통신사를 파견할 일이 없어서, 주로 쓰시마도주와 충돌이 생겼다.

교린정책은 조선의 입장에서 국제평화를 유지하면서 실리를 챙기는 외교였다. 여진과 일본에 대해서 무역소나 삼포(三浦) 개항과 같은 회유책과 함께 4군 6진 설치와 쓰시마 정벌과 같은 강경책을 병행하였다. 그러나 여진이나 왜인들은 언제나 원칙적으로 정해놓은 것보다 더 달라고 요구하여 충돌이 생겼다.

강귀손은 외교를 맡은 예조의 관원이 아니었지만, 왕의 자문을 맡은 승정원(承政院)에 오래 있었으므로 외교적인 사안에 대하여도 발언할 기회가 많았다. 대부분 원칙을 지켜서 상대하자는 답변을 제시하였다.

> 승정원에 명하여 유구국(琉球國) 사신의 접대를 의논하게 하니, 김응기·강귀손·구치곤이 의논하였다.
> "지금 유구의 글을 보니 그들의 속이는 것이 매우 분명하여, 이들을 유구국 사신으로 대우할 수는 없습니다. 교린(交隣)하는 도리는 신의보다 귀한 것이 없는데 저들이 속이면서 왔으니, 우리가 의리로써 거절하지 못한다면 이는 계책에 빠져들게 되는 것이고, 대국에서 오랑캐를 대우하는 방법이 아닙니다. (줄임)
> 그러나 저들이 도주(島主)의 행장(行狀)을 싸가지고 왔는데, 지금 만약 거절하여 받아들이지 않는다면 아마도 도주가 부끄러워하여 불평한 마음을 품을 것입니다.
> 또 마침 권주(權柱)가 갈 일이 있으니, 우선 권전(權典)을 좇아서 이창신으로 하여금 '그들이 속이기 때문에 사신으로 대우할 수 없다'는 뜻을 조목으로 진술하게 하고, 또 '지금 이미 멀리서 왔기 때문에 거절할 수 없다'는 뜻을 유시(諭示)하여 일반 왜인의 예로써 거느리고 오도록 하여 접대하는 것이 어떻겠습니까?"
> － 『성종실록』 25년(1494) 3월 24일

류큐(琉球) 경우에는 독립국이지만 너무 멀어서, 조선 사신은 두 차례만 파견되었고, 류큐 사신이 주로 왔다. 그러나 국왕이 보낸 공식적인 사신보다는 무역 상인이라고 볼 수 있는 호족들이 보낸 거짓 사신이 더 많았다. 너무 멀어서, 류큐를 방문하여 일일이 확인할 수도 없었다. 승지 강귀손은 위의 경우에 거짓 사신임을 그들에게 분명히 밝혀놓고, 멀리서 온 인사치레나 하여 원망을 사지는 말자는 뜻으로 제안하였다.

멀리 있는 류큐 뿐만 아니라 가까이 있는 왜인들도 속였는데, 역시 정해진 원칙을 어기는 경우가 많았다.

경상도 관찰사 이극균이 급히 아뢰었다.

"신이 조정을 떠나던 날에 왜사(倭使)의 배를 거짓으로 속이는 일에 대하여 아뢰었는데, 대마도주(對馬島主)와 제추(諸酋)의 사신이 작은 배를 타고 와서 큰 배와 몰래 바꾸니, 비록 그 속이는 것을 분명히 안다고 하더라도 끝내 감히 힐문하지 못하고, 언제나 큰 배의 양식을 지급하게 되므로 나라의 저축을 좀먹어 없앨 뿐만 아니라, 차츰 지탱할 수 없게 될 것입니다. 저들로 하여금 가만히 앉아서 교만한 마음을 일으키게 하니, 지금까지 이같이 법을 소홀히 해왔습니다. 신의 생각으로는, 선척(船隻)을 자로 재는 것은 비록 조종조(祖宗朝)에서 항상 시행한 일이라고 하나, 대국에서 소이(小夷)를 대접하는 도리에는 또한 너그럽지 못한 것입니다. 앞서 대마도주와 여러 거추(巨酋)의 사선(使船)을 정한 숫자가 있으나, 대선·중선·소선의 숫자를 정하지 아니하였기 때문에, 이러한 폐단이 쌓이게 된 것입니다. 신은 원하건대 대마 도주에게 통유(通諭)하여 대선·중선·소선의 숫자를 적당하게 약정하도록 하소서." (줄임)

승정원에 명하여 이를 의논하게 하니 (줄임) 강귀손과 구치곤이 의논하였다.

"전일에 이극균이 아뢰기를, '삼포의 왜선과 연해의 민선(民船)에 표를 붙이고자 합니다.'고 하였는데, 지금 또 아뢰기를, '형세가 불편하기 때문에 왜인과 더불어 서로 만나 보지 못합니다.'고 하였으니, 그렇다면 시행하기가 어렵겠습니다. 지금 비록 표를 붙인다고 하더라도 후일에 새로 만든 배를 하나하나 모조리 추쇄(推刷)할 수가 있겠습니까? 간사하게 속이는 것도 또한 다시 전과 같아질 것입니다. 『해동제국기(海東諸國記)』에 이르기를, '대마도주는 세견선(歲遣船)이 50척이요, 제추(諸酋)로서 세견선 1, 2척을 보내는 자가 40인이요, 세견선 1척을 보내는 자가 27인이다. 우리 나라의 관직을 받은 자는 해마다 한 번씩 내조(來朝)하기로 모두 약속을 정한 바가 있다. 또 배도 대선·중선·소선의 3등급이 있으니, 선부(船夫)를 대선에는 40명, 중선에는 30명, 소선에는 20명으로 액수를 정한다.'고 하였습니다.

그러나 지난 경술년(1490)에 나온 왜선 164척 가운데 대선이 160척이고, 중선이 4척이었으며, 신해년에 나온 왜선은 165척 가운데 대선이 162척이고, 중선이 3척이었습니다. 이로써 보면 배에는 3등급의 약속이 있었으니, 간사한 무리들이 늘 대선의 양식을 받는 것은 정약(定約)의 본의가 아닙니다. 사선(使船)을 자로 재는 것은 또 대국이 소이(小夷)를 대접하는 체모가 아닙니다. 대선·중선·소선을 적당히 정한다면 반드시 간사하게 속이는 일은 없을 것이니, 이극균의 아뢴 바에 따라 시행하는 것이 편하겠습니다."

전교하였다.

"인정이란 전일에 하지 않던 일을 보면 반드시 의심하고 이상하게 여기는 것이다. 마침 지금 어량(魚梁)의 사건 때문에 이미 경차관을 보냈는데, 또 수왜(首倭)를 불러서 이러한 일을 말한다면, 어찌 의심스러운 생각을 품지 않겠는가? 이 일을 시행하는 것은 진실로 마땅하나 시기를 맞추어야 할 일은 아니니, 우선 천천히 시행하는 것이 어떠하겠는가?"

－『성종실록』 25년(1494) 4월 1일

강귀손은 입항하는 배마다 자를 가지고 길이를 재어서 대국의 체면을 손상시키지 말고, 신숙주가 『해동제국기』에 정한 숫자대로만 큰 배와 작은 배의 비용을 지급하자고 제안하였다. 역시 원칙을 지키는 외교 정책을 유지한 것이다.

병조에서 영안북도 절도사 원중거의 계본에 의거하여 아뢰었다.
"피인(彼人, 여진족)들이 스스로 서로 공격하는 것은 비록 항상 있는 일이나, 서로 보복할 때에 틈을 타서 속이고 노략질을 할 염려가 없지 않으니, 방비하는 모든 일을 마땅히 신칙하여 임기 응변하게 하소서."
명하여 영돈녕(領敦寧) 이상 및 의정부에 보이게 하니 (줄임) 강귀손·김무·박원종이 의논하였다.
"올적합(兀狄哈)은 본래 성밑의 야인(野人)과 틈이 있었는데, 신해년(1491)의 입정(入征)부터 그 원한이 더욱 깊어져 부락을 침략하는 것이 거의 빈 달이 없으나 성밑의 야인이 가히 더불어 겨루지 못하는 것은 참으로 강약의 형세가 같지 않기 때문입니다. 만약 남는 힘이 있어서 보복할 수 있다면 어찌 조정의 상전(賞典)을 기다리겠습니까? 우리나라는 큰 무리를 움직여 깊이 오랑캐 땅을 유린하여 위력을 보였으니, 또한 족히 그들의 심담(心膽)을 두렵게 하였던 것입니다. 그런데 또 소추(小醜)의 힘을 빌어 조그만 공을 이루고자 한다면 비단 스스로 도량이 크지 못함을 보일 뿐 아니라, 족히 저들에게 원한을 불러일으키기에 알맞을 것이니, 끝내 군사를 쉬게 할 날이 없을 것입니다. 만약 노략질당해 간 인물을 능히 쇄환하게 하는 자가 있다면 저절로 그 상이 있을 것이니, 허종의 계책은 아마도 시행하지 못할 듯합니다."
"그렇다."고 전교하였다.

-『성종실록』 24년(1493) 9월 23일

　여진족은 통일되지 못하고 여러 부족으로 흩어져 있었으므로, 조정
에서는 자주 이이제이(以夷制夷)의 정책으로 상대하였다. 그러나 강귀
손은 김종서와 이징옥의 4군 6진의 개척, 신숙주의 정벌 등을 통하여
오랑캐에게 대국의 위력을 보였으니, 작은 추장의 힘을 빌려 국가 체통
을 상하게 하지 말자고 제안하였다. 성종이 강귀손의 의견을 따랐다.

　　예조가 아뢰었다.
　　"부묘(祔廟) 후에는 왜인과 야인이 대궐 아래 시립(侍立)하였다가 들
　어와서 하례하는 것이 준례입니다. 지금 길이 좁으니 들어와서 하례만
　하게 하고 시립은 하지 못하게 하소서."
　　승지 강귀손이 아뢰었다.
　　"왜와 야인이 와서 복종하는 것은 성덕(聖德)에 관계되니, 마땅히 구
　경하고 백관의 끝 자리에 시립하게 함이 어떠하겠습니까?"
　　그대로 따랐다.

　　　　　　　　　　　　　　　　　　　　　　－『연산군일기』 3년(1497) 2월 9일

　조정에서는 몇몇 왜인(倭人)과 야인(野人) 추장에게 우리나라의 벼슬
을 주어 복속시켰으므로 종묘 제례에 다른 신하들과 마찬가지로 시립
(侍立)하는 것이 원칙이었는데, 외교를 맡은 예조에서 "길이 좁으니 하
례(賀禮)만 하고 나가게 하자"고 제안하였다. 그러나 강귀손이 "다른 신
하의 끝에서 시립하게 하여 그들이 조선의 신하임을 확인시키자"는 뜻
으로 제안하자, 연산군이 그의 주장을 받아들였다. 이 역시 국가의 체
통을 생각하여 원칙을 지키는 자세이다.

3.4. 무종의 즉위를 축하하러 하등극사가 되어 명나라로 떠나다

명나라 효종(孝宗)이 1505년에 세상을 떠나고 무종(武宗)이 즉위하자 조정에서 하등극사(賀登極使)를 보내기로 하였다. 황제의 등극을 하례 하는 사신은 명나라에 파견하는 사신 가운데 가장 중요하여, 예전에도 정승들이 정사로 다녀왔다. 효종이 등극할 때에는 우의정 노사신(盧思愼)이 하등극사로 다녀왔는데, 그가 돌아오자 성종이 선정전(宣政殿)에 나아가서 불러 보고 중조(中朝)의 일을 물으니, 노사신이 대답하였다.

조정이 안정되고 백성이 많고 생활이 부유하며 황제가 엄격하고 밝으 니, 모든 신하가 공경하고 두려워합니다. 신이 전에 서장관(書狀官)으 로 북경에 갔을 때에는 산해관(山海關) 밖에 민가가 적었는데, 지금은 여정(閭井)이 조밀합니다. 신이 또 들으니, 이번에 나오는 상사(上使)는 시(詩)를 잘하고 부사(副使)는 경학(經學)에 정밀하다고 하며, 11일에서 19일 사이에 마땅히 길을 떠날 것이라고 합니다.

새로운 황제가 즉위하여 국가 분위기가 일신된 것을 확인하고, 조선 에 오는 사신에 대하여 사전 정보를 수집할 기회이기도 하였다. 그래서 국제정세에 밝고 상황 판단이 빠른 좌찬성(종1품) 강귀손을 6월 4일에 우의정으로 승진시켜 하등극사로 임명하고, 동지중추부사(종2품) 전임(田霖)을 효종의 장례에 대한 진위사(陳慰使)로 삼았다.

강귀손은 7월 8일에 명나라로 출발했지만, 8월 17일 평안도에 이르 러 등에 종기가 나서 연경(燕京)에 갈 수 없게 되자 신수근을 우의정으 로 삼아 하등극사로 보내게 하였다. 마지막 외교 임무를 이루지 못하 고, 중도에 병으로 세상을 떠난 것이다.

화목한 집안을 이루다

1. 아버지와 손자들이 함께 즐기던 집

○남대문 밖에서는 승지가 끊이지 않고 많이 나왔다. 나의 조부인 공도공(恭度公)과 선친인 공혜공(恭惠公)과 숙부인 양정공(襄靖公)과 형님인 문안공(文安公)이며, 입성(笠城) 유공(柳公)과, 익성(益城) 홍공(洪公)과, 서평(西平) 한공(韓公)이 모두 승지였고, 근래에는 나와 한서천(韓西川)·신성지(愼成之)·강용휴가 모두 이 벼슬을 배수하였다.

– 성현, 『용재총화』 권2

1.1. 아버지가 찾아와 머물며 손자들과 즐기다

귀손도 자녀들이 늘어나면서 순청동 집에서 분가하여 살림을 차렸지만, 강희맹이 자주 찾아와 머물며 손자들과 즐거운 노년을 보냈다.

귀손의 집에 머물며 짓다 [寓龜孫第有作 七首]

1.
한 사발 얼음물이 마노처럼 차가운데
창으로 비 기운이 스며들어 옷과 갓을 적시네.
아이들이 달려와서 앞 시내가 넘었다고 알리더니
물고기를 때려잡아 상에 가득하구나.

一椀冰漿瑪瑙寒。窓涵雨氣潤衣冠。
兒童走報南溪漲、打得纖鱗忽滿盤。

2.
못의 연꽃 그림자가 흔들리며 맑은 물결을 뒤덮자
푸른 새가 고기를 버려두고 물을 건너 가누나.
조정에 나아가기는 게을러지고 들판의 흥취만 찾노라니
성 남쪽의 바람과 달이 내게만 붙어 다니네.
池荷弄影覆清漪。翠羽舍魚渡水遲。
懶趁朝參探野趣、城南風月屬吾私。

4.
문 앞에 수레와 말의 왕래가 끊어지니
푸른 이끼가 비를 맞아 비단 무늬가 그려지네.
밤이 깊어도 작은 집에선 꿈도 꾸어지지 않아
가물가물한 등불꽃만 떨어졌다 다시 피네.
車馬門前絕往來。青苔挾雨錦紋堆。
夜深小閣渾無夢、細細燈花落又開。

6.
구름이 낮게 드리워 지척이 어두운데
비온 뒤의 맑은 물이 빈 뜰을 덮는구나.
향을 사르자 연기가 구불구불 실처럼 피어오르는데
뜰 앞에서 진흙 쪼는 제비를 한가로이 바라보네.
雲物低垂咫尺迷。雨餘清漲沒空階。
香燒小篆生煙縷、閑看庭前燕啄泥。

1.2. 고서화를 물려주어 가르침 받게 하다

강희맹의 집에는 예부터 진귀한 골동 서화가 많이 있었는데, 그 가
운데 상당수를 아들 귀손에게 물려 주었다. 재산 증식의 도구로 삼은
것이 아니라, 드나들 때마다 고서화를 보면서 그 뜻을 살펴보라는 생각
에서였다.

강희맹이 1471년 즈음에 지은 시를 보면, 아들 귀손의 집에 있는 8폭
병풍에 제시(題詩)를 써 주기도 하였다. 이 병풍에 쓴 칠언절구 8수는
고전번역원 DB에 올라 있지 않고, 강귀손이 처음 수집하여 간행했던
『사숙재집』에만 실려 있다.

> 귀손의 집에 간직하고 있는 배숙제의 그림 병풍에 쓰다 [題龜孫家藏 裴叔
> 弟畫屏 八首]
> 3. 「종자기와 백아[鍾期伯牙]」
> 태고의 깊은 생각을 백아가 거문고에 붙였건만
> 세상에서 소리를 알아주는 사람 만나기 어려웠네.
> 종자기의 귀에 한번 들어간 뒤에야
> 산이 높이 있고 물이 깊이 있다고 하였네.
> 太古幽懷寄素琴。世間難得遇知音。
> 自從一入鍾期耳、山在高高水在深。

지음(知音)이란 마음을 알아주는 벗이다. 춘추시대(春秋時代) 백아(伯
牙)가 거문고를 타면서 고산(高山)에 뜻을 두자 종자기(鍾子期)가 듣고는
"높디 높기가 마치 태산과 같도다![峨峨兮若泰山]" 하며 즐거워 하였고,
또 유수(流水)에 뜻을 두자 "넓고 넓기가 마치 강하와 같도다![洋洋兮若江

河]" 하며 감탄하였다. 자신의 소리와 마음을 알아주던 지음(知音)의 벗
인 종자기가 죽자, 백아는 거문고 소리를 들을 사람이 없다고 하여 거
문고의 현(絃)을 모두 끊고 다시는 연주하지 않았다. 『열자(列子)』「탕
문(湯問)」에 실린 이야기이다. 마음을 알아주는 벗을 사귀라는 뜻을 시
로 지어서, 이 그림에 써 주었다.

5. 「소무가 눈물을 흘리며 이릉과 헤어지다[蘇武泣別李陵]」

장군의 몸에는 오랑캐 군복을 걸쳤건만
곤궁한 중에도 허리엔 한나라 깃발 둘렀네.
피눈물 흘리며 서로 보노라니 한이 가득해
변방 성채의 가을 나무 위에는 구름만 높이 떴구나.
將軍身上胡戰袍。窮累腰間漢節旄。
泣血相看多少恨、塞垣秋樹倚雲高。

소무(蘇武, B.C.140~B.C.60)는 한(漢)나라의 관리인데, B.C. 100년 흉
노에 사신으로 갔다가 19년 동안 억류되었으나 끝까지 투항하지 않았
다. 황야에서 굶주린 몸으로 양을 치면서도 늘 한나라 깃발을 지니고
다녀, 술이 다 떨어졌다고 한다. 흉노와 화친(和親)한 소제(昭帝)의 요청
으로 풀려나서 한나라로 돌아가게 되었다. 이릉(李陵, ?~B.C.74)은 한나
라 장군으로, 활을 잘 쏘았다. B.C. 99년에 보병 5천 명을 이끌고 흉노
를 치러 갔다가 포위되어 투항하였는데, 선우(單于)의 공주와 결혼하여
우교왕(右校王)이 되었다. 한나라로 돌아가는 소무에게 이릉이 오언시
를 지어 주었다. "뜬구름은 하루에 천 리를 가건만, 내 마음 슬픈 줄을
어찌 알랴. 경수의 가지를 얻어서, 오랜 기갈을 해소하고 싶네.[浮雲日

千里 安知我心悲 思得瓊樹枝 以解長渴饑]" 강희맹이 신하의 절조가 얼마나 중요한 지를 아들 귀손에게 보여주기 위해서 이 그림을 그리게 하였다.

귀손이 22세 때에 지어준 시이니, 이 그림 병풍은 당연히 부모로부터 물려받았을 것이다. 이 병풍에는 8폭의 그림이 그려져 있고, 8수의 시가 쓰여 있었다. 「왕희지가 거위를 보다」, 「이태백이 달을 보고 묻다[李白問月]」, 「종자기와 백아」, 「도연명이 전원으로 돌아가다[靖節歸田]」, 「제갈공명의 오두막[孔明草廬]」, 「소무가 눈물을 흘리며 이릉과 헤어지다[蘇武泣別李陵]」, 「여진인과 동정호[呂眞人洞庭]」, 「임포와 서호[和靖西湖]」 등의 제목만 보아도 중국의 대표적인 고사들을 알 수 있고, 그림과 시를 보면서 아버지의 가르침을 다시 한번 되새기게 하였다.

강희맹이 골동 서화를 좋아한 것은 아버지 강석덕에게서 물려받은 취향이다. 이들 부자가 아꼈던 익재(益齋) 이제현(李齊賢)의 「소상팔경(瀟湘八景)」 시에 얽힌 사연을 강희맹이 기록하였다.

나의 선친 대민공(戴敏公)께서 평소에 서화를 좋아하셨으므로, 집안에 있는 수백여 건을 반드시 희맹(希孟)에게 거두어 잘 간직해 놓게 하셨다. 그 가운데 특히 아끼시는 것이 익재(益齋) 문충공(文忠公)이 지은 「소상팔경 무산일단운(瀟湘八景巫山一段雲)」 8수였는데, 익재의 친필이었다. 희맹이 어느 날 "이 작품을 어디에서 얻으셨습니까?" 여쭈었더니, 대민공께서 말씀하셨다. "문충공의 먼 후손 이희(李暿) 공에게서 얻었으니, 이것이야말로 진품이다."

이때 희맹은 어린 동자였지만, 그 오묘한 문장과 글씨에 대해 흠모하지 않을 수가 없었다. 대민공이 세상을 떠나시자 소장했던 서화를 거의 다 잃어버렸는데, 24년 뒤에 금헌(琴軒) 김자고씨(金子固氏, 金紐)가 오래 된 두루마리 하나를 나에게 보내어 시를 지어달라고 청하였다. 바로

(익재가 쓴) 그 「소상팔경」 두루마리였다.

아아! 선친의 손때가 아직도 새로운데, 어찌 차마 볼 수 있겠는가. 감히 그 운자(韻字)에 따라 울음을 삼키며 차운하여 지었다.

강희맹이 평소에 자주 짓지 않던 사(詞) 형식으로 8수나 지은 이유는 어린 시절 보았던 아버지의 친필을 보고 감회가 깊었기 때문이기도 하지만, 아버지의 글씨 하나라도 버리지 말고 잘 간직하며 기억하라는 뜻으로 지은 것이기도 하다. 강석덕이 즐겨 완상하던 골동 서화의 취향이 아들 강희맹을 거쳐 손자 강귀손에게까지 이어졌다. 아마도 그의 집에는 선조에게서 물려받은 서화들이 많았고, 그러한 서화를 볼 때마다 선조를 배우려는 생각이 되살아났을 것이다.

1.3. 강희맹이 병이 들거나 벼슬에서 물러날 때마다 찾아와 쉬었던 집

강희맹은 손자가 보고 싶어서 아들의 집에 찾아오기도 했지만, 병이 들거나 벼슬에서 물러났을 때에도 마음 편하게 쉬려고 찾아왔다.

> 금(金)이 경일(庚日)의 초복을 만났으니
> 별자리가 움직여 해가 반 바퀴 돌았구려.
> 다섯 가지 피로가 병든 몸을 침범하니
> 만사를 빈 배에 맡겼다오.
> 녹차가 건조한 폐를 소생시켜 주니
> 오건을 흰 머리에 쓰고,
> 편안하게 창문 아래에 누워
> 창주로 돌아갈 생각만 하고 있다오.

金遇庚初伏、星移歲半周。
五勞侵病骨、萬事任虛舟。
茗飲蘇乾肺、烏巾盖白頭。
居然臥窓下、歸興滿滄洲。

　　후손들이 1805년 선운사에서 간행한 『사숙재집』에는 이 시의 제목
이 「병중에 조태허에게 지어 올리다[病中 奉呈曹太虛]」라고 되어 있지만,
강귀손이 수집하여 간행했던 『사숙재집』 초간본에는 아주 긴 제목으로
4수가 실려 있다. 「서쪽에 다녀온 이후부터 질병이 몸에 들어 성남의
귀손 집에 옮겨 있으면서 병중의 일을 적어서 조태허에게 올리다 4수」
태허는 조위(曺偉, 1454~1503)의 자이다. 작품도 절반만 실렸을 뿐 아니
라, 병이 든 이유와 아들 귀손의 집에 머물면서 요양을 하고 있다는
사연이 빠졌다.

　　연산군의 생모 윤씨(尹氏)를 성종의 계비(繼妃)로 책봉하는 사신이
1481년에 명나라에서 오자, 성종이 강희맹을 원접사(遠接使)로 임명하
여 사신을 접대하게 하였다. 강희맹이 의주까지 가서 사신들을 안내하
여 한양까지 왔다가 책봉례를 거행하는 동안 조위가 종사관(從事官)으
로 함께 오가면서 많은 시를 주고받았다. 조위는 김종직의 처남이자
제자였으므로 예전부터 가깝던 사이였지만, 압록강까지 함께 가면서
자신이 고생하는 모습을 보았으므로 병이 들게 된 것을 이해하리라 생
각하고 시를 지어 보냈던 것이다.

　　지나친 과로로 인해 몸의 생리기능이 저하되는 증상을 여러 의서(醫
書)에 심로(心勞), 폐로(肺勞), 비로(脾勞), 신로(腎勞), 간로(肝勞)로 구분
하였는데, 오장(五臟)과 결부시켜 설명한 것이므로 오로(五勞)라고 부른

다. 강희맹이 의학에도 조예가 깊었으므로, 자신의 병을 스스로 진단한 것인데, 오로(五勞)를 다스리기에는 자신의 집보다는 아들 귀손의 집이 더 편하다고 생각하여 잠시 이사한 것이다.

검은 두건은 원래 귀족의 관(冠)이었으나, 수(隋)·당(唐) 이후로 서민이나 은자(隱者)의 모자로 사용되었으며, 오건(烏巾) 또는 오각건(烏角巾)이라고 하였다. 종1품 재상이지만, 아들의 집에 와서 정양하는 동안에는 조정의 일을 잊고 싶었으므로 검은 두건을 쓰고 지냈다.

> 맑게 멀리 퍼지는 연꽃 향기 오묘하고
> 버들 그림자도 높고 낮게 드리웠네.
> 바람을 쏘이며 아침 노을 구경하고
> 지팡이 짚고서 푸른 잔디밭을 거니네.
> 오경이 되니 달바퀴도 작아지고
> 구천 하늘에 바람과 이슬이 많구려.
> 창주로 가고픈 마음 끝이 없으니
> 이곳에서 이 생애를 보내고 싶소.
> 淸遠蓮香妙、高低柳影斜。
> 臨風賞雲錦、倚杖步靑莎。
> 五夜月輪小、九天風露多。
> 滄洲意無極、於此度生涯。

연꽃은 강희맹이 명나라 남경(南京)에 사신으로 갔을 때에 구해온 꽃이어서, 후손들이 가장 사랑하는 꽃이다. 『사숙재집』에는 그러한 사연이 실려 있지 않지만, 김윤식(金允植, 1835~1922)이 「전당추색루기(錢塘秋色樓記)」에서 안산의 연꽃 이야기를 소개하였다.

명나라 홍무(洪武) 연간에 강희맹 공이 사신으로 명나라에 조회하러 갔다가 전당(錢塘)의 연꽃 씨를 얻어서 안산(安山) 집에 돌아와 못에 심었다. 흰 꽃과 붉은 꽃송이가 피어나자 그 향기가 다른 꽃과 달랐다. 강공이 죽자 연못은 외손 권씨(權氏) 집안에 상속되었는데, 연꽃의 성쇠로 권씨의 흥망을 점쳤다고 한다. 현재 시랑을 지내고 있는 권포운(權圃雲)은 공의 후예이다.

정조(正祖) 임금께서 안산에 행차하여 못가에서 연꽃을 감상하시고는, 안산을 연성(蓮城)이라 명명하고 시제(試題)를 내어 선비들에게 과거 시험을 보였다. 이로부터 전당의 연꽃이 나라 안에 소문이 났다.

강귀손이 이때 살던 집은 안산이 아니라 성남(城南), 즉 남대문 바깥 마을이었지만 역시 연꽃을 심어 즐겼다. 주돈이의 「애련설(愛蓮說)」에 "향기가 멀어질수록 더욱 맑아진다[香遠益淸]"고 한 것처럼, 강희맹도 멀어질수록 맑아지는 연꽃 향기를 즐기며 아들의 집에서 정양하였다.

강희맹이 이 연작시의 제4수에서 "행년금육십(行年今六十)"이라고 하였는데, 결국 육십세 되던 이해에 세상을 떠났다. 그가 마지막까지 마음 편하게 즐기며 쉬던 곳이 바로 아들 귀손의 집이었다.

1.4. 거북이처럼 재주를 숨기며 살고 싶어 세웠던 장륙정

강귀손에게 산정(山亭)이 있었다. 성현처럼 집 후원에 있던 산장인지, 아니면 집에서 떨어져 있는 별장인지는 확실치 않다. 강귀손이 선후배들을 산정으로 초청하자, 성현이 시를 지었다.

자진, 숙강, 여회와 함께 용휴의 산정에서 놀다
與子珍叔强如晦遊用休山亭

긴 바람이 비를 뿌려 엷은 먼지 걷어 가니
돌벼랑 푸른 나무에 기댄 높은 정자 드러나네.
나루에는 잠두봉의 저녁 짓는 연기 뻗고
강가에는 용산의 고깃배가 불을 비추네.
자리에 가득한 고관들은 사람마다 인걸이요
쟁반에 가득한 물고기와 채소는 가지가지 별미로다.
서재의 동서쪽이 마음껏 놀기 좋아
저마다 술병 들고 와서 회포를 푸는구나.
長風吹水捲輕霾、綠樹高亭倚石崖。
蠶嶺炊煙橫渡口、龍山漁火照江涯。
簪纓滿座人人傑、魚菜堆盤種種佳。
祕室東西堪寄傲、各携樽酒敍襟懷。

　자진(子珍)은 안침(安琛, 1445~1515)의 자이니, 1466년에 22세 젊은 나이로 별시 문과에 2등으로 급제하고 공조판서에까지 올랐으며, 문장을 잘 짓고 송설체(松雪體)에 뛰어난 인물이었다. 숙강(叔强)은 권건(權健, 1458~1501)의 자이니, 권근(權近)의 증손이다. 병조참판, 한성부 좌윤 등을 역임하며, 성현과 함께 『역대명감(歷代明鑑)』 편찬에 참여하였다. 문장과 글씨에 뛰어났다. 여회(如晦)는 성현의 조카 성세명(成世明, 1447~1510)의 자로, 대사헌을 역임하였다. 그도 역시 서화(書畫)를 즐겼으니, 이날의 모임은 서화가들의 모임이기도 하다.
　성현이 『용재총화』 제2권에서 강귀손이 남대문 밖에 산다고 밝혔다. 그런데 남대문 밖이 너무 넓어서 구체적으로 어느 동네인지는 알 수 없다. 강희맹도 아들 귀손의 집을 성남(城南)이라고만 밝혔을 뿐이다. 성현의 시를 살펴보면 산정(山亭)의 위치는 한강 양화나루 잠두봉(지금

의 절두산)과 용산 고깃배를 바라볼 수 있는 바위벽이다. 강귀손은 상주
목사와 경기 관찰사 시절 말고는 대부분 궁궐이나 육조에 출근하였으
므로 한강 가에서 출퇴근하지는 않았을 것이다.

『연산군일기』 11년(1505) 8월 25일에 강귀손의 졸기(卒記)가 실렸는
데, 그의 정자가 소개되었다.

> 성품이 억세고 재간이 있어 직무에 임하면 엄밀했으며, 일에 따라 잘
> 처리하여 하는 일은 남의 마음을 시원하게 하였다. 친척과 친구를 후하
> 게 대우하여 곤궁하거나 영달함에 따라 태도를 달리하지 않았다. 만년
> 에 작은 정자를 지어 장륙(藏六)이라 편액(扁額)하고 뜻을 비추었다.

그가 만년에 지은 장륙정(藏六亭)이 바로 성현이 찾아와 시를 지었던
산정일 가능성이 많다. 아들 집에 자주 찾아왔던 강희맹의 글에는 정자
이야기가 보이지 않으니, 말년에 지었을 것이다.

장륙정(藏六亭)이란 자신을 드러내지 않고 세상을 피해 숨어 사는 정
자라는 뜻이다. 장륙은 귀장륙(龜藏六)의 준말로, 거북이가 위험한 상
황을 만나면 머리, 꼬리, 네 발 등 여섯 곳을 두꺼운 갑각(甲殼) 안에
감추는 것처럼, 수행자도 안(眼), 이(耳), 비(鼻), 설(舌), 신(身), 의(意)의
육근(六根)을 잘 단속해야 한다는 불교의 교설이 『잡아함경(雜阿含經)』
권43에 실려 있다.

지지자나 반대파로부터 항상 과감하게 일을 처리한다는 평을 듣던
그가 연산군 말년에 세상을 피해 살려고 꿈을 꾸었지만, 결국 위험을
감싸안으려다가 아쉬운 종말을 맞았다.

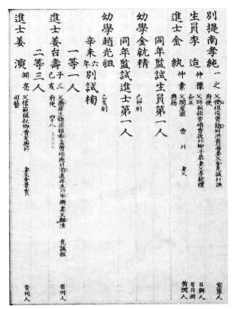

그림1. 문과방목에 강태수가 장원으로 적혀 있고,
그 앞에 조광조가 진사에 수석한 기록이 보인다.

2. 아들 태수가 동년인 모재 김안국과 사돈 약속을 하다

강귀손의 아들 태수(台壽, 1479~1526)는 아우 학손(鶴孫)의 아들이었
는데, 양자로 들어와 귀손의 대를 이었다. 태수가 들어와서 강희맹의
장손으로 대를 잇게 되고, 외손을 통하여 모재(慕齋) 김안국(金安國,
1478~1543), 미수(眉叟) 허목(許穆, 1595~1682)에게로 연결되며 친손과
외손이 모두 번성하게 되었다.

강태수와 김안국은 생원시에 함께 합격하여 평생 사이좋게 지냈다.
진사시(進士試)에 김안국이 1등 1위(장원), 강태수가 1등 4위로 합격하였
는데, 문과에는 강태수가 장원급제하였다.

생원(生員) 강태수(姜台壽) 등 16인에게 급제를 주었다.
－『성종실록』 6년(1511) 3월 20일

강태수는 장리(贓吏) 학손의 아들인데 과거시험에 응시하기 위해 귀손의 양자가 되었다고 하여 벼슬을 받을 때마다 사간원에서 반대하였지만, 중종이 그를 신임하였다. 1521년에 순천부사(정3품)로 부임할 때에도 사간원에서 반대하였는데, 김안국이 전송하며 시를 지어 축하하였다.

강자삼이 순천부사로 부임하는 것을 송별하다[送別姜府使子三赴任順天]
1.
이별 술자리에서 소매 잡고 잔을 권하니
천리 떨어져 그리워하던 정이 육년이나 지났구려.
참으로 돼지나 물고기에게까지 마음이 미칠 수 있다면
새매와 봉황새가 함께 어울린들 안될 게 없지.
황패(黃霸)와 하병(何竝)은 삼사(三事)에 올랐지만
소광(疏廣)과 소수(疏受)는 끝내 고향에서 늙었다오.
공명은 그대의 손에 맡기노니
나같은 쇠퇴한 자야 말고삐나 잡겠는가.
離筵摻袖勸銜觴。千里懷思費六霜。
正使豚魚能及信、不妨鷦鳳略相當。
黃何自亦升三事、廣受終應老一鄉。
分付功名輸子手、摧頹寧復任羈鞽。

『주역』「중부괘(中孚卦) 단(彖)」에 "괘사(卦辭)에서 '돼지와 물고기에까지 미치게 되면 길하다'고 한 것은 그 믿음이 돼지와 물고기에게까지 미치게 되기 때문이다.[豚魚吉 信及豚魚也]"라는 말이 나온다. 돼지나 물고기는 무지한 동물인데, 사람의 신의가 워낙 진실하면 그 동물도 능히 감동시킬 수 있다는 말이다.

전봉(鸇鳳)은 새매와 봉황새이니, 불길한 새와 상서로운 새이다. 강태수의 덕이 선인과 악인을 다같이 포용한다는 뜻이다.

황패가 한나라 선제(宣帝) 때 영천 태수(潁川太守)로 나가서 천하제일의 정사를 펼친 고사가 『한서(漢書)』 권89 「황패전(黃霸傳)」에 실려 있다. 하병(何竝)은 한나라 애제(哀帝) 때에 장릉 현령(張陵縣令)이 되었는데, 태후의 외척이자 시중이었던 왕임경(王林卿)이 일찍이 여종의 남편을 죽인 죄를 짓고 사면되어 고향인 장릉으로 돌아오자, 관리를 보내 그를 경계 밖으로 쫓아냈다. 화가 난 왕임경이 자신의 하인을 보내 관가의 북틀을 부수자, 추적하여 그 하인을 잡아 죽이고 왕임경을 도망치게 하였다. 사람들은 왕임경이 하병의 손에 죽은 것으로 여겼는데, 애제가 그 소식을 듣고 가상하게 여겨 농서 태수(隴西太守)로 승진시킨 행적이 『한서(漢書)』 권77 「하병전(何竝傳)」에 실려 있다.

『시경(詩經)』 소아(小雅) 「우무정(雨無正)」에 "삼사(三事)와 대부가 새벽부터 밤늦도록 봉직하려 하지 않는다.[三事大夫 莫肯夙夜]" 하였는데, 『집전(集傳)』에 "삼사(三事)는 삼공(三公)이고 대부는 육경(六卿)과 중대부(中大夫), 하대부(下大夫)이다." 하였다. 김안국이 '강태수 자네는 황패나 하광같이 재상에 오를 인물이다'라고 덕담을 한 것이다.

광수(廣受)는 한나라 선제(宣帝) 때의 명신(名臣)인 소광(疏廣)과 그의 조카 소수(疏受)를 가리킨다. 소광은 태부(太傅)가 되고 소수는 소부(少傅)가 되었는데, 소광이 소수에게 "만족할 줄 아는 사람은 욕을 당하지 않고, 멈출 줄 아는 사람은 험난한 지경에 처하지 않는다. 공을 이룬 뒤에는 떠나가는 것이 천도에 합당하다."라고 말하고는, 두 사람이 동시에 치사(致仕)를 청하였다. 그러자 당시 사람들이 모두 어질게 여겨 그들이 시골로 돌아가는 날 전송하러 온 자들의 수레가 수백 대나 되었으며, 황제가 많은 황금을 하사해 주었다. 이들 두 사람이 그 뒤에 고향으로 내려가서 황제에게서 받은 황금을 사람들에게 다 나누어 준 이야기가 『한서(漢書)』 권71 「소광전(疏廣傳)」에 실려 있다. 김안국이 벼슬보다는 학문을 즐기며 어질게 살려는 자신의 소망을 말한 듯하다.

> 2.
> 어린 딸과 어린 사위를 그대에게 딸려보내니
> 갈리는 마당에 말이 절로 정녕해지네.
> 게으름이 버릇되면 교육을 그르치니
> 교만과 사치 경계하여 명성 이루도록 권면하시게.
> 며느리 사랑은 짐짓 덮어주는 것이 능사는 아니니
> 자식을 보살피려면 의로운 방법으로 가르쳐야 한다네.
> 며느리에겐 게으름을 아들에게는 꽃과 술을 금해야 할지니
> 가문의 흥망 달린 것을 어찌 가벼이 하겠나.
> 弱女稚郎付子行。臨分不覺語丁寧。
> 習成駄慢愍虧敎、戒抑驕奢勉就名。
> 愛婦詎專姑息裏、保兒須與義方幷。
> 婦禁懶怠兒花酒、門戶興衰繫豈輕。

강태수가 순천에 부사로 부임하면서 갓 혼인한 아들과 며느리를 데리고 떠나자, 김안국이 자신의 딸인 며느리를 사랑만 하지 말고 잘 가르쳐 달라고 당부하는 시를 지어 주었다. 이 시에는 깊은 사연이 있다. 강태수와 김안국은 젊은 나이에 이미 사돈이 되기로 약속했었다. 기사

본말체(紀事本末體) 역사서인 『연려실기술(燃藜室記述)』 권8 「기묘당적 김안국」에 그 사연이 실려 있다.

(김안국이) 강태수와 사돈을 하기로 약속하였는데, 그 뒤에 자녀들이 모두 자라서 혼인할 때가 되자 '강의 아들이 악질(惡疾)이 있다'고 들었으나 약속을 저버리지 않으려고 마침내 혼례를 치루니, 사람들이 하기 힘든 일이라고 했다.

김안국의 제자인 초당(草堂) 허엽(許曄)의 『전언왕행록(前言往行錄)』을 인용한 부분이니, 돼지나 물고기 같이 무지한 동물까지도 감동시킬 정도로 두 사람의 신의가 깊었음을 알 수 있다. 강태수의 아들 복(復, 1508~1529)은 이때 14세였는데, 김안국은 병든 사위에게도 따로 시를 지어 주었다.

아버지를 따라 임지로 가는 사위 강복을 배웅하며
送壻郎姜復隨父之任
사위의 손을 잡고 자네를 보내려니
말할 때마다 눈물이 떨어지네. 허술히 듣지 말게나.
색은 참된 기운을 해치니 제멋대로 굴지 말고
술은 오장육부를 녹이니 지나치게 마시지 말게.
무뢰배 따라 치장하기를 부끄럽게 여기고
맑은 선비 사귀어 경전 연구에 힘쓰게나.
육년의 광음도 눈깜박할 사이이니
재덕(才德)을 이루어서 반갑게 만나세.
爲携郎手送郎行。淚併言零莫謾聽。

色敗眞元防恣縱、酒消腸腑愼斟傾。
恥從無賴侈容飾、樂與淸流究傳經。
六載光陰眞一瞥、德成才就喜相迎。

영특한 자질 얻기도 어렵지만 믿기도 어려우니
어린 나이에 첫 발을 잘 디뎌야 한다네.
뜻을 방탕하게 하면 난잡한 무리가 되고
마음을 거두면 단아하다는 명망을 얻기가 쉽지.
풍상 겪으면 병들기 쉬워 근본을 상하게 되니
큰 길에 어찌 멍에 메지 않은 수레가 달리겠나.
부지런히 배우고 골라 사귀며 조섭 잘하고
날마다 선조의 훈아서를 읽어보게나. ―사위의 조부 진산공이 「훈자오설
(訓子五說)」을 지었는데, 경계하고 가르치는 뜻이 갖추어져 있다.

英資難得還難恃。只在稚齡發軔初。
放志流爲狂蕩輩、收心易得雅端譽。
風霜易瘁傷根木、衢達寧馳不駕車。
勤業擇交兼愼攝、日看伊祖訓兒書。郎祖晉山公。有訓子五說。警誨
之意備矣。

태수가 상을 치르다가 병을 얻어 48세 이른 나이에 세상을 떠나자,
김안국이 묘갈명을 지어 주었다.

통훈대부 순천도호부사 강군 묘갈명

아아! 강자삼(姜子三)이 세상을 떠났구나. 자삼(子三)은 나와 한 살
차이로, 약관(弱冠) 때부터 같이 유학(游學)하였다. 천부적인 자질이 뛰
어나 배움에 민첩하고 재주가 넉넉하였으니, 일대에 높은 명망을 지녀

나같이 노둔한 자가 감히 바라지 못하였다. 자삼이 지나치게 허여하여 나를 동지(同志)로 삼았으니, 서로 친애하기가 마치 형제 같았다. 아들과 딸을 서로 결혼시키자고 약속하였는데, 나의 딸이 결국 자삼의 맏아들 복(復)에게 시집갔다.

나는 늘 자삼에게 이렇게 말하였다. "진취해서 벼슬에 오르기는 반드시 내가 나을 것이니, 그대는 나의 적수가 아니다."

홍치(弘治) 신유년(1501)에 자삼이 나와 같이 생원시와 진사시 두 시험에 합격했는데, 내가 모두 자삼보다 앞섰으니 참으로 이상하였다. 그러다가 자삼이 정덕(正德) 신미년(1511) 문과 제1명에 장원으로 뽑혀, 비로소 영예스럽게 이름이 났다. 나는 9년 뒤에야 급제하였으니, 이 또한 굴복했다고 말하지 않을 수가 없었다. 같은 조정에 벼슬하면서도 부족함을 부끄럽게 여겼다.

그러나 나는 무능하면서도 육경(六卿)의 반렬에 드는 은총을 받았는데, 자삼 같은 재주로 겨우 한 큰 고을의 수령이나 받은 것은 적합한 대우가 아니었다. 게다가 중수(中壽)도 못하고 나보다 먼저 세상을 떠났으니, 나같이 평범한 자가 어찌 벼슬이나 수명이 언제나 자삼보다 앞섰단 말인가? 세상에서 차지하는 것은 그 사람이 슬기로운지 어리석은지, 잘나고 못났는지에 달린 것이 아니라, 스스로 명분(命分)이 있기 때문이 아닐까?

자삼의 휘는 태수(台壽)이니, 의정부 좌찬성 진산군(晉山君) 문량공(文良公) 희맹(希孟)의 손자이고, 지돈녕부사(知敦寧府事) 대민공(戴敏公) 석덕(碩德)의 증손이며, 동북면순문사(東北面巡問使) 회백(淮伯)의 현손이다. 순문공(巡問公)의 아버지가 상의문하찬성사(商議門下贊成事) 공목공(恭穆公) 시(蓍)이니, 진주강씨가 동국의 갑성(甲姓)으로 대대로 조정에 높은 벼슬을 하다가 공목공 때부터 더욱 귀하게 되었다.

문량공이 두 아들을 두었으니, 장남은 대광보국(大匡輔國) 숭록대부(崇祿大夫) 의정부 우의정 진원군(晉原君) 숙헌공(肅憲公) 귀손(龜孫)이

고, 차남은 장례원(掌隸院) 사평(司評) 학손(鶴孫)이다. 숙헌공이 종자
(宗子)로 대를 이을 아들이 없어 어진 자를 고르다가 사평공의 셋째아들
을 데려다가 후사를 삼으니, 바로 자삼(子三)이다. 자삼의 어머니 신씨
(申氏)는 영의정 문충공(文忠公) 숙주(叔舟)의 손녀이고, 관찰사 면(沔)
의 딸이다.

순문공의 호는 통정(通亭)이고, 대민공의 호는 완역재(玩易齋)이며,
문량공의 호는 사숙재(私淑齋)인데, 3대가 문장으로 이름났으며, 저술
도 많았다. 문충공도 또한 훈덕(勳德)과 문장(文章)으로 삼조(三朝)를
보좌하여 이름난 재상이 되었다.

자삼도 자질이 절륜하여 일찍이 가풍(家風)을 본받고 문학에 힘써 마
침내 세상에 드러났으니, 문중의 전통을 잘 발전시켰다고 할 수 있다.
자삼의 형제가 7인인데, 사평공의 성품이 준엄하여 용서하지 않으니 여
러 아들들이 온순하게 모셨다.

숙헌공도 또한 엄격하고 과감하였으며 첩에게서 낳은 자녀들도 많았
는데, 자삼이 효성스럽게 순종하고 우애가 두터워 이간질하는 사람이
없었다. 숙헌공이 세상을 떠나자 자삼이 정경대부인을 더욱 공손하게
섬겼으며, 서자녀(庶子女)들과 유산을 분배할 때에도 적자(嫡子)라고
자처하지 않고 모두 공평하게 나누어 주어 숙헌공의 뜻을 이루었다. 벗
들과 사귀면서 신의가 더욱 드러났다.

조정에서 벼슬한 지 13년 동안 거친 벼슬이 성균관 전적(典籍 정6품),
봉상시(奉常寺) 주부(主簿), 공조와 예조 좌랑(佐郎)과 정랑(正郎, 정5
품), 교서관 교리(校理), 훈련원 판관(判官), 봉상시(奉常寺) 첨정(僉正
종4품), 광흥창(廣興倉) 수(守 정4품), 예빈시(禮賓寺) 부정(副正 종3품)
등이었다. 관직을 지내면서 주밀하고 근신하여 해이하지 않았고, 일 처
리에 과단하고 민첩하였으니, 가는 곳마다 치적이 반드시 드러났다.

신사년(1521) 겨울에 늙은 부모를 봉양하기 위해 고을 수령을 자청하
여 순천 도호부사에 제수되었는데, 행정에 익숙하여 일 처리를 바람이

일 듯 하였으며, 부지런히 백성을 보살폈다. 삼년만에 치적이 자자하게 알려졌는데, 얼마 안되어 사평공의 상을 당하고, 이듬해에는 모부인이 잇달아 세상을 떠났다.

자삼이 본디 허약해서 병이 많았는데, 잇달아 상을 당해 여막(廬幕)에서 슬픔이 지나쳐 몸을 상하였다. 고질병이 더 깊어져 가정(嘉靖) 5년 병술(1526) 8월 14일에 탈상(脫喪)도 하지 못하고 세상을 떠나니, 태어난 해인 성화(成化) 기해년(1479)부터 계산하여 향년이 겨우 48세였다. 애통하구나!

그 해 겨울에 자삼의 널이 영광(靈光)에서 안산(安山) 직관리(職串里) 선영으로 왔기에, 내가 달려가 곡하였다. 장지를 문랑공 묘의 왼쪽 정동향(正東向) 언덕에 잡았으니, 자삼의 평소 뜻에 따른 것이다.

자삼의 아내 연일정씨(延日鄭氏)는 홍문관 직제학 회(淮)의 따님으로, 아들 하나와 딸 하나를 낳았다. 아들은 복(復)이고, 딸은 의정부(議政府) 사인(舍人) 원계채(元繼蔡)의 아들 호변(虎變)에게 시집갔으며, 측실이 낳은 아들 영(英)은 어리다. 복(復)이 아들 하나와 딸 하나를 낳았는데, 모두 어리다.

명(銘)은 다음과 같다.

큰 기러기의 날개가 부러지니
메추라기만 구름에 날아가네.
천리마가 다리 부러지자
둔마가 달려 가는구나.
운회(運會)인가 천명(天命)인가
내가 누구를 나무라랴.
단명(短命)과 장수(長壽)를
또한 누가 주장하는가.
아아! 어찌하랴.
내 차마 무슨 말을 하랴.

鴻翼中戢、鷄鵜雲飛。
驥蹄或蹶、駑服騑騑。
會耶命耶、吾詰于誰。
短耶脩耶、而又誰尸。
嗚呼其奈何、吾尙辭爲。

－『모재집(慕齋集)』 권12

　김안국은 이때 이미 공조판서(정2품)를 거쳐 우참찬까지 지냈으므로,
명문 출신으로 장원급제까지 했던 친구 강태수가 부사(정3품)를 지내다
가 일찍 세상을 떠난 것을 가슴 아프게 생각하였다.

　"서자녀(庶子女)들과 유산을 분배할 때에도 적자(嫡子)라고 자처하지
않고 모두 공평하게 나누어 주어 숙헌공의 뜻을 이루었다."는 부분이
특이하다. 강귀손이 이조판서를 오래 하자 재물에 욕심이 많다는 비판
이 자주 일어났는데, 김안국은 자기의 친구인 강태수가 적장자라고 하
여 유산을 독차지하지 않고 적서(嫡庶) 차별없이 고르게 나누는 것이
강귀손의 뜻이라고 강조하였다. 강귀손도 상속받을 때에 외가에서 물
려받은 안산의 방대한 토지를 순흥 안씨 문중에 돌려주어, 순흥 안씨
문중에서는 지금까지도 고맙게 여기고 시제에 참석한다고 한다. 묘갈
명 한 구절을 통해서도 강귀손의 순후한 장자 기질을 엿볼 수 있다.

　강태수가 세상을 떠난 지 3년 뒤에, 아들 강복도 22세로 세상을 떠났
다. 딸이 네 살, 맏아들이 두 살, 작은아들이 한 살 때에 강복이 세상을
떠났으므로, 이들 3남매는 외가인 김안국의 집에서 자랐다.

　그의 부인인 김안국의 딸은 그 뒤에 41년을 혼자 살면서 자녀들을
잘 키웠다. 맏아들은 시인으로 이름난 극성(克誠, 1526~1576)이고, 둘째
아들이 극근(克謹, 1529~1550)이다.

극성의 아들 종경(宗慶, 1543~1580)도 부친상과 모친상을 잇달아 치르면서 여막에서 병이 생겨 38세에 세상을 떠났는데, 아내가 이미 먼저 세상을 떠났으므로 어린 두 아들 둘을 믿을만한 친구들에게 부탁하였다. 미수 허목이 그 사연을 「성균관 학유 강공(姜公) 묘표[成均館學諭姜公墓表]」에서 소개하였다.

> 유인(孺人) 신씨(申氏)가 먼저 죽고 없었기 때문에, 공은 어린아이들이 불쌍하여 남에게 부탁하고자 하였다. 일찍이 우계(牛溪) 성혼(成渾) 선생과 고(故) 의주 도호부사(義州都護府使) 김공(金公) 아무와 가장 친했으므로, 세상을 떠날 때에 두 아들을 그들에게 부탁하였다. 이런 연유로 진승(晉昇)은 성씨 가문에서 길러졌고, 진명(晉昳)은 김씨 가문에서 길러졌다. 두 집안에서 대를 이어 마치 골육처럼 사랑하였으므로 후세에 미담으로 전해진다고 한다.

강종경의 세 아들은 자연스럽게 성혼의 제자가 되었는데, 성혼의 일기장인 「잡기(雜記)」에 맏아들 강진휘(姜晉暉, 1567~1596)의 기사가 보인다.

> 7월 그믐날 길을 가다가 재령(載寧)의 장가(張家) 별서(別墅)에 이르렀는데 강진휘가 가지고 온 서책 사이에 묵은 종이가 한 장 있었다. 가져다가 읽어 보니, 바로 모재(慕齋) 선생이 칠언율시 두 수를 손수 써서 사위인 강공(姜公)에게 주신 것이었다. 훈계한 뜻이 간곡하고 지극하니, 참으로 가훈(家訓)으로 삼을 만하였다. 시의 내용이 웅장하고 혼후(渾厚)하며 필법(筆法) 또한 고아(古雅)하였으므로 반복하여 읽은 뒤에 삼가 소중히 마음에 새기고 애지중지하였다. 그리고 강생으로 하여금 행록(行錄) 가운데에 베껴 써넣게 하여 때때로 꺼내 보고 고인을 추모하는 마음을 부칠 수 있게 하였다. 그 시는 이렇다. (시 2수 줄임)

"진산공(晉山公)이 일찍이 자손들을 가르친 다섯 가지의 글이 있는데, 경계하고 가르친 뜻이 구비되었다. 그리하여 내가 다시 덧붙이지 않으니, 날마다 엄숙히 외우고 스스로 삼가도록 하여라. 부옹(婦翁) 모재 노인이 부친을 따라 임소인 순천(順天)으로 가는 사위에게 주다."

「잡기(雜記)」는 시기 순으로 기록되었으니, 아마도 1593년 7월 그믐의 일인 듯하다. 강씨 집안에서 자란 진휘는 임진왜란 중에 의병을 일으켜 왜군과 싸우는 동안에도 김안국이 증조부(복)에게 지어준 시를 적어 가지고 다니며 가르침을 받았다. 성혼은 김안국이 사위에게 지어준 시 2수를 일기에 필사하면서, 그 뒤에 김안국이 사위에게 타이른 구절까지도 베껴 놓았다.

강진휘는 별제(別提), 선전관(宣傳官) 등의 벼슬을 거치다가, 30세에 일찍 세상을 떠났다. 강귀손의 후손들 가운데 몸이 약하면서도 부모의 삼년상을 효성스럽게 치르다가 병을 얻어 젊은 나이에 세상을 떠난 경우가 많은데, 강귀손이 끼친 인덕으로 여러 스승들의 가르침과 도움을 받아 문중이 번성해졌다.

3. 미수 허목이 지어준 진외가 진주강씨 문중의 묘도문자

숙헌공의 손자 강복이 모재 김안국의 집안에서 자라며 학문을 익힌 뒤에, 그의 딸이 14세에 양천 허씨 문중의 강(橿, 1520~1592)과 혼인하여 교(喬, 1567~1632)를 낳았다. 강씨부인이 81세로 세상을 떠날 때에 손자 허목(許穆)은 9세였는데, 허목이 81세에 우의정(정1품)이 되자 부인도 정경부인에 추증되었다. 허목이 할머니 강씨부인의 은덕을 고마워하여, 강씨

부인의 묘갈 뿐만 아니라 진외가 여러 선조들의 묘도문자를 지어 은덕을 기렸다. 아버지와 할아버지의 묘비에도 물론 숙헌공의 외손임을 밝혔다.

할머니 정경부인 강씨 묘갈 음기(墓碣陰記)

할머니 강씨부인은 본적이 진주강씨(晉州姜氏)이다. 위로 9세에 공경(公卿)이 일곱 분이고, 학사가 한 분이며, 도호부사가 한 분이니, 고려말 문하시중(門下侍中) 창귀(昌貴)로부터 문경공(文敬公) 군보(君寶), 도평의사사(都評議司事) 시(著), 정당문학(政堂文學) 회백(淮伯), 대민공(戴敏公) 석덕(碩德), 문량공(文良公) 희맹(希孟), 우의정 귀손, 순천도호부사 태수인데, 문량공 이하가 고조, 증조, 대부 3세이고, 아버지 휘 복(復)은 일찍 세상을 떠났다. 부인은 외가에서 성장하였으니, 문경공(文敬公) 김안국(金安國)이 외조부가 된다.

가정(嘉靖) 2년 계미년(1523) 12월 15일에 부인이 태어났고, 14세 되는 병신년(1536)에 나의 할아버지인 별제(別提) 부군에게 시집왔다. 부군의 휘는 강(橿)이고, 자는 사아(士牙)이니, 부인은 실상 좌찬성 휘 자(磁)의 총부(冢婦)가 된 것이다. 당시에 김안로(金安老)가 권세를 부려 찬성공이 지방으로 나가 황주(黃州)를 맡아 다스린 것이 2년이었고, 시집 온 지 16년에 문정왕후(文定王后)의 수렴청정(垂簾聽政) 치하에 찬성공이 56세로 홍원(洪原)에서 운명하였다. 그 후 23년 뒤에 정경부인 이씨가 85세로 운명하였고, 또 19년 뒤에 별제 부군이 73세로 운명하였다. 부인은 70세 넘어 11년째에 이르러 5월 26일에 운명하니, 가정 계미년(1523)부터 만력 31년(1603)까지로 81세가 된다.

부인은 크고 오래된 가문에서 장수하여 더욱 존귀하였다. 대가의 유풍과 남은 교훈, 선고(先古) 때 분리된 가족과 별도의 종파 등 부인이 고사를 낱낱이 전하니, 친척과 자손이 모두 부인에게 나아가 들었다.

부인이 운명한 지 73년 만에 손자 목(穆)이 금상(今上, 숙종) 원년

(1675)에 81세의 나이로 우의정이 되어 선대를 추증하니, 부인이 정경부인이 되었다. 부인이 운명할 당시에 목의 나이는 겨우 9세였다.

장남 희(喜)가 면(冕)을 낳았는데, 모두 일찍 세상을 떠났다. 다음 딸은 종실인 춘성정(春城正) 이위(李偉)에게 출가하였는데, 이위는 우리 강정왕(康靖王, 성종)의 왕자 중 한 분인 익양군(益陽君)의 손자로, 자식은 없다. 차남 량(亮)은 만력 16년(1588)에 진사가 되었으나 역시 일찍 세상을 떠났고, 상의원 정(尙衣院正) 후(厚)를 낳았다. 막내아들 교(喬)는 포천 현감을 지냈고 영의정에 추증되었다. 세 아들을 낳았는데, 우의정 목(穆), 송화현감 의(懿), 영월군수 서(舒)이다. 또 서출로 자녀 5인을 두었는데, 조(操), 안(安), 달(達), 순(順)이다. 순은 무과로 벼슬은 하지 못하고 죽었다. 딸이 가장 맏이로, 선공감 감역 권복길(權復吉)의 첩이다.

-『기언(記言)』 제43권

별제 부군 묘지(墓誌)

공의 휘는 강(橿)이고, 자는 사아(士牙)이며, 성은 허씨이다. (줄임) 공은 많은 책을 널리 읽고 기억을 잘하였으며, 고결함을 좋아하여 세속적인 출세에 마음 쓰는 것을 부끄럽게 여겼다.

문정왕후가 집권했던 시절에 이기(李芑)가 권세를 부려 조야(朝野)의 사람들이 서로 눈치를 보며 몸을 움츠렸지만, 찬성공은 늘 을사년의 옥사에서 옥형(獄刑)이 너무 지나치고 죄 없는 자가 많이 연루되어 죽은 것을 한스러워하여 이기의 전횡을 배척해 말하였다. 이 때문에 이기가 마음 깊이 화를 품어 중상모략하여 말하였다.

"아무개는 공신으로서 말을 지어내어 비방한다."

그러므로 끝내 북쪽 끝으로 유배되었다. 이기는 그래도 성에 안 차 반드시 죽음으로 몰아넣으려고 하였는데, 이기가 죽어 버렸기 때문에 면할 수 있었다. 그러나 결국 유배지인 홍원에서 운명하였다. (줄임)

선조 연간에 동방에 큰 전란이 일어나자 (별제 부군이) 협북(峽北)으로 병란을 피했다가 토산(兔山)의 수인(壽仁)에서 운명하니, 연서(漣西, 연천)로 모셔 장례하였다. (줄임)

의인(宜人) 진주 강씨(晉州姜氏)는 중고(中古) 시대에 정승을 지낸 숙헌공(肅獻公) 휘 귀손(龜孫)의 증손이고, 김문경공(金文敬公) 휘 안국(安國)의 외손이다. 공이 운명하고 11년 뒤에 부인이 81세의 나이로 운명하였다.

-『기언(記言)』 제41권

증(贈) 대광보국숭록대부(大匡輔國崇祿大夫) 의정부영의정 겸 영경연홍문관예문관춘추관관상감사(議政府領議政兼領經筵弘文館藝文館春秋館觀象監事) 행(行) 통훈대부(通訓大夫) 포천현감 양주진관 병마절제도위 부군 묘비(抱川縣監楊州鎭管兵馬節制都尉府君墓碑)

공은 휘가 교(喬)요, 자(字)는 수옹(壽翁), 또는 유악(維嶽)이라고도 하며, 성은 허씨(許氏)이다. 본관은 양천(陽川)으로 고령(庫令) 휘 원(瑗)의 증손이며, 좌찬성 휘 자(磁)의 손자요, 증 좌찬성 휘 강(橿)의 작은 아들이다. 어머니 증 정경부인 진주강씨는 중고(中古 성종·연산군) 때의 정승이었던 숙헌공 강귀손의 증손이다. (줄임)

소경왕(昭敬王) 25년(1592)에 왜적의 침략이 있어 나라가 크게 어지럽자, 선군자(先君子)가 협북(峽北)에 피란하던 중에 73세로 작고하여 연상(漣上, 연천)에 돌아와 초빈(草殯)하였다. 그 당시에 병란이 양호(兩湖)의 서쪽 경계에는 미치지 않았으므로, 70여 세 된 태부인(太夫人)을 모시고 친척 가솔들의 고아와 과부 1백여 명을 거느리고서 호우(湖右)에 나그네로 다니다가 정성을 다하여 장례에 쓸 물건을 다 갖추어 가지고 와서 장사 지내니, 보는 사람들이 탄식하며 말하였다.

"훌륭하다. 효자가 어버이 장사 지내는 정성이여."

만력 26년(1598)은 우리 소경왕(昭敬王) 31년인데, 공의 나이 32세였다. 그때에 재상이던 김명원(金命元)이 그의 행실과 재능을 천거하여 군자감 참봉(軍資監參奉)에 제수되었다.

때마침 도적이 이미 물러가자 남북의 관병(官兵)들이 다 서울에 집결하였는데, 공이 군량 분배하는 일을 분장(分掌)하였고, 여러 번 전직하여 사섬시와 제용감의 봉사(奉事)와 직장(直長)이 되었으나 호조판서의 미움을 받아 파직되었다.

파직된 지 2년에 태부인(太夫人)이 81세로 돌아가자 삼년상을 마치고 의금부 도사에 제배되었다가 선공감 직장(繕工監直長)으로 전직되었다.

－『기언(記言)』 제43권

의정부 사인 강공(姜公) 묘표[議政府舍人姜公墓表]

강 사인(姜舍人)은 휘가 극성(克誠), 자는 백실(伯實)이니, 진산군 희맹의 현손(玄孫)이다. 진산군이 장례원 사평(掌隷院司評) 학손(鶴孫)을 낳고, 사평이 순천 도호부사(順天都護府使) 태수(台壽)를 낳았다.

태수가 큰아버지인 우의정 귀손의 후사가 되었는데, 이분이 공의 할아버지이다. 아버지는 휘가 복(復)으로, 명문가의 아들이었기에 첫 벼슬로 충좌위 사용에 제수되었는데, 일찍 세상을 떠났다.

공은 가정(嘉靖) 5년 병술년(1526)에 태어났다. 그날이 죽취일(竹醉日)이었기에 호를 취죽(醉竹)이라 하였다. 공이 어려서 아버지를 여의어 외할아버지 김 문경공(金文敬公, 김안국)이 교육하였는데, 타고난 자품이 영특하고 재능이 남달라 날마다 수천 마디를 암송하여 학문이 날로 성취되어 명성을 얻었다.

가정 25년 우리 공헌왕(恭憲王, 명종) 원년(1546)에 국자감시에 뽑혔고, 32년 계축년(1553)에 문과에 급제하였으며, 또 3년 만에 중시에 선발되어 문장으로 더욱 이름이 났다. 처음에 한원(翰院)에 선발되었다가 옥당에 들어가 정자(正字, 정9품)를 거쳐 응교(應敎, 정4품)에 이르렀다. 사헌부와 사간원에서 집의(執義, 종3품)와 사간(司諫, 종3품)을 지냈고, 도당(都堂)에서 검상(檢詳, 정5품)을 거쳐 사인(舍人, 정4품)이 되었다.

말미를 받아 독서당에서 글을 읽을 때에 상께서 근신(近臣)을 보내어

술을 하사하신 적이 있는데, 얼근히 술이 취한 뒤에 그제야 근신이 상께
서 출제한 「오제시(五帝詩)」라는 제목을 내놓고는 '그날 안으로 지어서
올리라' 하였다. 이미 날이 다 저물었는데, 공이 취기를 가다듬고 즉시
지었다. 글을 바치니, 상께서 칭찬하고 좋은 말을 한 필 하사하였으며,
당시 사람들이 이 시를 전해 읊었다.

장차 크게 현달할 수 있었는데, 공과 사이가 서로 좋지 아니한 자가
참소하여 공이 배척을 당해 거의 10년 동안 강호(江湖)를 떠돌며 시를
읊고 지냈다. 호를 다시 보만당(保晩堂)이라 고쳤다.

일찍이 다음과 같은 시를 지었다.

관복을 모두 전당잡히고 술집에서 잠자며
하사하신 말은 팔아서 몇 마지기 밭이나 사려네.
크나큰 나라 은혜 아직도 갚지 못하고
꿈에 홀로 달빛 따라 하늘에 조회 가네.
朝衣典盡酒家眠、賜馬將謀數頃田。
珍重國恩猶未報、夢和殘月獨朝天。

우리 선조(宣祖)께서 즉위한 뒤, 이 시에 감동하여 그를 생각하고 특별
히 불러 제용감 정(濟用監正, 정3품)을 제수하였다. 얼마 뒤 장단 도호부
사(長湍都護府使, 종3품)로 나갔다가 세상을 떠났으니, 나이 50세였다.

숙인(叔人) 창녕 성씨(昌寧成氏)는 안동 대도호부사 성근(成謹)의 따님
으로, 아들 셋과 딸 셋을 낳았다. 선경(先慶)과 종경(宗慶)은 모두 문학(文
學)으로 진출하여, 선경은 관동도 도사(關東道都事)가 되고 종경은 성균
관 학유(學諭)가 되었다. 막내아들 세경(世慶)은 처음에 문음(門蔭)으로
벼슬을 얻어 장례원 사의(司議)가 되었다. 사위 셋은 이정필(李廷弼), 이용
택(李用擇), 권제(權霽)인데 이정필은 영춘 현감(永春縣監)이다.

-『기언(記言) 별집(別集)』 제24권

성균관 학유 강공(姜公) 묘표[成均館學諭姜公墓表]

공은 휘는 종경(宗慶)이고 자는 중업(仲業)이며 별호는 매서(梅墅)이다. 취죽(醉竹) 강 사인(姜舍人)의 둘째 아들이다. 나면서부터 총명하고 자질이 아주 남달라, 책을 읽을 때에 한번 눈으로 본 것은 평생토록 잊지 않았다. 『주역(周易)』풀이를 잘해서, 당대의 유학자들 가운데 그를 인정하는 사람이 많았다.

융경(隆慶) 4년 우리 선조 3년 경오년(1570)에 국자감시에 뽑혔다. 3년 만인 임신년(1572)에 문과에 급제하여 한림(翰林)에 천거되었는데, 당로자(當路者)가 빼버려서 벼슬이 성균관 학유(學諭, 종9품)에 그쳤다.

만력 4년(1576)에 사인공(舍人公)이 세상을 떠났고, 또 4년 만에 어머니 성 숙인(成淑人)이 세상을 떠났다. 삼년상을 마치기도 전에 공이 슬픔으로 몸이 야위어 세상을 떠나니, 나이 38세였다. 어떤 손님이 병문안을 오자 함께 한참 이야기를 나누다가 스스로 자신의 맥(脈)을 짚어보고,

"내가 내일을 못 볼 것 같다."

하였다. 이때에는 손님이 이상하게 여기다가, 공이 세상을 떠나고 나서 그 말대로 되었음을 알았다고 한다. 공이 의술(醫術)에 능통했던 것일까, 아니면 수리(數理)로 미루어 알았던 것일까? 어쩌면 그리도 기이한가. 공은 재주와 식견이 탁월하고 명성이 일찍 드러나 장차 크게 쓰이기를 기대할 수 있었는데 불행히도 일찍 세상을 떠났으니, 아, 운명이다.

유인(孺人) 신씨(申氏)가 먼저 죽고 없었기 때문에, 공은 어린아이들이 불쌍하여 남에게 부탁하고자 하였다. 일찍이 우계(牛溪) 성혼(成渾) 선생과 고(故) 의주 도호부사(義州都護府使) 김공(金公) 아무와 가장 친했으므로, 세상을 떠날 때에 두 아들을 그들에게 부탁하였다. 이런 연유로 진승(晉昇)은 성씨 가문에서 길러졌고, 진명(晉晫)은 김씨 가문에서 길러졌다. 두 집안에서 대를 이어 마치 골육처럼 사랑하였으므로 후세에 미담으로 전해진다고 한다.

유인(孺人)은 첨정(僉正) 신여량(申汝樑)의 따님이다. 맏아들은 진휘(晉暉)인데 또한 재능과 학식으로 이름이 나서 사포서 별제(別提 정6품)가 되었다. 둘째는 진승인데 생원이고 셋째는 진명인데 흡곡 현감(歙谷縣監, 종6품)이다. 사위 세 사람은 정득열(鄭得悅), 이치애(李致愛), 이유인(李惟仁)이다. 정득열은 사천 병마도위(泗川兵馬都尉)였는데 만력 25년(1597)에 한산(閑山)의 패전에서 전사하였다. 진명의 큰아들 유후(裕後)는 을과(乙科)로 벼슬에 나가 지금 청주 목사(淸州牧使, 정3품)이다.

― 『기언(記言) 별집(別集)』 제24권

문장가 집안의 전통을 후대에 이어주다

1. 문장가 친구들을 널리 사귀다

강귀손은 평소에 시를 짓지 않았으며, 『금양잡록』 발문 외에는 산문도 남아 있지 않아, 실록 외에는 그의 행적을 확인할 수 있는 자료가 많지 않다. 그나마 그와 가깝게 지내던 문인들의 기록을 통해서 그의 동선을 파악할 수 있다.

강귀손이 1505년 6월 4일에 우의정(정1품)에 제수되자, 『연산군일기』를 기록한 사관이 당일 기사 뒤에 평을 덧붙였다.

> 귀손이 비록 문아(文雅)를 몰랐으나, 마음으로는 늘 이를 사모하므로, 그때 신종호·허침·조위 등이 의기와 문장으로 서로 친했는데, 귀손에게 교분을 터주어 때로 함께 놀았다. 또 정석견·권빈·권유가 모두 그와 젊을 때에 뜻을 같이한 벗이었는데, 가난한 시골 사람으로 서울에서 죽으니, 상여와 장사 지낼 자산이 없었다. 귀손이 그 상(喪)을 애써 도우므로, 사람들이 '남들이 하기 어려운 일'이라 하였다.

강귀손이 시나 문장을 잘 짓지는 못했지만 문학을 좋아하여 문장가들과 친하게 사귀었으며, 그가 많은 사람들에게 인덕을 베풀어 주위에 많은 사람들이 모여들었다고 하였다. 이들이 지은 글을 통하여 그의 행적을 조금이나마 찾아볼 수 있다.

강희맹은 스무살이 될 무렵 함양에 머물며 김종직 형제와 친하게 지냈는데, 함양에 있던 이숙번의 농장이 사위 강순덕을 거쳐 1441년에 강희맹에게 상속되었다. 김종직(金宗直, 1431~1492)이 강귀손에게 시를 지어 보냈는데, 강귀손이 문과에 급제하기 전이니 아마도 아버지와의 인연으로 시를 지어준 듯하다.

> 입춘일에 생나물을 첨정 강귀손에게 바치다. 십이월 이십일이다 [立春日
> 以生菜呈姜僉正龜孫十二月二十日也]
> 여린 사철쑥이 푸르기도 하니
> 봄 기운이 이제부터 정히 끝이 없으리.
> 다만 염려되는 것은 노소(老蘇)께서 실망하여
> 햇쑥 시장에 나온 것처럼 여길까 싶구려.
> 茵蔯細菜綠茸茸。春意從今正不窮。
> 却恐老蘇生愴望、蓼芽如出市廛中。

첨정(僉正, 종4품)은 강귀손이 문과에 급제하기 전에 문음(門蔭)으로 얻었던 벼슬이니, 30세 되던 1479년 이전에 받은 시이다. 노소(老蘇)는 소식(蘇軾)의 아버지인 소순(蘇洵)을 가리키니, 이미 훌륭한 학자로 널리 알려진 김종직이 강귀손의 이름을 알고 봄나물을 보냈다고 보기보다는, 아버지 강희맹과의 인연으로 나물을 보내며 시도 함께 보냈을 것이다. 강희맹을 노소(老蘇)로 표현했다면 강귀손은 자연스럽게 그의 아들 소식(蘇軾)이 되는 셈이니, 다른 문인들에게도 강귀손은 자연스럽게 친해졌을 것이다. 따라서 김종직의 제자인 김일손에게 정당매시권(政堂梅詩卷)의 발문을 부탁한 것이다.

선후배들의 연보에서 강귀손과 동행한 행적이 확인되는데, 유호인(兪好仁, 1445~1494)의 연보를 예로 들면 "신해년(1491). 47세. 여름에 강귀손 등과 낙동강을 유람하고, 「낙강범주시(洛江泛舟詩) 발문」을 짓다."라는 기록이 보인다. 여러 사람이 낙동강에서 배를 타고 노닐면서 시를 지었는데, 유호인이 그 시축에 지은 발문이 『뇌계집』에 실려 있다.

나는 정미년(1487) 봄에 의성(義城) 현령이 되어 오고, 용휴(用休)는 기유년(1489) 봄에 잇달아 상주목사(商州牧使)가 되어 삼손망창(三飧莽蒼)의 사이에 낙동강 하나를 격하여 서로 바라고 있었으나, 각각 공무에 얽매어 한갓 편지로만 몇 년 동안 서로 안부만 물어보며 지냈다.

경술년(1490) 여름에 우연히 공무로 경주(慶州)에 모이게 되어 나란히 말을 타고 함께 신성(新城)까지 와서 작별하였고, 또 금년 여름에 화산(花山)에서 시험을 치는 제생(諸生)들이 일을 끝마치는 날에 용휴를 강요하여 내가 관할하는 빙산(氷山)에서 노닐게 되어 반벽(半壁)의 등불 아래 한 동이 술을 나누고 헤어졌다.

그후 한 달이 채 못되어서 함께 겸선(兼善, 홍귀달) 상공을 함녕으로 방문하였는데, 나는 용휴에게 납치를 당하여 물구경하는 놀이를 이루게 되었다. 아마도 지난날 빙산의 놀이를 보답하자는 뜻이었으리라.

아! 국내의 친우 둘이 별처럼 흩어져 천리에 있으니, 나가고 들앉고 떨어지고 합하는 것이 너무도 무상함은 인사에 매였기 때문이겠지만, 나는 그 사이에도 운수가 끼어 있다고 생각한다. 아무리 가까운 곳에 있어도 아침저녁으로 왕래하기는 쉽지 않다지만, 몇년을 두고 겨우 한두 차례 만나본 것을 오히려 천행으로 생각하니, 하물며 저 하늘 가 땅 모퉁이 밖에 있어서랴. 그렇다면 오늘의 뱃놀이가 우연한 것이 아니다.

이날 밤에 강 안개는 몽롱하고 갈매기와 새들은 떼지어 나는데, 한 잔 술을 서로 나누다보니 온갖 형상이 더욱 색다르게 보인다. 용휴가 나에게 보답하는 것은 반드시 소란한 거문고나 피리에 있지 않을 것이니, 나 역시 지난날 (빙산 놀이를) 먼저 베풀었던 것을 다행으로 여긴다. 아름다운 산수는 천지 사이에 하나의 무정한 물건이요, 또 금(金)이나 옥(玉)에 비할 바 아닌데, 우리들이 무슨 관계라서 (이 아름다운 산수를) 가져다 제것으로 만들어도 사람들이 탐낸다 하지 않고, 조물주(造物主)도 역시 도적이라 하지 않는가. 난초나 혜초처럼 귀하게 보아서 서로 주고 받으며, 다른 사람은 따라오지 못하는 바이니, 비록 우리 두 사람의 청전(靑氈)이라 해도 좋겠다. 용휴는 내 말을 어떻게 여기는가.

우리와 함께 노닌 자는 통판(通判) 신현(申礥) 언옥(彦玉), 교수 이인우(李仁祐) 공보(公輔), 전 정랑(正郎) 정륜(鄭倫) 중경(仲卿), 생원 박신형(朴信亨) 사륭(士隆)이었다. 홍치(弘治) 신해년(1491) 6월 10일에 영천(靈川) 유 아무개가 쓴다.

『장자(莊子)』「소요유편(逍遙遊篇)」에 "망창(莽蒼)을 가는 자는 세 끼 먹을 양식만 가지고 가도 배가 든든하지만, 백 리를 가는 자는 한 방아거리의 양식을 가져야 하고, 천 리를 가는 자는 석 달 양식을 가져야 한다." 하였고, 그 주에, "망창(莽蒼)은 근교(近郊)의 빛이라." 하였다. 삼손망창(三飧莽蒼)은 의성과 상주가 얼마 멀지 않은 거리임을 말한다.

이 시기에 이들의 선배인 대사헌 홍귀달이 부친상을 당하여 고향에 머물러 있었으므로, 유호인이 후배 강귀손을 설득하여 홍귀달을 위로할 겸 낙동강 뱃놀이를 떠났던 것이다.

강귀손과 관련된 시문을 가장 많이 남긴 문인은 대제학을 지낸 선배 성현인데, 그가 아버지 강희맹 때부터 친했던 문인인데다가 시를 짓던 현장에 함께 있던 사람들 이름을 모두 제목에 넣어 주던 습관 때문에 이름이 자주 보인다.

그림1. 고향으로 돌아가는 농암 이현보를 제천정에서 송별하고 있다.

판경조 용휴, 동관 아경 군량, 우윤 사원이 제천정에 모였는데 나도 가서 참석하였다. 경기감사 기수가 주연을 베풀었다. [判京兆用休 冬官亞卿君 諒 右尹士元會濟川亭 余亦往參 京畿監司耆叟設酌]

푸른 산이 그림 같아 이내가 걷혀 있고
강물 위에 누대가 걸쳐 풍광들이 잠겼구나.
멀리서 부는 바람에 젓대 소리 포구를 흔드는데
저물녘 돛 그림자는 맑은 못에 떨어지네.
감사께서 술자리를 처음 차리시니
손들이 풍류 즐기며 한창 흥에 겨웠네.
요행히 쓸모없는 몸도 자리에 함께했으나
좋은 시로 맑은 담론 돕지 못해 부끄러워라.

靑山如畫捲輕嵐。樓枕長江萬景涵。
風遠笛聲搖極浦、日斜帆影落淸潭。
使君樽酒筵初秩、客子風流興正酣。
自幸陳人參盛列、愧無佳句侑淸談。

강귀손이 한성 판윤으로 참석하였으니, 1499년의 모임이다. 잔치를 베푼 기수(耆叟)는 정미수(鄭眉壽)의 자이니, 1499년 4월 5일에 경기도 관찰사에 제수되었다. 군량(君諒)은 공조참판 김심(金諶)의 자이니, 김종직의 문인이다. 사원(士元)은 성현의 사촌인 성숙(成俶)의 자이다.

정미수가 이들을 초대한 제천정(濟川亭)은 한강에서 가장 크고 화려한 정자로, 한강 북쪽 언덕 위, 지금의 한남동과 보광동 사이에 있었다. 풍광이 아름다워 중국 사신이 올 때마다 이곳에서 잔치를 베풀었으며, 왕이 신하들과 함께 술자리를 즐기기도 했던 곳이다.

역시 성현의 문집인『허백당보집(虛白堂補集)』에도 강귀손이 여러 문인들과 어울린 시가 보인다.

> 영서역(迎曙驛)의 정자에서 쉬다 [憩迎曙亭]
>
> 먼 길을 오느라고 더위 먹어 시름겹다가
> 정자에 올라 보니 숲에서 바람 이네.
> 미풍 부는 보리밭에는 푸른 깃발 펄럭이고
> 비 넉넉히 내린 논에는 모가 푸른 침처럼 꽂혀 있네.
> 삿갓 쓴 역졸이 와서 말을 부르는데
> 바둑 구경하는 나그네들은 옷을 풀어 헤쳤네.
> 우연히 나랏일로 아름다운 모임 이뤄졌기에
> 심회를 말하고 싶어 부질없이 읊어 보네.
> 長路行愁酷暍侵。憑欄靈籟自生林。
> 風微隴麥翻靑斾、雨足畦秧揷翠針。
> 荷笠郵人來喚馬、看棋過客坐披襟。
> 偶因王事成佳會、欲寫遊懷謾苦吟。

이 시에는 "용휴(用休), 기지(耆之), 경기감사 이화보(李和甫)와 함께 우의정 이공(李公)을 모시고 능침을 봉심하였다."는 소주(小注)가 덧붙어 있다. 이 시를 지은 시기는 "경기감사 이화보(李和甫)"라는 구절에서 확인할 수 있다. 화보는 이집(李諿)의 자인데, 1500년 5월 10일부터 1501년 6월 23일까지 경기 관찰사로 재직하였다. 성현은 지중추부사, 강귀손은 이조판서로 능침(陵寢)을 봉심(奉審)하였다. 기지는 채수(蔡壽)의 자인데, 예조참판으로 참여하였으며, 봉심의 책임자는 우의정 이극균(李克均)이다.

영서역은 경기도 양주목에 있던 역인데, 『태종실록』에 "지금 중국 조정의 이수(里數)에 준하여 주척(周尺) 6척(尺)으로 1보(步)를 삼고 매 3백 60보로 1리(里)를 삼아, 이것으로 측량하면, 돈화문부터 서쪽으로 영서역까지가 18리 1백 94보이다."라고 하였다. 『신증동국여지승람』「양주목」 편에 "영서역은 주 서쪽 60리 지점에 있다."고 하였다. 뒤에 연서역(延曙驛)으로 이름을 고쳤는데, 지금의 은평구 대조동에 있었다. 서강, 창천, 연희궁 쪽에서 올라오는 길과 홍제원에서 의주로 가다가 갈라지는 길이 만나는 곳인데, 여기서 북쪽으로 가면서 능이 많았다.

성현이 자신의 집 후원 정자에 악공과 기생들을 불러서 술자리를 차려놓고, 강귀손을 초청하여 함께 즐기며 지은 시가 『허백당집』에 실려 있다.

> 이튿날 또 여회, 유본과 함께 후원의 남정에 올랐는데, 강용휴도 참석하였다. 김령이 어린 기녀와 함께 거문고를 연주하였다. [翌日又與如晦有本登後園南亭姜用休亦參金伶與小娥鼓琴]
>
> 산 남쪽에 외로운 정자 있으니
> 구름 걸린 나무들 푸릇푸릇 산뜻하구나.

동남으로 시야가 넓게 트여서
풀 무성한 십 리 들판이 한눈에 보이네.
집마다 복사 오얏 아래로 오솔길 났고
가지에는 눈부시게 꽃이 만발해,
부드러운 봄바람이 불어오면
천 조각의 붉은 꽃잎이 흩어지네.
흩날리다 떨어져서 술잔에 뜨고
팔랑팔랑 얼굴에도 내려앉으니,
술잔 들어 짧은 봄을 아쉬워하며
맑은 향 섞인 술을 들이마시네.
옆에서는 거문고의 선율 슬프고
꾀꼬리는 천번 만번 음을 바꾸니,
이런 정경 대하며 문득 기뻐져
꼼짝 않고 앉아서 두루 듣노라.
조카들을 돌아보며 말을 하노니
술이 있어 마음껏 놀 만하구나.
세월이란 던지고 받는 공과 같아서
인생은 번개처럼 지나간다네.
술과 시가 이야기 거리 되고
물고기와 채소로 찬이 넉넉하니,
시작을 이어 감이 귀한 것이지
어찌 꼭 큰 잔치를 열어야 하랴.
높은 산에 지팡이를 짚고 오르니
근육과 뼈가 피로함을 절로 잊겠네.
늙은이의 끝이 없는 근심 걱정을
자네들 의지하여 잊고 싶구나.
孤亭倚南麓、雲樹新蔥蒨。

> 東南眼界豁、十里瞰芳甸。
> 千家桃李蹊、花枝爛明絢。
> 春風瀁蕩來、散作紅千片。
> 飄飄泛羽觴、簌簌吹人面。
> 舉杯惜春忙、清香和酒嚥。
> 哀絃動左右、鶯舌千萬變。
> 對此却欣然、堅坐聽之遍。
> 顧謂仲容徒、有酒便游衍。
> 歲月雙跳丸、身世了一電。
> 觴詠可資談、魚蔬足供饌。
> 所貴承權輿、何必辦芳宴。
> 扶筇陟嵯峨、筋骨自忘倦。
> 老境無限憂、憑君欲消遣。

이날 모임에는 성현의 조카들과 강귀손이 초대받았다. 원문의 '중용도(仲容徒)'는 중용의 무리라는 뜻인데, 중용은 진(晉)나라 죽림칠현 가운데 한 사람인 완적(阮籍)의 조카인 완함(阮咸)의 자이다. 완함도 죽림칠현 가운데 한 사람으로 숙부 완적과 더불어 자연 속에서 노닐었던 것으로 유명하다. 여기서 '중용도(仲容徒)'는 '조카들'이라는 뜻인데, 성현의 조카인 여회 성세명(成世明)과 유본 성세원(成世源)이다. 봄놀이하는 자신과 조카들을 죽림칠현의 고사에 비유한 것이니, 강귀손도 저절로 죽림칠현 가운데 한 고사(高士)가 된 셈이다.

이날의 모임에는 봄날의 풍류를 즐기기 위해 당대 최고의 기생과 악공들도 불러왔다. 김령(金伶)은 악관 김복근을 가리키는데, 성현에게 거문고를 가르쳐 준 이마지(李ㄱ知)와 함께 거문고의 대가로 알려진 인

물로, 성종 때 장악원의 실무 책임자인 전악(典樂)을 지낸 전설적인 악
공이다. 어린 기녀는 아마도 거문고로 이름을 떨쳤던 기생 상림춘으로
짐작된다. 성현은 음률에 대한 감각이 뛰어나 다른 벼슬을 하면서도
장악원 제조를 오랫 동안 겸직하였으므로, 이들 악공이나 기생들과 친
하게 지냈다. 그가 지은 『용재총화』 제1권에 이들에 대한 이야기가 실
려 있다.

> 음악은 여러 기술 가운데서도 가장 배우기 어려운 것이니, 타고난 자
> 질이 있지 아니하면 그 참다운 멋을 얻을 수 없다. (줄임) 요즘은 능숙한
> 영인(伶人, 악공)이 많이 있는데 (줄임) 전악 김복근(金福根)과 악공 정
> 옥경이 더욱 연주를 잘해서 당시 제일수가 되었고, 기생 상림춘(上林春)
> 이 또한 거의 이에 가까웠다. (줄임) 금상(今上)께서 풍류에 뜻을 두어
> 이를 가르치시므로 잘하는 사람들이 연달아 나오고 있다.

도환(跳丸)은 광대가 양손으로 여러 개의 공을 땅에 떨어트리지 않게
던지고 받는 재주로, 빠른 세월에 비유된다. 한유(韓愈)의 「추회시(秋懷
詩)」에 "시름 속에 세월을 보내노니, 해와 달은 도환 같구나.[憂愁費驅景
日月如跳丸]" 하였다. 광대가 아니라 조물주가 두 개의 공을 땅에 떨어
트리지 않고 던지고 받는 사이에 세월이 빠르게 흘러감을 아쉬워하며
풍류를 즐겼다. 젊은이들에게 의지하여 노년의 근심 걱정을 잊고 싶은
것은 자리에 함께 하였던 강귀손도 같은 마음이었을 것이다.
　가깝게 지내던 친척이나 친지, 스승이 세상을 떠나면 남은 이들이
만시나 제문을 지어 마지막으로 송별했는데, 강귀손이 그런 글을 짓지
않다가 보니 그가 세상을 떠날 때에 받은 만시(輓詩)나 제문(祭文)도 찾
아볼 수가 없다. 한 편도 없지는 않았을텐데, 그 이유는 알 수가 없다.

강귀손의 부인 송씨가 세상을 떠나자, 가까운 후배이자 대제학인 신용개(申用漑)가 지어 보낸 만사(挽詞)가 남아 있다.

> 진원군 강귀손 부인의 죽음을 슬퍼하며 [姜晉原龜孫 夫人挽詞]
> 아름다운 덕이 한 시대의 모범이 되었건만
> 하늘이 인색하여 장수하게 해주지를 않았네.
> 정경(貞敬)이라는 자로 높이 봉해지고
> 향기로운 자취가 선녀 되어 하늘로 가셨네.
> 땅속 깊이 저승 문에 빗장 걸리니
> 빈 규방에 새벽 달빛이 스며드네.
> 칼이 중양의 합을 따르니
> 이름이 외인들에게 전해지리라.
> 난옥(蘭玉)이 없음을 탄식하지 말고
> 어진이를 잃지 말고 집안에 전하소서.
> 德美時爲範、天慳不與年。
> 崇封貞敬字、芳籍上淸仙。
> 厚夜玄扃閉、空閨曉月穿。
> 劍從重陽合、名許外人傳。
> 莫恨無蘭玉、傳家不失賢。

-『이요정집(二樂亭集)』 권2

신용개는 신숙주의 손자이니, 강학손의 처남이기도 하다. 강귀손의 집안과 대대로 세교(世交)가 있는데다, 가까운 사돈의 입장에서 지은 시이다. 강귀손이 우찬성(종1품)에 오르면서 부인 송씨도 정경부인이라는 자를 얻게 되었으며, 천상(天上)의 신선이 사는 옥청(玉淸)·상청(上淸)·태청(太淸)의 세 궁궐 가운데 상청의 선녀가 되어 하늘로 올랐다고 칭송하였다.

　한나라 선제(宣帝)가 미천한 시절에 허광한(許廣漢)의 딸 허평군(許平君)을 아내로 삼았다가, 선제가 즉위한 뒤에 첩여(倢伃)로 삼았다. 당시 대신들이 곽광(霍光)의 딸을 황후(皇后)로 세우려고 하였는데, 선제가 조서를 내려 "옛날에 쓰던 칼을 찾으라[求微時故劍]"하자 대신들이 선제의 뜻을 깨닫고 허평군을 황후로 삼은 이야기가 『한서(漢書)』 권97 「외척전(外戚傳) 효선허황후(孝宣許皇后)」에 실려 있다. 송씨부인을 조강지처라고 칭송한 것이다.

　난옥은 지란옥수(芝蘭玉樹)의 준말이니, 남의 집안의 우수한 자제를 예찬하는 말이다. 『세설신어』 「언어」에, 진(晉)나라 사안(謝安)이 여러 자제들에게 어떤 자제가 되고 싶냐고 묻자, 그의 조카인 사현(謝玄)이 대답하기를 "비유하자면 지란옥수가 뜰 안에 자라게 하고 싶습니다.[譬如芝蘭玉樹 欲使其生於階庭耳]"라고 대답한 이야기가 실려 있다. 자신의 매부인 강학손의 아들 태수를 잘 키워달라는 당부이기도 하다.

　문인이 세상을 떠나면 후손이나 제자가 고인의 문집을 편찬하면서 취사 선택하여 출판한다. 강희맹과 가장 가깝게 지냈던 대제학 서거정이 『사숙재집』에 서문을 써 주고 신도비명을 지어 주었지만, 강희맹의 생애와 문학을 가장 잘 서술한 이 글들이 『사가집』에 실리지 못한 것도 취사 선택 과정에서 이미 고인이 된 서거정의 뜻을 살리지 못하고 삭제되었기 때문이다. 시인 문장가들의 후원자가 되어 여행과 풍류를 함께 즐겼던 강귀손의 인간적인 면모가 더 많이 남아 있었을 텐데, 친지들의 문집을 편찬하는 과정에서 대부분 사라진 것이 아쉽다.

2. 아버지의 문집을 편집하고 신도비를 세우다

조선초기 진주강씨 문중에서 가장 뛰어난 인물은 사숙재 강희맹이다. 조선 건국을 반대하여 진주로 낙향했던 강회백(姜淮伯)이 태종의 부름을 받아 동북면도순문사(東北面都巡問使) 벼슬을 받고 조선왕조에 참여한 이래, 아버지 강석덕이 세종과 동서가 되는 혼맥을 활용하여 강희맹이 자신의 문장과 경륜을 최대한 펼쳤다. 그는 재상의 반열에까지 오르지 못했지만, 아들 강귀손이 아버지의 문집을 편집하고 신도비를 세워 조선의 대표적인 문중으로 정착하게 하였다.

강귀손은 과거에 급제하기 전에 이미 선조들의 음덕(蔭德)으로 군기시(軍器寺) 주부(主簿, 종6품)를 거쳐 돈녕부(敦寧府) 첨정(僉正, 종4품)에 제수되었다. 그가 아버지의 문집을 편집하고 신도비를 세운 것이 자식된 도리를 다한 것이기도 하지만, 문중을 강화하여 음덕이 후손들에게도 대대로 이어지게 하려는 시도이기도 하다.

2.1. 금속활자로 『사숙재집』을 간행하다

강희맹이 1483년 2월에 60세 나이로 세상을 떠나자, 성종이 3월에 곧바로 대제학 서거정에게 강희맹의 문집을 편집하라고 명하였다. 강귀손은 집안에 남아 있던 작품과 친지들에게 보냈던 시문을 수집한 뒤에, 아버지의 문장을 가장 잘 아는 대제학 서거정에게 서문을 지어달라고 부탁하였다.

현재 국내에는 강귀손이 수집하여 금속활자로 간행한 『사숙재집』 초간본이 남아있지 않다. 금속활자로 간행한 책은 아름답고 선명하다는 장점이 있지만, 활자가 닳을 것을 염려하여 목판본만큼 많이 제작하지

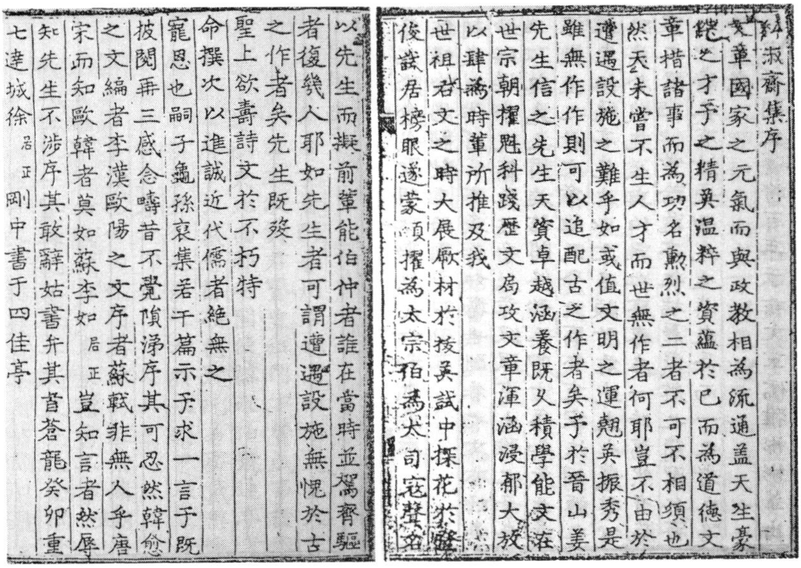
私淑齋集序
文章國家之元氣而與政教相為流通蓋天生豪
傑之才予之精英溫粹之資蘊於己而為道德文
章措諸事而為功名勳烈之二者不可不相須也
然天未嘗不生人才而世無作者何耶豈不由於
遭遇設施之難乎如或值文明之運翹異振秀是
雖無作作則可以追配古之作者矣予於晉山姜
先生信之先生天資卓越涵養既久積學能文在
世宗朝擢魁科踐歷文局攻文章渾涵浸郁大放
以肆為時輩所推及我
世祖君文之時大展厥材於拔英試中探花於發
俊試居榜眼遂蒙須擢為太宗伯為大司寇聲名

以先生而擬前輩能伯仲者誰在當時並駕齊驅
者復幾人耶如先生者可謂遭遇設施無愧於古
之作者矣先生既歿
聖上欲壽詩文於不朽特
命撰次以進誠近代儒者絕無之
寵恩也嗣子龜孫裒集若干篇示予求一言于既
披閱再三感念疇昔不覺隕涕序其可忍然韓愈
之文編者李漢歐陽之文序者蘇軾非無人乎唐
宋而知歐韓者莫如蘇李如居正豈知言者然辱
知先生不涉序其敢辭姑書弁其首蒼龍癸卯重
七達城徐居正剛中書于四佳亭

그림2. 오른쪽, 호사분코 소장본 사숙재집 서문 첫 장.
왼쪽, 마지막 장 6행에 사자(嗣子) 귀손(龜孫)이 약간 편을 수집하였다는 기록이 보인다.

않기 때문에 워낙 숫자가 적어서, 세월에 흐르면서 다 없어졌다. 다행히도 임진왜란에 약탈당했던 책들을 도쿠가와 이에야스가 오와리 번주에게 내려준 것을 바탕으로 호사분코(蓬左文庫)가 설치되어, 이곳에서 강귀손이 간행한 『사숙재집(私淑齋集)』 초간본을 볼 수가 있다.

서거정이 지은 「사숙재집 서문」은 다음과 같다.

> 문장은 국가의 원기(元氣)이므로 정치(政治)나 교화(敎化)와 더불어 서로 널리 유통된다. 하늘이 호걸스런 인재를 태어나게 하여 정영(精英)하고 온수(溫粹)한 자질을 부여하고, 몸에 쌓아서 도덕과 문장이 되게 하며, 큰 일을 시행하여 공명과 훈열이 되게 한다. 이 두 가지는 서로 의존하지 않을 수 없다. (줄임)

우리 세조(世祖)께서 학문을 숭상하는 시기에 (사숙재가) 그 재능을 크게 떨쳐, 발영시(拔英試)에서 3등으로 합격하고 등준시(登俊試)에는 2등으로 뽑혀 마침내 드러나 발탁되었다. 예조판서와 형조판서가 되어 그 이름을 세상에 널리 떨쳤다.

우리 성명(聖明, 성종)의 태평성대를 만나서는 훈열(勳烈)에 참여하여 육경(六卿)의 우두머리인 이조판서(정2품)가 되고 의정부 좌찬성(종1품)이 되었으며, 경연(經筵)에서 변론하고 깊이 궁리하며 잘 보좌하여 선치(善治)를 이루었다. 왕의 이름으로 발표되는 글들 가운데 공의 손에서 나온 것이 많았으며, 시기에 따라 응답한 문장들도 또한 오묘한 뜻을 지녔다. 장편에서는 넓게 표현하고 단장(短章)에서는 은근하게 나타내어, (시경) 대아(大雅)의 음조(音調)를 지녔다.

나 거정(居正)은 선생과 더불어 집현전·성균관·경연청 등을 앞뒤로 40년 동안 두루 거쳤으므로, 선생에 대하여 아는 것이 가장 많은 사람이다. 선생의 문장은 타고난 재능도 대단하였지만 또한 가법(家法)의 근원이 바른 통서(統緖)가 있어, 조부 통정선생(通亭先生)이 문장의 명성으로 먼저 드러났고, 부친 대민공(戴愍公)이 그 뒤에 아름다운 가업을 계승하였다. 선생은 백씨 인재(仁齋)와 더불어 같은 시기에 이름을 나란히 드러냈으니, 송나라 삼소(三蘇) 집안의 풍습이 있었다. (줄임)

선생이 세상을 떠나자 성상(聖上, 성종)께서 그의 시문(詩文)을 오래 후세에 전하게 하려고 특별히 편찬해 올리라고 명하시니, 참으로 근래의 유자(儒子)들에게 전혀 없었던 은총이었다

사자(嗣子) 귀손(龜孫)이 약간의 작품을 모아서 나에게 보이며 한 마디 말을 부탁하기에, 두세번 살펴 읽어보았다. 지난 시절을 생각하니 나도 모르는 사이에 눈물이 떨어지니, 서문을 차마 쓸 수 있겠는가.

당나라 한유(韓愈)의 문집을 편찬한 이는 이한(李漢)이고, 송나라 구양수(歐陽修)의 문집에 서문을 쓴 이는 소식(蘇軾)이니, 당나라나 송나라 시대에 사람이 없는 것은 아니지만 구양수와 한유에 대하여 소식이

나 이한 만큼 아는 이가 없었기 때문이다.

이 거정(居正)을 어찌 지언(知言)하는 자라고 하겠는가만, 죄송스럽게도 선생을 알고 지낸 시일이 짧지 않으니 어찌 서문 쓰는 것을 사양하겠는가. 우선 문집의 첫머리에 서문을 쓴다.

계묘년(1483) 7월 7일에
달성 서거정 강중(剛中)이 사가정(四佳亭)에서 쓴다.

보통 문인이 세상을 떠나면 흩어진 작품을 수집하여 문집을 편찬하고 간행하는 동안 오랜 시일이 걸리게 마련인데, 강희맹의 문집은 왕명으로 시작된 일이어서 곧바로 편집이 끝나고 서문이 지어졌다. 『사숙재집』 17권 4책은 갑진자(甲辰字)로 교서관에서 간행되었다. 후대에 후손들이 다시 낸『사숙재집』보다 권수로나 실린 작품 숫자로나 훨씬 많은 편이다.

『성종실록』 14년(1483) 2월 18일에 실린 강희맹 졸기(卒記)에는 "임금이 강희맹의 문장을 소중히 여겨 그 시문을 차례로 엮어서 책을 만들기를 명하니, 『사숙재집(私淑齋集)』 몇 권이 세상에 전한다."고 하였지만, 이는 나중에 덧붙인 기록이다. 대개는 문인이 세상을 떠난 뒤에야 한평생 지은 글들을 수집하여 문집을 편집하기 때문이고, 그래서 서거정의 서문도 몇 달 뒤에 지어졌다.

2.2. 『사숙재집』이 당대 최고라는 평가를 받고 간행할 준비를 하다

『사숙재집』이 서거정의 서문을 받아 금속활자로 화려하게 간행되자, 조정에서 여러 관원들에게 나누어 주며 읽어보게 하였다. 독후감을 시로 지어 화답한 시인도 있고, 장편의 독후감을 지은 문인도 있다. 유호인의 문집인 『뇌계집』 제5권에는 오언율시 형식의 독후감이 실려 있다.

> 여덟 말이나 되는 재주와 명성이 가득해
> 우리 사문이 태산처럼 우러러보네.
> 봄을 읊은 시는 생각이 몹시 곱고
> 나라를 걱정한 시로 귀밑머리 먼저 희어졌네.
> 혜초는 죽어도 향기가 더욱 멀리 퍼지고
> 기러기 높이 나르니 그림자를 붙잡을 수 없네.
> 평생 관직에 있다 죽었으니
> 책을 덮고서 눈물이 줄줄 흐르네.
> 八斗才名盛。斯文仰太山。
> 詠春思極麗、憂國鬢先斑。
> 蕙死香猶遠、鴻飛影莫攀。
> 平生殺公掾、掩卷涕潺湲。
>
> －「讀私淑齋文集」

삼국시대 조조(曹操)의 아들 조식(曹植)이 재주가 많아 후세 사람들이 "천하의 재주가 모두 1석(一石)인데, 조식이 혼자서 8두(八斗)를 차지하였다"고 칭찬했다. 사숙재를 조식에 비유해 칭찬한 것이다.

반악(潘岳)은 진(晉)나라 사람으로 인물이 잘나서 풍채 좋기로 유명하였는데, 그는 32세에 귀밑머리가 세기 시작하였다 한다. 사숙재가 나라를 걱정하며 시를 지어 남보다 귀밑머리가 일찍 희어질 정도였다는 것이다.

서거정 이후에 대제학을 넘겨받은 성현이 지은 글이 가장 잘 되었다. 「사숙당집 뒤에 쓰다[題私淑堂集後]」라는 제목의 이 글은 『허백당집』 제4권에 실려 있다.

나는 『사숙선생집(私淑先生集)』을 읽고 선생의 문장이 웅위(雄偉)하여 범상하지 않음을 알았다. 나는 어린 시절에 선생의 문하에 나아가 여러 해 동안 수업을 받았다. 선생은 고전을 연구하여 경서(經書)와 사서(史書), 그리고 제자백가(諸子百家)의 말을 두루 꿰뚫어 남김없이 탐색하였으니, 그 학문은 넓고도 깊으며 그 행실은 곧고도 흔들리지 않았다. 의론을 펼 때면 재기가 특출하여 듣는 자들로 하여금 지루한 줄 모르고 차츰 귀를 기울이게 하였다.

선생이 온축된 학문을 발휘하여 시문을 지으면 장편은 웅장하고 유장하였으며, 소품은 정심하고 오묘하였다. 여러 성인의 글에 근본하였으니, 『장자(莊子)』와 『이소(離騷)』에 출입하고 한(漢)나라와 위(魏)나라의 글에 치달렸다. 웅심(雄深)하고 아건(雅健)한 것은 사마천의 글과 같고, 찬란히 빛나고 우뚝이 빼어난 것은 한유의 글과 같았으며, 정밀하고 간고(簡古)한 것은 유종원의 글과 같고, 준매(俊邁)하고 분방한 것은 구양수의 글과 같았다. 스스로 늠름히 광악(光嶽)의 완전한 기운을 받고 태어나 하늘과 사람의 미묘한 추기를 통찰하며 고금의 일들이 변천된 것을 통달하고 품물(品物)이 영고성쇠(榮枯盛衰)하는 상황을 완미(玩味)해 본 사람이 아니라면 어찌 이같이 지을 수 있겠는가.

비유하자면 부잣집에 사는 사람은 포백과 곡식이 물이나 불처럼 흔하여 궤짝에 차고 곳간에 넘쳐서 써도 다함이 없고 퍼내어도 바닥이 드러나지 않는 반면, 가난한 집에 사는 사람은 애쓰며 살림을 꾸려서 조석으로 먹고사는 문제에 매달리기에도 겨를이 없는데 무슨 방도로 자신의 몸을 윤택하게 하여 광채를 드러낼 수 있겠는가. 이렇게 본다면 선생은 자기 일신에 도덕을 온축하여 사업에 경세제민의 역량을 발휘하여 네 임금을 보필하고 이공(貳公)으로서 교화를 널리 펴 유술(儒術)로 태평성대를 이루었으니, 요행히 그렇게 된 것이 아니라 당연하다고 하겠다.

상께서 선생의 문장을 중히 여겨 교서관(校書館)에 명하여 활자를 주조해 책으로 간행하여 조신(朝臣)들에게 나누어 주게 하니, 정련된 금이

나 아름다운 옥처럼 문장이 좋아 사람마다 완미하느라 손에 늘 끼고 다니며 놓지 않았다. 선생의 후손 용휴(用休) 씨가 인본(印本)이 매우 적어 여러 사람이 두루 읽어보지 못할 것을 염려하여 다시 판각하여 세상에 반포하려고 하였다.

아! 선생의 도덕과 문장은 태화 원기(太和元氣)가 천지간에 유행하여 만물을 밝게 비추는 것과 같으니, 어찌 조금이라도 사라질 이치가 있겠는가. 그러니 이 문집이 없더라도 괜찮을 것이요, 비록 기쁜 마음으로 널리 선양하지 않더라도 역시 괜찮을 것이다. 그러나 옛사람들은 그 사람을 생각하면 그 나무를 사랑하여 감히 베지 않았으니, 더구나 이 문집이야 말해 무엇하겠는가. 이 문집을 읽으면서 그 시문을 즐겨 감상하고 그 시문을 즐겨 감상하면서 그 덕을 상상한다면 경앙하고 흠모하는 마음이 어찌 다하겠는가.

신해년(1491) 모춘(暮春) 어느 날 문인 하산(夏山) 경숙(磬叔)은 삼가 발문을 쓴다.

강귀손이 1차 수집한 『사숙재집』은 교서관에서 활자본으로 간행하여 조정에서 일부 관원들에게만 특별히 나누어 주었으므로, 많은 사람들이 읽어볼 수가 없었다. 이 글의 제목을 보면, 강희맹의 제자인 성현이 받은 문집의 제목이 『사숙당집(私淑堂集)』이었을 가능성도 있지만, 확실치는 않다.

서거정이 서문을 지은 지 8년 뒤에 지은 것을 보면 그때쯤 이미 책을 구하는 사람들이 늘어나 강귀손이 목판으로 새로 찍을 생각을 한 듯하지만, 그 책에 발문으로 실으려고 이 글을 부탁한 것도 아닌 듯하다. 이 글의 제목만 가지고 보면, 자기가 받은 『사숙당집』 뒤에 써놓은 발문 성격의 독후감이다.

주(周)나라 성왕(成王)의 숙부인 소공(召公) 석(奭)이 남쪽 지방을 순수(巡狩)하며 선정을 베풀다가 떠나자, 그곳의 백성들이 소공이 거처하고 쉬던 이 나무를 베지도 말고 꺾지도 말고 구부리지도 말라고 노래한 시가 『시경(詩經)』 소남(召南) 「감당(甘棠)」이다. 강희맹의 도덕과 문장이 밝게 비추어 없어질 리가 없지만, 문집을 새로 찍어서 그의 글을 잘 보전하고 그 정신을 계승해야 한다는 뜻으로 마무리하였다.

그러나 강귀손이 이때 과연 목판본 『사숙재집』을 간행하였는지, 혹시 이때 간행한 목판본의 제목이 성현이 발문을 쓴 『사숙당집』인지는 확실치 않다. 실물이 남아 있지 않기 때문이다.

임진왜란 때에 수많은 문집들이 불타 없어지거나 약탈 당하면서, 금속활자본 『사숙재집』이 대부분 없어졌다. 어쩌다 한 부가 보이면 필사하여 읽어보았는데, 지봉 이수광의 아들인 도승지 이민구(李敏求, 1589~1670)가 필사본 『사숙재집』을 얻어보고 감탄하여 시를 지었다.

> 장령 조속이 필사한 『사숙재집』을 보여 주었는데 필법이 정밀하고 오묘하였다 [趙掌令涷手寫私淑齋集見眎筆法精妙]
>
> 강물은 동으로 흐르고 해는 서쪽으로 달리니
> 두 눈이 세상에서 누구를 향해야 하나.
> 새로 빼어나게 쓴 『청리첩』을 전해 주니
> 풍류가 홀로 원덕수의 눈썹을 막았네.
> 뛰어난 솜씨가 선배들을 뛰어넘으니
> 인재가 드물어 후배들이 부끄러워라.
> 가난하고 병든 늙은이가 자리에 누워
> 부끄럽게도 차서치에게 보답할 길 없네.
> 江河東注日西馳。雙眼人間欲向誰。

墨妙新傳靑李帖、風流獨阻紫芝眉。
從知藝絕傾前輩、轉見才難愴後時。
貧病暮年淹伏枕、愧無堪報借書癡。

조속(趙涑, 1595~1668)은 시서화 삼절(詩書畵三絕)로 이름난 문인인데, 이민구가 그를 장령(掌令, 정4품)이라고 쓴 것을 보면 1668년에 지은 시이다. 『청리첩(靑李帖)』은 진(晉)나라의 명필 왕희지(王羲之)가 쓴 『내금청리첩(來禽靑李帖)』을 가리키는데, 여기서는 명필 조속이 필사한 『사숙재집』을 가리킨다.

원문의 자지미(紫芝眉)는 아름다운 행실을 표현한 말이다. 자지는 당나라 원덕수(元德秀)의 자(字)로 행실이 매우 훌륭하여, 당시 재상 방관(房琯)이 "자지의 아름다운 눈썹을 보면 명리를 추구하는 마음이 모두 사라진다.[見紫芝眉宇, 使人名利之心都盡.]"고 칭송하였다. 조속이 아름답게 필사한 『사숙재집』을 보여주어 감사하였다.

당나라 이광문(李匡文)의 『자가집(資暇集)』에 "책을 아껴 빌려 주지 않는 사람도 바보이고, 빌려 주는 사람도 바보요, 빌려준 책을 찾으려는 사람도 바보요, 빌린 책을 돌려주는 사람도 바보이다.[惜一癡, 借二癡, 索三癡, 還四癡.]"라고 한데서 차서치(借書癡)라는 말이 나왔다. 고맙게도 바보같이 『사숙재집』을 빌려준 조속에게 답례할 방법이 없다고 시를 마무리하였다.

강귀손이 편집한 초간본이 전하지 않자 1805년에 10대손 강주선(姜柱善) 등이 문중에 전해온 원고를 모아 이를 정리하고, 12권 5책으로 편차하여 선운사(禪雲寺)에서 목활자로 간행하였다. 이 후손들은 강귀손이 이미 『사숙재집』을 편집하여 금속활자본으로 간행한 사실을 모르

고, 문중에 전해지는 원고만으로 편집하였다. 강주선이 지은 발문에
그러한 사연이 실려 있다.

> 불행하게도 성종대왕이 승하하자 숙헌공(肅憲公)이 뒤따라 세상을
> 떠나고, 사평공(司評公, 학손)마저 모함을 받아 유배되는 바람에 미처
> 간행하지 못하였다. 지금까지 (사숙재의 원고가) 감춰진 채 큰 종의 소
> 리를 듣지 못하고, 비단의 문채가 드러나지 않았다. (줄임)
> 편질(篇帙)이 방대하여 모두 다 실을 수가 없으므로 (줄임) 별로 사적
> 을 고증할 수 없는 만제(漫題)들은 조금만 남겨두고, 번다한 것을 삭제
> 하였다.

이 중간본에는 초간본에 실리지 않았던『금양잡록(衿陽雜錄)』을 편차
에 넣었지만, 초간본에 실렸던 많은 작품들과 그때까지 문중에 전해졌
다는 다른 원고들도 없어져서 무척 아쉽다. 그나마 근래 이백년 동안
국내에는 선운사 간행본『사숙재집』만 전해져 그의 문장과 경륜을 알
게 하였으니 큰 공을 이룬 셈이다.

2.3. 대제학 서거정에게 비문을 부탁하여 아버지의 신도비를 세우다

강희맹은 문량(文良)이라는 시호를 받아 당대 최고의 문신이라는 인
정을 받는데, 강귀손은 그러한 사적을 오래오래 후대에 전하기 위해
대제학 서거정에게 아버지의 비문을 지어달라고 부탁하였다. 묘비(墓
碑)는 글자 그대로 누구나 묘 앞에 세울 수 있었지만, 신도비는 정2품
이상의 관원이 공훈과 학문이 뛰어나 후세의 사표(師表)가 될 때에만
묘의 동남쪽에 7-8척의 커다란 신도비를 세울 수 있었다. 풍수에서 동
남쪽을 신도(神道)라고 하기 때문이다. 신도비를 세운다는 사실 자체가

생전의 행적을 크게 인정받는 셈이다.

　진주는 큰 고을이어서 큰 성씨와 이름난 씨족이 많은데, 그 가운데 강씨가 특히 융성하였다. 강씨의 선대가 경사를 기르고 선덕을 쌓아 자손이 먼 후세에까지 이어졌다. (줄임)

　영락(永樂) 갑진년(1424)에 (완역재 공이) 공을 낳으셨는데, 휘는 희맹(希孟)이고, 자는 경순(景醇)이다. 어려서부터 두각이 우뚝 솟아 여느 아이들과 달랐으며, 글을 읽기 시작하자 날마다 수백 마디의 말을 기억하였고, 글짓기도 잘하였다.

　정통(正統) 무오년(1438)에 거정(居正)이 공의 형 인재(仁齋)와 같이 진사시(進士試)에 합격하여 날마다 서로 왕래할 때에 인재의 집에서 공을 처음 보았다. 그때 공은 나보다 너댓살 아래로 15세쯤 되었는데, 재주가 이미 성숙하였다. (줄임)

　이해(1458) 10월에 세조께서 유신(儒臣)들을 모아놓고 재주를 시험하였는데, 공과 거정이 모두 우등으로 합격하여, 공은 예조참의(정3품)에 임명되고, 거정은 공조참의에 임명되었다. 이해 12월에 공이 부친상을 당하고, 그 이듬해에 모친상을 당하였다. 신사년(1461)에 상복을 벗자 첨지충추부사(정3품) 세자보덕(世子輔德, 종3품)에 임명되었다. (줄임)

　이해(1465) 5월에 세조께서 처음으로 발영시(拔英試)를 실시하셨는데, 공이 갑과(甲科)에 합격하여 가정대부(嘉靖大夫, 종2품)로 승진하였고, 얼마 안 되어 자헌대부(資憲大夫, 정2품)로 발탁되어 예조판서가 되었다. 이해 7월에 세조께서 또 등준과(登俊科)를 실시하셨는데, 공과 거정이 모두 갑과에 합격하였다. 세조께서 "등준시에 합격한 사람은 모두 나의 문하생(門下生)이다. 옛날 좌주(座主)와 문생(門生)의 고사를 따르는 것이 마땅하다."고 하셨다. 주상 전하와 중전은 사정전(思政殿)으로 나와 앉으시고, 신하들은 각각 술과 안주를 올린 뒤에 차례로 술잔을 올리자, 세조께서 좌우를 돌아보며 말씀하셨다.

"이 전각을 마땅히 은전(恩殿)이라고 불러야 할 것이다."

(합격한) 각자에게 그림을 그린 도자기 술잔을 하나씩 하사하시고 "훗날 너희 동방(同榜)들이 모일 때에는 이 술잔을 사용하도록 하라."고 하셨다. 그 뒤로 동방들이 모일 때에는 으레 술과 음악을 내려주시는 등, 자주 물품을 하사하셨다. (줄임)

공의 부인인 정경부인 안씨는 관찰사 안숭효(安崇孝)의 따님으로, 공보다 먼저 세상을 떠나 안산군 직관리 신좌인향(申坐寅向, 동북향)에 묻혔다. 공은 4월 계유일에 정경부인의 묘소에 합장되었다. 두 아들을 낳았으니, 장남 귀손(龜孫)은 기해년(1479) 과거에 합격하여 사복시 정(司僕寺正, 정3품)이 되었고, 차남 학손(鶴孫)은 사평(司評, 정6품)으로 경자년(1480) 생원시에 합격하였다. 장녀는 지평(持平, 정5품) 성세명(成世明)에게 시집가고, 차녀는 감찰(監察, 정6품) 김성동(金成童)에게 시집갔으며, 3녀는 사과(司果, 정6품)에게 시집갔다. 소실(小室)에서 두 아들을 두었으니, 오손(鰲孫)과 종손(鬣孫)이다. 시정은 송요년(宋遙年)의 따님에게 장가들고, 사평은 관찰사 신면(申㴑)의 따님에게 장가들어 6남을 낳았으니 장남은 영수(永壽), 차남은 향수(享壽)이고, 나머지는 어리다.

사복시 정이 나에게 공의 신도비명(神道碑銘)을 지어달라고 청하였다. 아! 거정이 어찌 차마 공의 신도비명을 쓴단 말인가. 거정이 공과 같이 책을 끼고 머리털이 희어지도록 사귀었는데, 내가 항상 말하기를 "나를 낳아준 사람은 부모이고, 나를 알아준 사람은 공이다."라고 하였다. 벼슬길에 나간 뒤에 두 번이나 과거시험에 같이 합격하였고, 또 같이 공신(功臣)의 맹약(盟約)을 하였다. 관각(館閣)에서 같이 벼슬하고, 경연(經筵)에 같이 있었으며, 사국(史局)을 같이 관장하고 같이 서적을 편찬하는 등, 40여년 동안 하루도 떨어져 본 적이 없었다. 공명(功名)을 이룬 것도 앞서거니 뒤서거니 하며 대략 비슷하였다.

공이 세상을 떠나기 이틀 전에 공과 같이 친구의 집에 모여 밤새도록 술을 마시고 시를 지으면서 공의 정신이 강건하여 쇠약해지지 않은 것

을 보고 몹시 기뻐했는데, 이틀 뒤에 부음(訃音)을 듣고 대성통곡하였
다. 거정이 공을 대신하여 좌찬성이 되었으니, 평생 사귄 도리가 시종
이와 같았다. (줄임)

효도와 우애를 천성으로 타고나, 대민공(戴愍公)과 인재(仁齋)가 병
환이 났을 때에 손수 약을 지어 조석으로 간병하면서, 옷을 벗지 않고
눈을 붙이지 않기까지 하였다. 종족에게 인자하고 벗에게 신의가 있었
으며, 첩이나 종을 대하는 데도 모두 법도가 있었으므로 사람들이 이의
가 없었다.

문장이 방대하고 빼어나서 붓을 잡았다 하면 곧바로 완성하여, 삭제
하거나 수식하지 않아도 문사(文詞)의 조리가 아주 정밀하였다. 『사숙
재집』이 있는데, 대체로 공의 문장은 본디 집안에서 내려온 올바른 연원
이 있었다. 거정이 일찍이 논하기를 "통정(通亭)의 단아함과 완역재(玩
易齋)의 건결함과 인재(仁齋)의 담박함이 저마다 장점을 이루었는데, 사
숙재는 이를 모두 겸비하였다."고 하였더니, 평론가들이 "거정이 사리에
알맞은 말을 했다."고 하였다.

거정이 일찍이 공의 문집에 서문을 썼는데, 또 공의 신도비명을 짓자
니 마음은 끝이 없지만 글로 다 표현하지 못하겠다.

아! 슬프구나. 명(銘)을 짓는다. (줄임)

지위와 수명을 맘껏 누리고

아들과 손자를 두셨네.

그대 같은 이 세상에 드무니

또 어찌 상심하겠는가.

비록 세상을 떠났지만

존재가 영원하리라.

안산은 푸르디푸르고

안산 바다는 깊고도 깊구나.

아주 좋은 자리를 잡았으니

무덤에 편안히 잠드소서.
말씀을 옥돌에 새겨
후손들에게 소상히 보이노라.
홍치(弘治) 원년(1488) 3월 일
아들 귀손(龜孫)이 비석을 세우다.

과거시험 볼 때부터 두 사람이 40년 함께 살아왔던 추억을 회상하는 형식의 비문이어서, 공적만 나열한 일반적인 신도비보다 훨씬 실감나게 느껴진다. 이 비문은 강귀손이 편집한 『사숙재집』 이후에 지어졌기에, 1805년 선운사에서 간행된 『사숙재집』 권11 부록에만 실려 있다.

2.4. 『금양잡록』을 편집하고 간행하여 남다른 문학관을 보이다.

조선시대에 관료를 선발하는 과거시험의 과목이 대부분 글쓰기였던 이유는 지방 수령인 목민관의 임무 가운데 하나가 나라의 뜻을 백성에게 전달하는 상의하달과 백성의 생각을 나라에 전달하는 하의상달이었기 때문이다. 조정에서 왕의 생각을 문장으로 쓰는 관청이 홍문관이나 예문관이고, 중국 황제에게 전달하는 외교문서를 담당하는 관청이 승문원이었는데, 이런 곳에서 짓는 시나 문장을 관각문학(館閣文學)이라고 하였다. 집현전 학자들이 지은 『용비어천가』도 관각문학 작품 가운데 하나이다.

서거정이 강희맹의 신도비명을 지으면서 "관각(館閣)에서 같이 벼슬하고, 경연(經筵)에 같이 있었으며, 사국(史局)을 같이 관장하고 같이 서적을 편찬하는 등, 40여년 동안 하루도 떨어져 본 적이 없었다."고 회상하였으니, 이들이 바로 조선초기의 대표적인 관각문학자였다. 관각

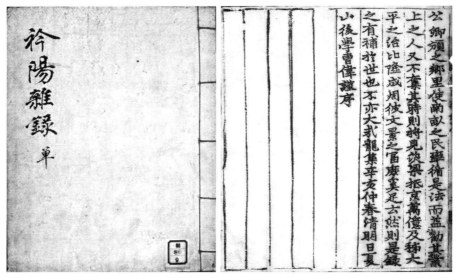

그림3. 『금양잡록』은 문집에 들어갈 성격이 아니어서, 강귀손이 처음에는 단행본으로 간행했었다.
단행본 『금양잡록』 표지와 조위가 지은 서문

문학이라면 어용(御用) 문학이라든가 벼슬을 위한 문학, 개인의 서정성
이 결핍된 문학이라고 깎아내리는 경우도 있지만, 조선시대에 대부분
의 양반들이 문학에 종사한 이유가 바로 벼슬하기 위한 것이었으니,
관각문학은 문학의 존재 이유이기도 하였다.

그러나 강희맹이 벼슬에만 매달려 살거나 벼슬을 위한 글만 지은 것
은 아니었으니, 틈만 나면 시골에 내려가 농사를 지으며, 농사에 관한
글을 썼다. 공목공이 원나라에서 들어온 『농상집요(農桑輯要)』를 고려
실정에 맞게 간행한 것이나 손자 강희안이 『양화소록』을 지은 것에서
볼 수 있듯이, 강귀손의 선조들은 책상 위의 문학만이 아니라 논밭에서
의 문학도 중요하게 여겼으며, 책상과 논밭을 아울러 경륜을 펼쳤다.

강희맹이 처가(妻家)의 금양(衿陽) 농장을 상속받으면서 금양은 한때

공목공파 대종의 본거지가 되었다. 아들 귀손이 그 과정을 「금양잡록
발(衿陽雜錄跋)」에서 상세하게 설명하였다.

> 금양(衿陽)의 별업(別業)은 찬성(贊成)을 역임하신 내 외증조부 안정
> 숙공(安靖肅公)께서 시작하셨다. 정숙공이 그의 아버지 흥녕부원군(興
> 寧府院君)의 장지(葬地)를 금주산(衿州山) 서쪽 기슭에 모시고 여막(廬
> 幕)을 지은 것이 집이 되었다. 관직을 내놓고 이곳에 물러나 있으면서
> 나라에 큰 일이 있을 때만 매번 나가 자문에 응하셨다. 정숙공이 돌아가
> 시자 나의 외조부 관찰공(觀察公)에게 전해졌다가, 드디어 돌아가신 아
> 버지에게 이르게 된 것이다. 이것이 어찌 옥(玉)을 사랑하는 자가 월향
> (越鄕)의 능력이 있는 자를 선택하여 준 것이 아니겠는가?

정숙(靖肅)은 강희맹의 처조부
인 안순(安純)의 시호이고, 관찰
공은 경기도관찰사를 지낸 강희
맹의 장인 안숭효(安崇孝)를 가리
킨다. 안숭효에게는 아들이 셋이
나 있었는데도 금양의 농장을 딸
에게 물려준 이유는 확실치 않지
만, 강희맹의 증조부 강시가 『농
상집요(農桑輯要)』를 간행하여 보
급하려 했던 사실이라든가, 형 강

그림4. 강희맹이 『금양잡록』을 집필한 금천구
시흥동에 서울시에서 표석을 세웠다.

희안이 『양화소록(養花小錄)』을 짓거나, 자신이 명나라에 사신으로 다
녀오면서 연꽃 씨를 가져온 사실 등과 무관하지는 않은 듯하다. 이 집안
이 학문이나 벼슬 뿐만 아니라 농업 경영에도 관심이 많았음을 알고

물려주었을 가능성이 있다. 그랬기에 강희맹도 농장을 소유한 것으로 만족치 않고 금양의 농장 체험을 문장으로 기록하여 『금양잡록』을 후세에 남겼다.

강희맹은 한때 외조부 이숙번에게서도 농장을 상속받았으므로, 그의 글에는 금양별업 뿐만 아니라 금천장(衿川莊)·금양촌사(衿陽村舍)·고양별업(高陽別業)·고양촌사·고양폐업(高陽弊業)·함양촌사·안산촌사·연성촌사(蓮城村舍) 등의 여러 농장이 등장하는데, 지역으로 나누면 금양·고양·함양·안산 등지에 농장을 소유했던 셈이 된다. 이 가운데 강희맹이 가장 애착을 지녔던 농장이 금양별업인데, 금양은 금천현과 양천현이 잠시 통합했던 태종 시기의 행정구역이다.

강희맹은 노량진을 건너 금양별업에 다녔다. '금양에는 척박한 곳이 많은데다 물이 들면 침수되어 열을 잃고 아홉을 얻으니 사람들이 모여 살 곳은 못된다'고 하였다. '보(洑)'가 널리 보급되기 이전이었으므로, 안양천의 물을 효과적으로 이용할 수 있는 수리시설이 갖추어져 있지 않았던 것이다.

금양별업은 지금의 서울시 금천구 시흥동과 경기도 시흥시 일대이다. 강희맹은 『금양잡록』에서 금양별업을 이렇게 묘사하였다 "밭은 100무(畝)를 넘지 못한데다가 땅이 또한 척박하여 농사를 지어도 별로 남는 것이 없었다. 다만 전부터 내려오는 농장으로서 소나무·개오동나무·뽕나무·가래나무 등이 땔감으로 잘리지 않은 탓에 '만송강(萬松岡)'이라고 불렸다."

고양별업은 개울가에 있던 평범한 시골 초가집이었고, 함양별업은 외조부 이숙번에게서 한때 상속받았던 농장이며, 안산촌사는 양모 안성 이씨의 묘가 있는 곳이다. 강희맹은 서울에 본가를 두고 주로 금양

과 안산 두 곳을 오가며 생활하였다. 공목공파 후손들은 후대에 안산에
서 번성하였지만, 강희맹은 금천별업에서 더욱 즐겁게 지냈다.

아들 귀손은 「금양잡록발(衿陽雜錄跋)」에서 아버지의 금양 생활을 이
렇게 소개하였다.

아버님께서는 공무에서 벗어나는 틈틈이 간편한 차림을 하고 다니면
서 시골 늙은이들과 농사에 대해 의논하셨다. 씨 뿌리고 갈고 김매는
시기와 방법, 그리고 건조하거나 습한 땅에 알맞은 농사방법 등, 그 이
치와 묘방을 밝히지 않음이 없으셨다. 또 농요(農謠)를 채집하여 가사를
지으셨는데, 힘을 다해 부지런히 농사짓고도 해가 다하도록 근근히 살
아가는 농부의 괴로운 모습을 잘 형용하셨다.

『금양잡록』의 내용은 여섯 부분으로 이루어졌는데, 「농가(農家)1」에
서는 농사에 관한 여러 학자들의 학설을 모으고, 곡물 80가지를 소개하
였다. 「농담(農談)2」에서는 잘못된 농정(農政)을 언급하였다. 「농자대(農
者對)3」에서는 농사와 벼슬을 비교해보면 농사가 더 힘들다고 주장하였
다. 「제풍변(諸風辨)4」에서는 바람이 비에 못지 않게 영향을 준다고 하면
서, 우리나라와 중국 바람의 차이를 논하였다. 「종곡의(種穀宜)5」에서는
지질에 따른 파종시기의 차이를 소개하였다. 「선농구(選農謳)6」에서는
농부들이 부르는 농요를 뽑아 소개하고, 뒤에 설명을 덧붙였다. 농요
가운데 「발 씻기[濯足]」를 예로 들면 아래와 같다.

발을 씻어도 마음껏 씻을 수가 없구나.
집에 돌아와 눈 감자 새벽닭이 벌써 우네.
새벽닭 울음소리에 호미 쥐고 밭일 가니

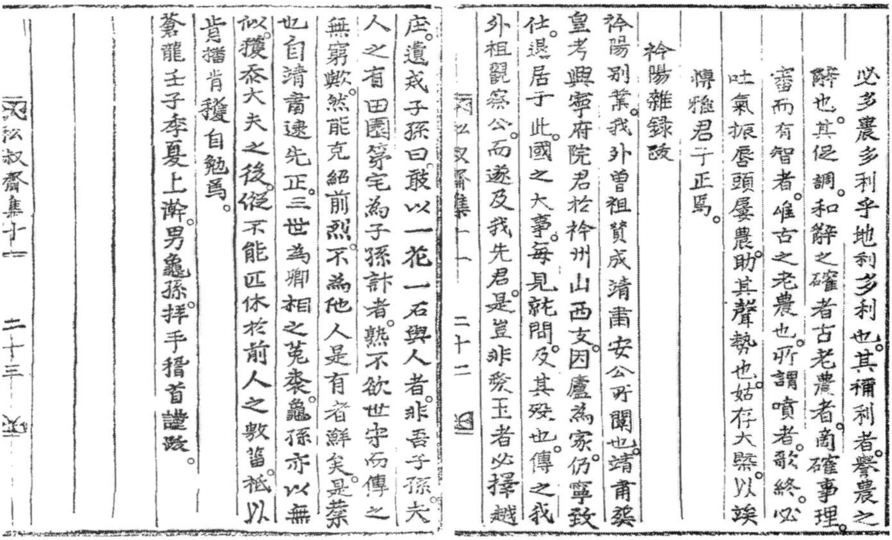

必多農多利乎地利多利者譽農之
辭也其偲調和辭之確者古老農者商確事理
審而有智者惟古之老農也所謂噴者歌終必
吐氣振唇頭屢農助其聲熱也姑存大喋以竢
憚雅君于正馬。

祫陽雜錄跋

祫陽別業我外曾祖賫成清甫安公所闢也靖甫奚
皇考興寧府院君松衿州山西支因盧為家仍寧致
仕退居于此國之大蓋每見乾問及其殁也傳之我
外祖觀察公而遂及我先君是豈非愛玉者必擇越

松叢又齋集十一 二十二 圖

庄遺戒子孫曰畝以一花一石與人者非吾子孫夫
人之有田園籌宅為子孫訐者熟不欲世守而傳之
無窮歟然能克紹前烈不為他人是有者鮮笑是蔡
也自清甫速先正三世為卿相之菟裘龜孫亦以無
似擴岙大夫之後從不能匹休於前人之敦茍祗以
肯播肯護自勉焉。
蕎龍壬子李夏上澣男龜孫拜手稽首謹跋。

松叔齋集十一 二十一

그림5. 선운사에서 간행한 『사숙재집』 권11 『금양잡록』에 강귀손이 지은 발문이 함께 실려 있다.

열두 때 하루종일 어느 때나 다리 펼까.
여름 밤은 짧디짧으니 몇 시간을 쉴 수 있으랴
발을 씻어도 마음껏 씻을 수가 없구나.
濯足不用不分濯。還家瞘眼鷄咿喔。
鷄咿喔鋤還握。十二時何時可伸脚。
夏夜短休幾刻。濯足不用十分濯。

이 노래 14수는 비가 내렸다가 이슬이 걷혀서 해가 비치는 것부터
시작하여 하루 종일 김을 매고 풀을 뽑다가 새참을 먹고 흙 묻은 발을
씻는 모습까지 농부의 하루 열네 장면을 묘사하였다. 오전과 오후의
곡조도 달리 설명하고 화답하는 소리까지 기록할 정도로 현장 정신이
철저하다. 7언시의 글자 수를 정확하게 맞추지 않은 것도 닭울음소리

를 자연스럽게 기록하기 위한 것이다.

강희맹은 금양의 시골 늙은이들과 주고받은 말 가운데 재미있는 이야기들도 따로 기록하였는데, 『촌담해이(村談解頤)』라는 제목 자체가 "턱이 빠져나갈 정도로 재미있는 시골 이야기"라는 뜻이니, 그가 금양별업에서 얼마나 즐겁게 지냈는지 짐작할 수 있다. 이 가운데 가잘 널리 알려진 「언서도혼(鼴鼠圖婚)」은 두더쥐가 자기네보다 나은 가문과 혼인하려고 하늘·구름·바람 등에 청혼했으나 결국은 자기 동족이 가장 나음을 깨닫는다는 내용으로, 제 분수를 지키라는 교훈을 담고 있다. 독자가 한정된 기록은 아니지만, 자녀들에게 안분(安分)을 가르치려 한 것이 아닐까?

강귀손은 관각문학 중심의 『사숙재집』만 편집한 것이 아니라, 당시에 일반적인 문집에 넣기에 적합지 않다고 생각할 수 있는 『금양잡록』도 단행본으로 편집하고 아버지의 뜻을 후대에 전하기 위해 발문을 지어 붙였다.

아버님께서 관직에서 물러난 여가에 농부의 옷으로 갈아입고 오가거나 소요하면서 마을의 늙은이들과 함께 농사에 관해 이야기를 나누었는데, 여러 종류의 씨를 뿌리고 갈고 김매는 방법과 빠르고 늦은 것과 마르고 습한 것 가운데 어느 쪽이 알맞은지에 대해 빠짐없이 이치를 밝히고 오묘함을 궁구하셨다.

또 농요(農謠)를 채집하여 가사를 만들었는데, 논밭에 나가 곡식을 가꾸면서 일년 내내 열심히 일하고 고생하는 모습을 표현하고 그 뜻을 다하였다. 예를 들면 「농부와의 대화[農者對]」나 「토질에 알맞은 곡식의 품종[種穀宜]」 등과 같은 편은 은연중 벼슬에 나아가고 물러가는 거취의 기미를 살피는 의미가 담겨 있으니, 농가의 지침일 뿐만이 아니다.

아아! 아버님이 일찍부터 재상의 반열에 올라 의정부에 계셨으나 초
야에 마음을 두지 않은 적이 없어, 농사짓는 일에 대하여 깊이 알고 계
셨다. 이 책을 지은 뜻이 어찌 얕다고 하겠는가.

옛날 당나라의 이위공(李衛公)은 십리 평천장(平泉庄)을 자손에게 물
려주면서 경계하여 말하기를 "감히 꽃나무 한 그루나 돌 하나라도 남에
게 주면 나의 자손이 아니다."라고 하였다. 전원(田園)에 집을 가진 사람
이라면 그 누가 대대로 지켜 무궁하게 전하고 싶지 않겠는가. 그러나
선열(先烈)에게 이어받아 타인에게 넘겨주지 않은 사람이 드물었다.

이 농장은 정숙공으로부터 선정(先正) 삼세에 이르기까지 재상의 은
거지가 되었고, 귀손도 불초하지만 대부의 반열에 들었으니, 비록 선인
처럼 황무지를 개척하지는 못하더라도 이어서 파종하고 수확하려 스스
로 힘쓰고 있다.

임자년(1492) 6월 상순에
아들 귀손이 두 손 모아 머리 숙여 삼가 발문을 쓴다.

강귀손이 1483년에 처음 『사숙재집』을 편집할 때에는 강희맹이 지은
「농구(農謳) 14장」을 후서(後序)와 함께 『사숙재집』 권9 끝에 편집하였지
만, 9년 뒤에 산문 6조와 함께 『금양잡록』을 편집하여 단행본으로 간행
하였다.

강희맹은 관각문학의 대가였지만, 다른 고관들과 달리 틈만 나면 농
장으로 가서 손수 농사를 짓고, 농민들의 어려움을 체험하였다. 그래
서 종자나 농법 등을 좀더 낫게 개량하려 애썼고, 그런 과정에서 농사
체험이 많은 시골 농민들과 자주 만나서 이야기를 나누어 그 결과를
기록하였다. 농사 짓는 이야기만 기록한 것이 아니라 삶의 애환이 담긴
옛날이야기도 따로 기록하여 그들의 삶을 간접 체험하였다.

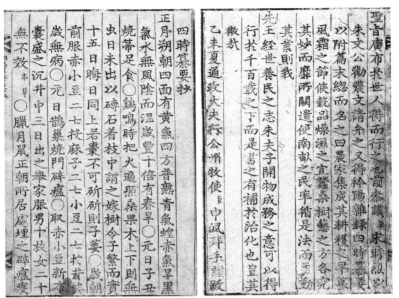

좌측부터, 그림6. 『농가집성』에 「사시찬요초(四時纂要抄)」도 함께 실려 있다.
그림7. 신숙이 지은 발문에 "『금양잡록』과 「사시찬요초(四時纂要抄)」를 구하여
(농사직설) 뒤에 덧붙이고 전체 제목을 『농가집성(農家集成)』이라고 하였다"고
밝혔다.

    강희맹이 남긴 『금양잡록』을 통해서 현대의 학자들이 조선 초기의
농법이라든가 곡식 이름 등을 연구할 정도로, 강희맹이 새로운 문학의
범주를 개척하였다. 그러나 「농구(農謳) 14장」을 일반 한시로 생각하여
『사숙재집』에 편집하였다가, 「농가(農家)」·「농담(農談)」·「농자대(農者
對)」·「제풍변(諸風辨)」·「종곡의(種穀宜)」 등의 농사 이야기 5편까지 합
하여 『금양잡록』이라는 단행본으로 간행한 강귀손의 편집 의도가 강희
맹의 깊은 뜻을 더 잘 살려냈다고 볼 수 있다. 그는 자신도 선조들처럼
시간이 나면 농장에 들려서 농사를 짓겠다고 다짐하였지만, 농사는 농
사꾼의 몫이라고 생각이 정리되자 과감하게 금양 별업을 원래의 주인

안씨 문중에 돌려주었다. 강귀손이 착한 주인이었기에 안씨 문중에서는 지금까지도 강귀손의 선행을 고마워하고 있다.

『금양잡록』은 후대에 『농사집설』이나 『농가집성(農家集成)』과 합본으로 간행되어 더 널리 알려졌다. 공주목사 신숙(申洬)이 1655년에 간행한 『농가집성』에는 『금양잡록』 뒤에 역시 강희맹이 지은 「사시찬요초(四時纂要抄)」까지 함께 편집하여, 그를 농사 전문가로 인정한 셈이 되었다.

강귀손은 『사숙재집』을 편집하여 간행하고 신도비를 세운 것만이 아니라, 단속사 터에 정당매를 다시 심고 여러 문인들에게 정당매 시문을 받아서 시축을 편집하였다. 이러한 일련의 사업을 통하여 결국 고려말 통정공의 고결한 정신이 강희안·강희맹 형제와 자신을 거쳐 후손들에게까지 이어지기를 바랐던 것이다.

3. 정당매(政堂梅)를 다시 심어서 선조의 정신을 후대에 이어주다

진주강씨 통정공파 문중의 정신적인 지주 가운데 하나가 지리산 단속사(斷俗寺) 터에 자라는 정당매이다. 강회백은 산음(山陰) 사월촌에 있는 외조부 하즙의 집에서 강시의 맏아들로 태어났다. 강시가 8세에 문음(門蔭)으로 연릉직(延陵職)을 받을 정도로 진주 강씨는 이미 명문거족인데다가, 친가와 외가가 모두 진주의 대성이었다.

강회백이 열두어 살 무렵에 이십여리 떨어진 지리산 동쪽 자락의 단속사에 들어가 글공부를 하였다. 이 시절에 매화를 심었다고 하지만, 그 자신이 이에 관해 언제 심었다고 직접 남긴 기록은 없다. '정당매'의 핵심어는 정당문학과 매화인데, 그가 고려시대에 마지막으로 역임한 벼슬이 정당문학인데다가 이때에 인망이 높았으므로 그를 기억하는 후세인들이 그의 고결한 정신이 깃든 매화를 정당매라고 불렀던 것이다.

정당매는 곧바로 단속사와 함께 단성을 대표하는 명승이 되어『동국여지승람』「진주목」편에 소개되었다.

【불우】단속사(斷俗寺) 지리산 동쪽에 있다. 골 입구에 최치원(崔致遠)이 쓴 '광제암문(廣濟嵓門)' 네 글자를 새긴 바위가 있다. 또 치원의 독서당(讀書堂)이 있었는데, 뒤에는 중 대감(大鑑)의 영당이 되었다. 또 신라 병부령 김헌정(金獻貞)이 지은 중 신행(神行)의 비명과, 고려 평장사 이지무(李之茂)가 지은 중 대감의 비명과, 한림학사 김은주(金殷舟)가 지은 진정대사(眞定大師)의 비문이 있다.

ㅇ강회백(姜淮伯)이 과거하기 전에 이 절에서 글을 읽으면서 매화 한 그루를 손수 심었다. 그 뒤 벼슬이 정당문학에 이르렀으므로, 그 매화나무를 정당매(政堂梅)라 하였다.

강회백의 시문에서 정당매와 관련된 시는『진산세고(晉山世稿)』에 2편이 실려 있다. 첫번째 시는 최고 정무기관인 중서문하성의 재상인 정당문학(政堂文學, 종2품)으로 승진했을 때의 기쁨과 포부를 읊은 시이다.

정당문학으로 승진했다는 편지가 서울에서 왔기에 시를 짓다

모기 힘으로는 산을 짊어지지 못하는데
은혜 입으니 못난 재주가 부끄럽구나.
학서가 구중 궁궐에서 왔으니
봉각에 삼태성이 비추네.

두 분 얼굴 노쇠함이 가득한데
청운이 만 리에 열리는구나.
이제 재상의 지위를 담당하리니
마땅히 염매가 되어야 하리.
蚊力山難負、承恩愧不才。
鶴書來九闕、鳳閣照三台。
黃色雙顔遍、靑雲萬里開。
會當調鼎鼐、端欲作鹽梅。

-『晉山世藁』「京書至陞拜政堂詩以記之」

『장자』「응제왕(應帝王)」에 "그 천하를 다스리는 것이 바다를 맨몸으로 건너고 하수를 파며 모기로 하여금 산을 짊어지게 하는 것과 같다.〔其於治天下也 猶涉海鑿河 而使蚊負山也〕"라고 하였다. 두련은 정당문학에 임명된 자신에 대해 겸손한 언사이다.

함련은 궁궐에서 온 조서를 받은 상황을 노래하였다. 학서(鶴書)는 조서를 가리키는데, 옛날 현자를 초빙하는 문서에 학의 머리를 닮은 글씨체를 사용했기 때문에 생긴 말이다. 봉각(鳳閣)은 당나라 때 중서성(中書省)을 부르던 별칭으로, 봉황지(鳳凰池) 옆에 있었다. 삼태(三台)는 여섯 개의 별로 이루어진 별자리 이름인데, 제 자리에 고르게 있으면 천하가 태평해진다고 한다. 즉, 중서문하성이 세상을 태평하도록 살핀다는 뜻이다.

경련에서는 자신의 상황을 노래하였다. 외직으로 다니는 사이 부모님이 늙으셨는데, 이제 중앙 관직으로 진출하게 되어 청운이 만리에 달릴 꿈을 꾸었다.

미련은 은나라 왕 무정(武丁)이 재상인 부열(傅說)에게 "국을 끓일 때

너는 염매가 되어다오.[若作和羹 爾惟鹽梅]"라고 한 말에서 끌어온 것이
다. 국정을 돌보는 재상의 일을 솥에다 국을 끓이면서 간을 맞추는 것
에 비유하였데, 소금과 매실은 국의 간을 맞추는 대표적인 조미료이다.
정당문학으로서 임금을 보좌하여 정국을 잘 이끌어나가겠다는 포부를
보인 시이다.

그는 오래 뒤에 고향 산을 찾았다가, 자신이 심은 매화를 보고 칠언
절구 2수를 지었는데, 앞의 시와 마찬가지로 평성(平聲)의 회운(灰韻)을
써서 개(開)·매(梅) 등의 운자(韻字)가 겹친다. 제1수는 옛날 그대로 눈
속에 피어 향기를 내는 매화를 보고 반가워하여 지은 시이다.

우연히 고향 산천을 다시 찾아오니
한 그루 매화 맑은 향기가 절간에 가득하구나.
타고난 성품을 옛날부터 알고 있지만
은근히 나를 향해 눈 속에서 피어 있네.
偶然還訪故山來。滿院淸香一樹梅。
物性也能知舊意、慇懃更向雪中開。

제2수는 여러 문헌에 실려 널리 전해졌는데, 『해동잡록(海東雜錄)』
권2 「강회백」에서는 그가 "젊었을 적부터 총명하여 사서(史書)를 읽을
때 한 번만 보면 곧 외웠다."고 기록하고는, 단속사에서 공부하던 십대
후반에 지은 시와 그 후일담을 소개하였다.

통정(通亭)이 젊어서 단속사(斷俗寺)에서 글을 읽을 적에 매화 한 그
루를 뜰 앞에 심고, 절구 한 수를 지었다.
한 기운이 순환하여 갔다가 다시 돌아오니

하늘의 뜻을 납일 전에 핀 매화에서 볼 수 있구나.
은나라 조정에서 국맛을 조절하던 열매가
부질없이 산속에서 지고 또 피는구나.
一氣循環往復來。天心可見臘前梅。
直將殷鼎調羹實、謾向山中落又開。

공이 과거에 급제하고 정당문학(政堂文學)을 역임하면서 조정에서
잘 어울려 서로 도운 일이 실로 많았는데, 당시 사람들이 이 시를 공의
평생을 예언한 것이라고 하였다. 『양화록(養花錄)』
○단속사에 공이 손수 심은 매화를 중들이 해마다 북돋아 주고 잘 길
러 가지와 줄기가 구불구불하고 또한 이끼가 덮여 있다. 그 밑에 아직
죽지 않은 한 자 남짓한 낡은 등걸이 있는데, 화보(花譜)에서 말하는 이
른바 고매(古梅)와 다름이 없으니 참으로 영남 지방의 귀중한 고물(古
物)이다. 상동

이 기록은 그대로 기사본말체 역사서『연려실기술(燃藜室記述)』에도
실려서 정당매가 전국적으로 널리 알려지게 되었는데, 시를 지은 시기
에 대해서는 견해가 다르다. 『진산세고』에 실린 제목에 의하면 강회백
이 벼슬생활하다가 언젠가 고향에 들린 길에 지은 시이고, 이 기록에
의하면 십대 후반 단속사에서 공부하던 시절에 지은 시이다. 그 시기에
따라서 매화와 매실(梅實)에 대한 해석도 달라지니, 십대에 지었다면
예언(豫言)이 되지만, 관원이 되어 지었다면 젊은 시절의 회고(回顧)가
된다. 그러나 십대 후반에 매화나무를 심으면서 재상이 되는 꿈을 꾸었
다는 것보다는 주위에 향기를 퍼뜨리며 고결하게 살기를 바랐다는 해
석이 후손들에게도 정신적인 지주가 된다.
정당매가 유명해지자, 지리산을 탐방하는 문인들이 단속사에 들려

서 정당매를 완상하는 풍조가 생겨났다. 사림파의 영수인 김종직은 강
희맹이나 강귀손과도 친하게 지냈는데, 그의 제자인 김일손(金馹孫)이
지리산에 노닐다가 정당매 기록을 남겼다. 23세에 문과에 장원급제한
김일손은 이듬해 부모를 봉양하기 위해 진주향교의 교수(教授, 종6품)로
왔는데, 그 이듬해에 그마저 그만두고 와룡봉 아래에 운계정사(雲溪精
舍)를 세우고 글을 읽었다. 26세 되던 1489년에 정여창(鄭汝昌)과 함께
지리산을 유람했는데, 이때 보고 들은 이야기를 「두류기행록(頭流紀行
錄)」으로 남겼다.

　두류산(頭流山)은 진주의 경내에 있다. 진주에 도착해서는 날마다 미
투리를 준비하였으니, 두류산의 연하(煙霞)와 원학(猿鶴)은 모두 나의
단사(丹砂)이기 때문이다. 두 해 동안 관직에 앉았으나 한갓 배만 불린
다는 기롱을 받을 뿐이므로, 병을 칭탁하고 고향으로 물러가서 자유롭
게 노니는 몸이 되었지만 족적(足跡)이 일찍이 한 번도 두류산에 이르지
못했으니 어찌 본 뜻을 이루지 못한 것이 아니랴.

　그러나 두류산만은 감히 가슴속에 잊은 적이 없었다. 늘 태허 조위(曹
偉) 선생과 더불어 한번 함께 구경하기로 약속했으나 태허는 벼슬살이에
얽매이고 나는 내왕이 막혔다. 몇 날이 안 가서 태허는 내간상(內艱喪)을
만나 천령(天嶺)으로 떠났다. 천령에 사는 진사(進士) 정여창(鄭汝昌)은
나의 신교(神交)였는데, 금년 봄에 도주(道州)에서 녹명(鹿鳴)을 노래하
게 되어 마침내 문앞을 지나면서 두류산을 구경할 것을 약속했다.

　얼마 안 되어 상국(相國) 김여석(金礪石)이 영남(嶺南)을 안찰하러 나
와 여러 번 편지를 보내어 만날 것을 기약했으나 나가지 못하다가, 4월
11일에 그 행차를 탐문하여 천령에 가서 뵙게 되었다. 그래서 천령 사람
에게 물으니, 정여창이 서울에서 「이조부(二鳥賦)」를 짓고, 자기 집으로
돌아온 지 벌써 5일이 되었다고 하므로, 드디어 서로 만나보고 숙원이

어긋나지 않음을 기뻐했다.

김상국이 나를 붙들며 자기를 따라 가자고 하므로, 내가 '산행의 약속이 있다'고 사양하니 상국이 간청하다 못해 노자를 꾸려 주면서, "공무에 바쁘고 체력조차 약해서 따라가 구경을 못한다." 하기에 못내 서운하였다. 새로 도임한 천령 군수 이잠(李箴) 선생은 바로 내가 성균관에서 경서를 문의하던 분이라, 나에게 후한 노자를 주었다. 천령 사람 임정숙(林貞淑)이 또한 따라 가겠다고 하여 세 사람의 행장을 마련하였다.

14일에 드디어 천령 남문에서 출발하여 서쪽으로 20리쯤 가서 한 시냇물을 건너 어느 주막집에 이르니 땅 이름은 제한(蹄閑)이다. (줄임)

(이튿날) 시내 하나를 건너 한 마장쯤 나가니 감나무가 겹으로 둘러 있었다. 온 산의 나무는 모두 밤나무뿐이요, 장경(藏經)의 판각(板閣)이 높다랗게 담장 안에 있다. 담장에서 서쪽으로 백 보쯤 돌아가니 숲속에 절이 있는데, 편액에 "지리산 단속사(智異山斷俗寺)"라 쓰여 있었다. 비석이 문앞에 섰는데 바로 고려 평장사(平章事) 이지무(李之茂)가 지은 대감사(大鑑師)의 비명이니, 금(金)나라 대정(大定) 연간에 세운 것이다.

문에 들어서니 옛 불전(佛殿)이 있는데 구조가 심히 완박하고, 벽에 면류관(冕旒冠)을 쓴 두 화상이 있다. 사는 중이 말하기를, "신라 신하 유순(柳純)이 국록을 사양하고 몸을 바쳐 이 절을 창설하고는 단속(斷俗)이라 이름을 지었는데, 제 임금의 상(像)을 그린 판기(板記)가 남아 있다." 한다. 내가 하찮게 여겨 살펴보지 않고 행랑을 따라 걸어서 장옥(長屋) 아래로 행하여 50보를 나가니 누(樓)가 있었다. 지은 지 매우 오래되어 대들보와 기둥이 모두 삭았지만, 그래도 올라가 구경할 만하였다.

난간에 기대어 앞뜰을 내려다보니 매화나무 두어 그루가 있는데, 정당매라고 하였다. 강 문경공(姜文景公)의 조부 통정공이 젊어서 여기에 와 글을 읽으면서 손수 매화나무 하나를 심었는데, 뒤에 급제하여 벼슬이 정당문학에 이르렀다. 그래서 정당매라는 이름을 얻은 것이라, 그 자손이 대대로 봉식(封植)한다고 한다.　　　　－「두류기행록(頭流紀行錄)」

강회백이 매화를 심은지 120년쯤 뒤에 김일손이 이곳을 찾았으므로, 정당매는 수명이 다하여 죽고 후손이 다시 심었다고 하였다. 그러나 다시 심은 후손의 이름은 기록하지 않았다.

그런데 김일손보다 2년 전에 단속사에 들렀던 남효온(南孝溫)은 강귀 손이 정당매를 다시 심었다고 이름을 밝혔다. 소릉(昭陵, 현덕왕후)의 복 위(復位)를 상소했지만 거절당하자, 남효온은 진사에 합격하고도 벼슬 길에 나서지 않고 글을 지어 생육신(生六臣)으로 널리 알려졌다. 1487년 9월에 지리산을 유람하며 「지리산 일과(日課)」를 기록하였다.

정미년 9월 27일 계해일

진주(晉州) 여사등촌(餘沙等村)을 출발하여 단속사(斷俗寺)로 향하였 다. 동구(洞口)에 '광제암문(廣濟巖門)'이라는 네 개의 큰 글자가 바위 표면에 새겨져 있으나 누가 쓴 것인지는 모른다. 암문(巖門)에 들어가서 1리쯤 지점에 단속사가 있었다. 예인(隷人)의 집이 감나무 숲과 대나무 에 어우러져 한 촌락을 이루었고, 그 가운데 큰 절간이 있었다.

그 문에 '지리산단속사(智異山斷俗寺)'라는 편액이 걸려 있었다. 문 앞에 탄연선사비명(坦然禪師碑銘)이 있으니, 평장사(平章事) 이지무(李 之茂)가 짓고, 금나라 대정(大定) 12년 임진년(1172) 1월에 세운 것이다. 절 서쪽에 신행선사비명(神行禪師碑銘)이 있으니, 당나라 위위경(衛尉 卿) 김헌정(金獻貞)이 짓고, 원화(元和) 8년(813) 9월에 세운 것이다. 절 북쪽에 감현선사(鑑玄禪師) 통조(通照)의 비석이 사람들에 의해 뽑힌 채 로 있었다. 승려가 이르기를 "세속의 무리들이 한 짓입니다." 하였다. 한 림학사(翰林學士) 김은주(金殷周)가 짓고, 개보(開寶) 8년 갑술년(974) 7 월에 세운 것이다.

절 안의 동북쪽 모퉁이에 있는 방 한 칸은 문창후(文昌侯) 최치원(崔 致遠)이 독서하던 방이다. 절 뜰에 있는 매화 두 그루는 전조(前朝)의

정당문학(政堂文學) 강통정이 손수 심은 것인데, 매화나무가 4, 5년 전에 말라죽어 그 증손 용휴(用休) 선생이 다시 심었다.

나는 탄연선사비명을 읽은 뒤에 들어가서 주지 성공(聖空)과 함께 이야기를 나누었다. 성공은 일암(一庵)의 문인으로, 나를 후하게 대접하였다. 다시 나와서 서쪽과 북쪽에 있는 두 비석을 보고, 들어가서 강용휴가 심은 매화나무를 보았다. 누각 위에 앉아서 고개를 들어 강용휴가 지은 「종매기(種梅記)」를 읽었다.

성공이 나에게 밥을 대접하고 또 시종에게도 밥을 내주었다. 식사가 끝난 뒤에 주인과 작별하고 아래로 내려왔다. 조연(糟淵)에 이르러 알몸으로 들어가서 목욕하니, 물과 바위가 맑고 산뜻하였다. 조연 북쪽에 샘이 있는데 바위 표면에서 솟구쳐 나와 유달리 맑고 시원하기에, 손으로 움켜서 마셨다.

－「지리산 일과(日課)」

강귀손이 정당매를 다시 심었다고 기록한 것도 흥미롭지만, 그를 용휴선생(用休先生)이라는 존칭으로 기록한 것은 더 흥미롭다. 강귀손은 이 무렵에 문과중시(文科重試)에 2등으로 급제하여 상주목사로 재임하고 있었는데, 남효온보다 단지 4년 연상일뿐만 아니라 그에게 선생으로 존경받을만한 행적이나 학연도 뚜렷치 않았기 때문이다.

남효온은 세조의 후손으로 이어지는 조정에 벼슬하지 않고 평생 비분강개하여 떠돌아 다녔기에 강희맹과도 연결되는 접점이 없지만, 그가 세상을 떠나자 "길거리의 노약자들이 모두 다 울부짖네[街頭老弱擧鳴呼]"라는 만시 「도강상국경순(悼姜相國景醇)」을 지어 슬픔을 표현하였다. 진주강씨 문중에 호의적이었던 것은 분명한데, 강회백이 매화나무 심은 뜻을 후대에 이어주려는 강귀손의 행위를 높이 사서 용휴선생이라고 표현하지 않았을까.

남효온은 단속사 문 안에 들어서며 정당매를 보았고, 주지에게 대접받은 뒤에 다시 보았으며, 누각 위에 앉아서 강귀손이 지은 「종매기(種梅記)」도 읽었다. 그가 이 글을 기록해 주었다면 정당매를 다시 심은 뜻이 더 분명하게 전해졌을텐데, 매우 아쉽다.

김일손이나 남효온은 정당매를 완상한 뒤에 기행문만 남겼지만, 많은 문인들이 시를 지었다. 정당매 제영시에 관해서는 강희안이 가장 먼저 기록을 남겼다.

> 정당매는 참으로 영남의 고물(古物) 가운데 하나이다. 그로부터 왕의 명령을 받들어 영남으로 가는 사대부들이 이 고을에 이르면 모두 절에 찾아와 매화를 둘러보고, 차운시를 지어 처마 밑에 걸어 두었다.
>
> ─『양화소록(養花小錄)』

강희안은 단속사를 방문한 문인들이 강회백의 매화시에 차운시를 지어 누에 걸어두었다고 했는데, 강귀손이 그 원고를 정리하여 시축(詩軸)을 편집하였다. 이 시축에 정당매 시를 가장 많이 쓴 시인은 아마도 대제학 홍귀달일 것이다. 그의 문집에는 「제정당매시권(題政堂梅詩卷)」이라는 제목으로 장단편 오언시 4수가 실려 있다. '상주목사 용휴씨가 시권을 가지고 와서 시를 지어달라고 부탁하였다'고 했으니, 1485년이나 1486년의 일로, 김일손이 「지리산 일과」에 정당매 시를 기록한 것과 같은 시기이다.

뒤에 강귀손이 김일손에게도 시축을 보여주며 발문을 구하자, 강귀손이 죽어 없어진 정당매를 되살리고 시축을 편집한 과정을 김일손이 발문에 소개하였다.

예전에 영남에서 뜻을 잃고 지낼 적에, 장차 두류산(頭流山)을 구경할 양으로 먼저 단속사(斷俗寺)에 들렀다. 절 안에 옛 누(樓)가 있고 누 앞에 매화 두 그루가 있는데, 길이는 한 길 남짓하고 그 아래는 마른 그루터기가 있어 아직도 없어지지 않은 것이 약 반 자쯤 되었다. 중이 정당(政堂)의 매화라고 말하기에 그렇게 부르는 이유를 물으니 그가 대답하였다.

"강통정(姜通亭)이 젊었을 적에 손수 심었는데, 그 후 급제하여 벼슬이 정당문학에 이르렀기에 매화의 이름이 되었습니다. 정당이 세상을 떠난 지 백여 년 되니 매화도 역시 늙어 죽음을 면하지 못했는데, 증손자 용휴씨가 춘부장 진산군의 명을 받들고 와서 유적을 찾아보고 감개한 생각을 불러 일으켜, 새 뿌리를 그 곁에 심었습니다. 이제 벌써 10년이 되어 특별히 정당만 자손을 둔 것이 아니라 매화도 또한 자손이 자랐습니다."

때는 바야흐로 첫여름이라 그윽한 향기가 더할나위 없으므로, 손으로 나직한 가지를 거머잡아 푸른 열매를 따서 맛을 보고, 중의 말을 따라 기록하여 하나의 고사(故事)로 삼았었다.

그 후 8년이 지나서 용휴씨는 승정원에 들어가 승지(承旨)가 되고, 나는 예조랑(禮曹郎)이 되어 아침저녁으로 승정원에서 함께 지냈다. 하루는 여러분들이 정당매(政堂梅)에 대해 지은 시와 문장을 보여 주고 억지로 나에게 발문(跋文)을 청하였다.

천지간의 만물치고 비록 풀 하나 나무 하나같이 미미한 것이라도 수(數)가 붙어있지 않은 것은 없다. 그 영고(榮枯)와 득상(得喪)은 모두 조물주의 처분을 들을 뿐이며, 비록 사람에게 의탁하지만 사람의 꾀도 용납되지 않는 무엇이 있는데, 모르는 자는 조물주의 소유를 도둑질하여 자기의 소유로 만들려고 한다.

옛날 당나라 이문요(李文饒)가 일생의 힘을 기울여 사방의 화초와 괴석을 모아 평천(平泉)에 가득 채우고 스스로 말하였다.

"평천을 경영한 것은 선세의 유지를 따른 것이니, 평천의 꽃 하나 나무 하나라도 망가뜨리면 내 자손이 아니다. 오직 언덕이 골짜기가 되고 골짜기가 언덕이 된 연후에라야 없어질 것이다."

그 손자 연고(延古)가 마침내 돌 하나 때문에 장전의(張全義)의 감군(監軍)에게 해를 당했으니, 능곡(陵谷)이 변천되기 전에 평천은 이미 주인이 없어졌다. 제 자신은 부귀에 처하여 권력을 마음대로 부렸기에 그 가슴 속에 일종의 비린(鄙吝)한 생각이 또 초목에까지 미쳤으므로, 선세의 유지를 따른다 하고 이를 자손에게 물려주었으니 조물의 이치를 통달한 자라 이를 수 있겠는가.

통정이 단속사에 있을 적에는 초라한 시생으로 세속의 밖에 노닐며 그 매화를 가꾸다가 떠날 적에는 버리는 것같이 하여 그 살리고 죽이는 것을 절의 중에게 맡겼으니, 자손에게 물려주자는 것이 아니었다. 그런데 그가 정당의 높은 벼슬을 했으므로 절의 중이 그 칭호를 가져다 매화에 붙였으니, 드디어 꽃다운 이름을 전한 것도 또한 우연이요, 어진 증손이 있어 다시 봉해 심기를 더한 것도 역시 통정의 훈계가 있었던 것이 아니다. 관심을 둔 이문요는 능히 그의 자손으로 하여금 평천의 화초와 괴석을 보호하게 못했는데, 관심이 없던 통정은 어찌 오히려 한 매화를 단속사에 남겨 두게 되었는가. 조물주란 본래 관심 둔 자를 꺼리는 법이다.

아! 사람은 떠났건만 시는 남아 있고 일은 지나갔건만 이름은 보존되어, 궁산(窮山)의 동떨어진 골짜기 야사(野寺)의 황폐한 뜰에 묵은 그루터기와 새 가지가 쓸쓸한 그림자로 함께 대하고 있으니, 자손된 이는 감회가 의당 어떠하겠는가. 그 때문에 이미 북돋아 심고 또 시(詩)를 구해서 그 뜻을 드러내는 것이다.

승지공의 조상을 사모하는 마음이 끊임없이 정성스러워 선대의 문고(文藁)를 인출하여 사림(士林)에게 나눠 주며, 오직 널리 선포하지 못할까 저어하여, 매화의 신시(新詩)를 진신(搢紳)들에게서 얻은 것이 장차 축(軸)에 가득 차게 되었다. 모두 선조에게 부지런함을 바친 것이요, 자기의 소유는 아니라는 것이 실로 이에 보이며, 동시에 실로 좋아하는 것도 역시 능히 이에 따를 수 없다.

식물 가운데 심을 만한 것이 하나가 아닌데, 통정은 어려서부터 천성이 매화와 부합되어 반드시 취해 심었고, 진산군은 유아(儒雅)로 세상의 종장이 되었으며, 그의 형 경우씨는 양화록(養花錄)을 저술하여 품(品)을 평론하는 데 매화를 으뜸으로 삼았다. 승지공도 자기 조부의 뜻을 계승하여 더욱 이 매화에 정성을 들여 오직 시들어질까 걱정하고 있으니, 그 집안의 숭상하는 풍류와 표격(標格)을 또한 족히 상상할 수 있다.

나 같은 자는 몸이 얼마 되지 않은 녹봉에 얽매었지만 꿈은 고향을 떠나지 아니하니, 혹시 휴가를 얻어 남쪽으로 돌아가게 되면 마땅히 옛날에 노닐던 단속사를 찾아가리라. 달이 지고 삼성(參星)이 비낄 적에 한 번 매화의 성긴 그림자를 읊어보고, 겸해서 절 중에게 부탁하여 이제부터는 정당매라 부르자고 하겠다.

－「정당매시문후(政堂梅詩文後)」

김일손은 이 발문에서 자신이 1489년에 처음 단속사에 가서 정당매를 본 기억을 자세히 서술했는데, 중의 말에 의하면 10년 전, 즉 1479년에 강귀손이 다시 심었다고 하였다. 강귀손이 승지이고 자신이 예조의 낭관이어서 자주 만나다가 이 발문을 부탁받았다고 하였는데, 실록이나 『탁영연보』에 그가 예조에 벼슬하였다는 기록은 보이지 않지만 자신이 정당매를 본 지 8년이 되었다고 했으니 1497년에 발문을 쓴 셈이다.

김일손은 1년 뒤에 스승 김종직이 지은 「조의제문」을 사초(史草)에 넣은 죄로 능지처참을 당했다. 젊은 시절에 공부하며 매화를 심은 강회백부터 매화를 품평한 강희안과 다시 심어 정성껏 기른 강귀손에 이르기까지 풍류와 품격을 숭상한 통정공 집안의 전승이 한평생 꼿꼿하게 살았던 김일손이 발문을 써주어 더욱 빛났다.

　발문을 지었다면 정당매 시축이 1차 완성되었다는 뜻이지만, 그 뒤
에도 여러 문인들이 정당매 시를 지었다.

> 절은 부서지고 중은 파리한데다 산도 옛날 같지 않으니
> 전 왕조의 임금이 집안 단속을 잘하지 못했구나.
> 추위 속에 지조 지키는 매화의 일을 조물주가 그르쳤으니
> 어제도 꽃을 피우고 오늘도 꽃을 피웠네.
> 寺破僧羸山不古、前王自是未堪家。
> 化工正誤寒梅事、昨日開花今日花。
>
> —「斷俗寺政堂梅 在晉州」

　아우 강회계(姜淮季, ?~1392)가 공양왕의 사위인데다가 강회백 자신
도 대사헌으로 이성계를 공격하다가 패배하여 관직에서 물러났고, 조
선 건국 이후에는 진주로 낙향하였다. 그러나 정도전을 숙청하고 즉위
한 태종은 정도전에게 소외되었던 강회백 문중을 다시 조정으로 불러
들였으며, 강회백의 후손들은 조선전기의 대표적인 문중으로 정착하
였다. 남명은 위의 시에서 강회백이 고결한 매화를 좋아하여 심어놓고
도 자신은 두 왕조를 섬겨 매화같이 살지 못했다고 풍자하였다. 정당매
제영시 가운데 특이한 시이다. 이는 조식이 정당매 시축을 보고 지은
차운시가 아니기에 가능하였다.

　강귀손이 다시 살려낸 정당매는 임진왜란에 일본에 포로로 잡혀갔
던 후손 강항(姜沆, 1567~1618)에게도 정신적인 지주가 되었다. 강항은
강귀손의 아우인 학손(鶴孫)의 4세손인데, 1597년 9월 23일 고향인 전
라도 영광의 논잠포에서 적선을 만나 포로가 되었다. 그는 일본 땅에

끌려간 지 두 해가 지난 상황에서도 적의 동태를 살피고 기록해서 몰래 인편을 구해 임금에게 상소하였다.

> 이 남은 생애에 다시는 한나라 관원의 위의를 보지 못할 것입니다만, 살아서 쓰시마를 지나 부산의 한 끝을 본다면 아침에 갔다가 저녁에 죽어도 다시는 털끝만한 유감도 없을 것입니다. 왜정을 기록한 것과 적의 우두머리가 죽은 후 거짓을 범한 일을 아울러 다음과 같이 기록합니다. 엎드려 바라옵건대 소신이 구차히 살아있다고 해서 이 말까지 버리지 말아주시옵소서.
>
> -『간양록』 중 「적에게 잡혀있으면서 올리는 상소」

자신의 목숨도 보장할 수 없는 상황에서 위험을 무릅쓴 그의 상소는 일본에 대한 귀중한 정보를 제공하였다. 고국에 돌아갈 희망이 전혀 없는 상황이건만, 그는 끝까지 조선의 관리로 남고자 했던 것이다. 그가 끝까지 변절하지 않고 버틸 수 있었던 힘은 유교의 기본 덕목인 충효(忠孝)였는데, 그는 적지에서 진주 사람들을 만나자 정당매 시를 지어 주었다.

강항은 도요토미 히데요시(豊臣秀吉)의 본거지인 후시미(伏見) 성에 갇혀 있었는데, 조선 각지에서 끌려온 선비들을 많이 만났다. 그 가운데 관향이 진주인 강사준·정창세·하대인에게 시를 지어 주면서, "진주(晉州)의 세 큰 성씨로는 강(姜)·하(河)·정(鄭)을 말하는데, 절역(絶域)에서 만나니 지극히 서로 반갑기 때문에 시를 지어 주었다."고 하였다.

> 방장산이 높아 기이한 인물이 내려왔으니
> 진주의 세 성바지 자손들이 연접해 살았네.
> 대대로 빛나던 고관의 후예들이

어쩌다 오랑캐 땅에 떠도는 신세 되었나.
단속사 찬 매화는 꽃이 절로 피었겠지
구슬소리 울리던 옛 마을에 풀이 자라 봄이겠네.
동황이 혹시나 봄바람을 빌려 주면
흰 이슬 푸른 벌에서 다시 이웃 맺으리라.
方丈山高降異人。晉陽三姓接雲因。
如何赫世貂蟬骨、竟作炎荒瑣尾身。
斷俗寒梅花自發、鳴珂舊里草空春。
東皇倘借東風便、白露靑原更卜隣。

－『간양록』「난리를 겪은 사적[涉亂事迹]」

　이들을 하나로 묶은 연결고리는 지리산 자락 진주의 대성(大姓) 후손
들이라는 점과 '단속사 찬 매화[斷俗寒梅]'를 알고 있다는 점이다. 강항
은 단속사 매화 구절에 "내 선조 통정(通亭)이 단속사에 매화를 심었는
데, 산승(山僧)이 그 매화를 정당매(政堂梅)라 불렀다. 매화가 말라 죽으
면 매번 다른 매화를 그 땅에다 심었다."고 주를 붙였다. 강귀손이 심었
던 매화가 죽으면 또 다른 후손이 찾아가서 새로운 매화를 심어, 자손
도 이어지고 매화도 이어졌다. 이역 땅에서 진주의 선비들이 모이자,
자연스럽게 "단속사 매화가 피었겠지"라는 화두가 던져진 것이다.
　가(珂)는 귀인(貴人)이 쓰는 마구(馬具)의 구슬 장식이다. 당나라 때
장가정(張嘉貞)이 재상이 되고 그의 아우인 가우(嘉祐)가 금오장군(金吾
將軍)이 되어, 형제가 함께 조정에 들어갈 적이면 수레와 추종(騶從)들
이 마을에 가득 찼으므로, 그들이 사는 마을을 '가(珂)를 울리는 마을'이
란 뜻의 '명가리(鳴珂里)'라고 불렀다. 진주가 바로 그런 고을이라는 자
부심 속에, 고국에 돌아가서도 이웃으로 살자고 다짐하였다.

그림8. 정당매와 정당매각

정당매시권은 후손들의 손에서 오랫 동안 시문이 보태져, 허전(許傳)의 문인 권뢰(權珠, 1800~1873)도 칠언절구 1수를 짓고 시권 뒤에 발문 「서정당매시문후(書政堂梅詩文後)」도 지었다. 근세에 와서 『정당매시집』을 간행한 것도 강귀손이 정당매를 다시 심어 선조의 고결한 정신을 후대에 전하려던 생각이 오백년에 걸쳐 결실을 맺은 것이다.

정당매각기(政堂梅閣記)

두류산(頭流山)의 한 줄기가 동쪽으로 40리를 뻗어와서 금계(錦溪)의 강가에 이르러 아름답게 불끈 솟은 한 봉우리를 만들었는데, 이 봉우리를 옥녀봉(玉女峰)이라고 한다. 옥녀봉 남쪽에 평평하게 한 구역이 펼쳐졌는데, 옛날 이곳에는 중들의 집이 들어서 있었다. 그 한가운데에 큰 절이 있었으니, 세상에서 단속사(斷俗寺)라고 하는 절이 바로 이 절이다.

절은 이미 없어졌으나 그 자리에 속인들이 들어와 살게 되면서 나무들을 베어 불태우고, 그곳에 집도 짓고 밭도 일구어 차츰 큰 마을이 이루어졌다. 그 가운데 매화나무 한 그루가 서 있었는데, 전란으로 황폐해졌다. 전하는 말에, 이 매화나무는 고려 때 정당문학(政堂文學)을 지낸 강통정(姜通亭) 선생께서 과거(科擧)에 급제하기 전에 이곳에서 독서할 때에 손수 심은 나무라고 한다.

마을의 노인들과 아이들까지 옛날 훌륭한 어른이 심고 기른 나무라 하여 서로 조심하면서 베어내는 일 없이 아끼고 보살펴서 옛날 그대로 보존하여 온 지가 거의 백년을 헤아리게 되었다. 이곳은 깊은 산골짜기여서 나무하고 농사나 짓는 마을이지만, 아름다운 향기는 아직도 없어지지 않았다.

나의 숙조이신 경재선생께서 여사(餘沙)에 있는 세장(世庄)에 손수 감나무를 심으셨는데 지금에 이르기까지 아주 잘 자라서 그때와 같으니, 사람들이 말하기를 산남(山南)의 양절(兩節)이라고 칭송하였다.

이 두 어른을 살펴보면 두 댁은 서로 잘 통하는 사이로 이웃에 살았으며, 또 조정에서도 같이 벼슬하였을 뿐만 아니라 두 분의 지위도 경상(卿相)의 반열(班列)에 있었다. 그 혜택이 백성들에게도 미쳤으니, 그 남겨주신 음덕이 미치는 바가 같았을 것이다.

비록 수목(樹木)이라 할지라도 아끼고 사랑하였으니, 하물며 그 덕업(德業)이 오래 전하고 크지 않았겠는가. 중년에 강씨 아무개가 조상의 손때가 거의 없어지게 되자 조심스럽게 단(壇)을 쌓고 봉축(封築)한 다음, 돌에다 유래를 알게 새겨 놓았다.

올해 여름에 강문안(姜文案) 문회(文會) 씨가 매화나무가 서 있는 곳이 너무 허전하고 의지할 데가 없음을 걱정하여 75세의 노쇠한 몸으로 삼사백리 먼 곳에서 달려와 종족들과 도모하여 매화나무 옆에 한 정각을 지었는데, 불과 몇 달 만에 공사가 끝났다. 이에 인근에 널리 알려서 낙성식을 거행하였다.

이때 낙성식에 참석한 사람들이 모두들 말하였다.

"통정선생(通亭先生)의 후손들은 그 어른이 전해주신 것을 영원히 보존해야 한다. 산이 높으면 물도 맑아, 나무와 잡초들도 더욱 무성하고 기암과 괴석들이 빛나지 않는 것이 없어서, 각(閣)에 단장하지 않더라도 모두 환하게 빛났을 것이다. 매화도 봄을 기다리지 않고도 영광스런 자리에 있었을 것이다."

"이 일을 이어서 모두들 문안씨(文案氏)의 뜻을 우리들의 뜻으로 삼는다면 이 각(閣)이 이름을 이루고 무너짐이 없이 지탱할 것을 기대할 수 있을 것이다."

이 사람이 경건하게 이 글을 써서 이해하기에 도움이 되게 하고자 한다.

을묘년(1915) 12월에

진주 후인(晉州後人) 하용제(河龍濟) 짓고

하원규(河元逵) 쓰다

기문에 밝히지는 않았지만, 강회백이 처음 매화를 심은지 9주갑(周甲) 되는 해를 기념하여 비각을 세운 듯하다. 강항이 이역에서 진주 강·하·정 세 문중의 후손들을 만나서 반가워한 것처럼, 이 기문은 하씨 문중에서 지었는데, 숙조(叔祖) 경재(敬齋) 하연(河演, 1376~1453)이 심은 감나무와 함께 산남(山南)의 양절(兩節)로 칭송받는다고 하였다.

강회백이 매화를 심은 지 백년 뒤에 증손자 강귀손이 되살렸는데, 육백년 넘은 지금도 그러한 작업은 이어지고 있다. 경상남도에서는 정당매를 경상남도 보호수 12-41 제260호로 지정하여 보호하고 있으며, 2013년에는 산청군에서 접목하여 후계목을 심고 관리하고 있다.

통정이 심은 정당매는 원정(元正) 하즙(河楫)이 심은 원정매(元正梅), 남명(南冥) 조식(曺植)이 심은 남명매(南冥梅)와 함께 산청삼매(山淸三梅)로 불린다. 대민공파가 경기도 일대에 정착하고 단속사가 없어진 뒤에도, 강귀손이 되살려낸 지리산 단속사 터의 정당매는 여전히 후손들의 정신적인 지주가 되어 대를 이어 자라고 있다.

강귀손의 생애에 대한 후대 평가와 기록의 오류

호랑이는 죽어서 가죽을 남기고, 사람은 죽어서 이름을 남긴다. 강
희맹이 1483년 2월 18일에 60세로 세상을 떠나자 왕은 조회(朝會)를 멈
추고, 시장도 문을 닫았다. 왕이 부의(賻儀)를 내리고 제문을 보내어 조
문하였으며, 예의를 갖추어 장례를 지내게 하였다.

의정부 좌찬성 강희맹이 졸하였다. 철조(輟朝)·철시(輟市)하고 부의
(賻儀)를 내리고 조제(弔祭)하고 예장(禮葬)하기를 전례와 같이 하였다.
강희맹의 자는 경순이니 진주 사람이고 지돈녕부사 강석덕의 아들이다.
성품이 총명하고 슬기로우며, 독서를 좋아하여 한 번 보면 곧 기억하곤
하였다. 나이 18세에 생원시에 합격하였으며, 정통(正統) 정묘년 가을에
문과의 제1등으로 뽑혀 종부시 주부(宗簿寺主簿)에 임명되었다.
경태(景泰) 경오년에 예조좌랑에 전임, 돈녕부 판관(敦寧府判官)을
거쳐, 계유년에 예조정랑으로 옮겼다가 을해년에 직집현전(直集賢殿)
에 제수되었으며, 이내 병조정랑으로 옮겼다가, 병자년에 동첨지돈녕부
사(同僉知敦寧府事)로 승진하였다. 천순(天順) 정축년에 판전농시사(判
典農寺事)로 전임하였다가 무인년에 판통례문사(判通禮門事)로 옮겼
다. 얼마 후에 예조참의에 올랐다가 이조참의를 거쳐 중추원 부사(中樞
院副使)에 올랐다. 예조참판·세자 빈객(世子賓客)을 거쳐 예조판서에
발탁되었다. 세조(世祖)가 발영 등준과(拔英登俊科)를 설치하여 문신을

시험하였는데, 강희맹이 발영시 제3등, 등준시 제2등에 합격하였다. 세조가 일찍이 여러 신하들을 품제(品題)하여 말하였다.

"내게 으뜸가는 신하 셋이 있는데, 한계희(韓繼禧)는 미묘함이 제일이고, 노사신(盧思愼)은 활달함이 제일이며, 강희맹은 강명(剛明)함이 제일이다."

세조가 병환에 걸리자 강희맹이 입시(入侍)하여 밤낮을 떠나지 않았는데, 임금의 병이 낫자 총애하여 여러 번 물품을 내렸으며, 내탕 서대(內帑犀帶)를 내렸다. 이어 숭정대부(崇政大夫)를 가자(加資)하고 얼마 안되어 형조판서를 특별히 제수하였다. 성화(成化) 무자년에 남이(南怡)가 죽음을 당하고 예종(睿宗)이 논공하며 유자광 등에게 익대공신의 호를 내렸는데, 강희맹은 처음에는 참여하지 못하였으나 글을 올려 스스로 그 공을 열거하므로 3등에 올리고 진산군(晉山君)에 봉하였다.

지금 임금이 즉위하고는 순성명량좌리공신(純誠明亮佐理功臣)의 호를 내리고, 얼마 안되어 병조판서에 제수하였으며, 판중추부사·이조판서를 역임하였다. 임금의 신임이 매우 중하였으므로 그를 꺼리는 자가 있어 익명서(匿名書)를 지어 대내(大內)에 투입하여 오만가지로 훼방하였으나, 임금이 어서(御書)로 돈독히 유시(諭示)하였다.

"나는 경을 의심하지 않고 경은 나의 말을 의심하지 않는다."

강희맹이 받들어 읽고 감읍하였다. 훼방을 받고부터 재삼 상서(上書)하여 사직하였으나 임금이 윤허하지 않았고, 신임이 더하여 누차 판돈녕을 거쳐 좌찬성에 올랐다. 사람됨이 공손 근엄하고 신중 치밀하여 벼슬을 맡고 직책에 임함에 행동이 사의(事宜)에 합치하였다. 경사(經史)를 널리 열람하고 전고를 많이 알았다. 예제(禮制)를 참정(參定)할 때에 문장이 정밀하고 깊이가 있으며 속되지 않았는데, 종이를 잡기가 무섭게 문장이 곧 이루어졌다. 이에 이르러 병으로 죽으니 향년 60세였다.

강귀손과 강학손 두 아들이 있는데, 강귀손은 기해년 과거에 합격했다. 임금이 강희맹의 문장을 소중히 여겨 그 시문을 차례로 엮어서 책을 만들기를 명하니, 『사숙재집(私淑齋集)』 약간 권이 세상에 전한다. 시호를 문량(文良)이라 하였으니, 학문을 부지런히 하고 묻기를 좋아함이 문(文)이고, 온순하고 늘 즐거워함이 양(良)이다.

사신(史臣)이 논평하였다. "강희맹은 책을 많이 보고 기억을 잘하며 문장이 우아하고 정밀하여, 한때의 동년배들이 그보다 앞서는 자가 없었다. 다만 평생 임금의 뜻에 영합하여 은총을 희구하였다. 세조가 금강산에 거둥하였을 때, 이상한 새가 하늘가를 빙빙 돌며 춤추었다. 세조가 부처의 힘이 신묘하게 응한 것이라 하였는데, 강희맹이 서울에서 그 말을 듣고 드디어 『청학송(靑鶴頌)』을 지어 바쳤다. 세조가 언젠가 술이 거나하여 좌우에게 희롱하여 말하기를, '나는 중토(中土)를 횡행하고 싶다.' 하였는데, 강희맹은 이를 사실로 여기고 이에 한 권의 책을 지어 바쳤다. 이름하여 『국세편(國勢篇)』이라 하였는데, 아첨하는 말이 많이 있었다. 세조가 보고 이르기를, '이것은 사람들에게 들려주어서는 안되겠다.' 하고, 곧 돌려보냈다. 또 자신의 공을 스스로 열거하여 공신에 참여하였으며, 이조판서가 되어서는 비방을 받음이 또한 많았다. 비록 사조(詞藻)의 아름다움이 있기는 하나, 무엇을 취하랴?"

『성종실록』에 실린 강희맹의 졸기(卒記)는 행장 만큼 길었으니, 신하로서 특별한 예우이다. 강희맹만 특별한 예우를 받은 것이 아니라, 진주강씨 공목공파도 조선왕조의 대표적인 명문으로 자리잡게 되었다.

그의 아들 강귀손은 우의정을 지낸 재상이었으므로, 그가 세상을 떠나던 1505년 8월 25일의 『연산군일기』에도 당연히 졸기가 실렸다. 이 졸기가 바로 강귀손의 생애에 대한 첫 번째 후대의 평가이다.

우의정 강귀손이 졸하였다.

귀손의 자는 용휴이고 본관은 진주이며, 좌찬성 강희맹의 아들이다.

문음(門蔭)으로 군기시 주부(軍器寺主簿)에 제수되어, 여러 번 옮겨서 돈녕부 첨정(敦寧府僉正)에 이르렀다. 기해년(1479) 과거에 급제하여, 사재감 정(司宰監正)·통례원 좌통례(通禮院左通禮)를 지냈다. 장례원 판결사(掌隸院判決事)·홍문관 부제학·이조참의·승정원 동부승지로 옮겼으며, 여러 번 승직(陞職)하여 도승지에 이르렀다. 정사년(1497)에 외직으로 나가 경기 관찰사가 되었다가, 무오년(1498)에 병조참판으로 옮기고, 사헌부 대사헌으로 사옥(史獄)에 참국(參鞫)하여 형조판서로 초승(超陞)되고, 이조·병조의 판서, 의정부 좌찬성으로 옮겼다. 을축년(1505)에 우의정으로 승배(陞拜)되어 새 황제의 등극을 축하하러 연경(燕京)으로 가다가 도중에 등창이 나서 죽으니, 나이 56세이다.

숙헌(肅憲)이라 시호(諡號)하니, 마음을 바로 지켜 결단함[執心決斷]이 숙(肅)이요, 널리 듣고 재능이 많음[博聞多能]이 헌(憲)이다.

성품이 억세고 재간이 있어 직무에 임하면 엄밀했으며, 일에 따라 잘 처리하여 하는 일은 남의 마음을 시원하게 하였다. 친척과 친구를 후하게 대우하여 곤궁하거나 영달함에 따라 태도를 달리하지 않았다. 만년에 작은 정자를 지어 장륙(藏六)이라 편액(扁額)하고 뜻을 비추었다. 그러나 속마음은 음험하여 자기를 거스르는 사람이 있으면 겉으로는 잘 지냈지만 속으로는 감정을 품었으며, 또 기를 부려서 꺼리는 사람이 많았다. 일찍이 이조판서였을 때에 자주 회뢰(賄賂)하여 전주(銓注)가 공정하지 않았으므로, 종루(鍾樓) 기둥에 '완산(完山)의 원은 베짜는 종을 바치고, 진도(珍島)의 아전은 매[鷹] 다루는 하인을 바쳤다.'고 써붙인 사람이 있었는데, 사람들이 귀손을 가리키는 것으로 여겼다. 왕이 나날이 심하게 황패해지자 끝내 보전하지 못할 것을 알고, 폐립(廢立)하려고 신수근의 뜻을 알아볼 꾀를 썼으나, 뜻이 맞지 않아 모사(謀事)가 누설될까 근심하더니 결국 등창이 나서 죽었다.

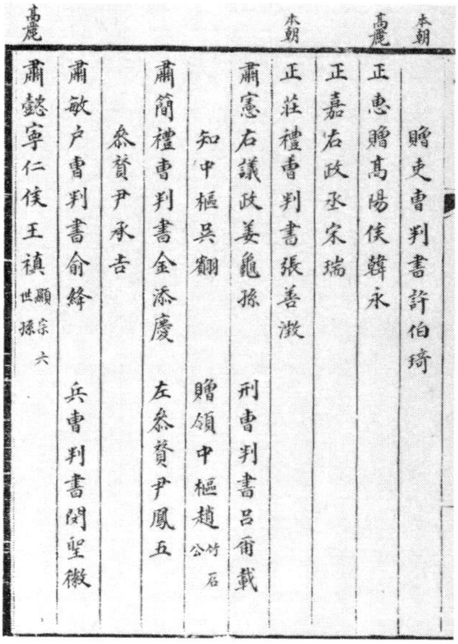

蕭懿寧仁俟王禎 世顕孫 六　蕭敬戶曹判書兪絳　蕭簡禮曹判書金添慶　蕭憲禮曹判書姜龜孫　正莊禮曹判書張善澂　正嘉右政丞宋瑞　正惠贈高陽侯韓永 本朝　贈吏曹判書許伯琦 本朝
参贊尹承吉　左参贊尹鳳五　知中樞吳翺　刑曹判書呂甫戴
兵書判書閔聖徽　　贈領中樞趙公석石

그림1. 『시호고』 5행에
숙헌공의 시호가 실려 있다.

이 줄기는 크게 세 단락으로 나뉘어 작성되었다. 첫 단락은 강귀손의 객관적인 행적이고, 둘째 단락은 시호이며, 셋째 단락은 사관의 평이다.

그에 대한 평가를 "마음을 바로 지켜 결단하였다[執心決斷]"는 숙(肅)자와 "널리 듣고 재능이 많다[博聞多能]"는 헌(憲)자로 함축하여 숙헌(肅憲)이라는 시호를 내렸는데, 헌(憲)자는 문관들의 시호로 많이 쓰이지만, 숙(肅)자는 드물다. 사관의 평에서 "성품이 억세고 재간이 있어 직무에 임하면 엄밀했으며, 일에 따라 잘 처리하여 하는 일은 남의 마음을 시원하게 하였다."는 부분이 바로 숙(肅)자를 내리게 된 행적이라고 볼 수 있다. 탐욕스럽다고 비판하는 사람들마저, 강귀손이 일 처리가 시원하고 합리적이라는 평가에는 대부분 수긍하였다. 그는 전형적인 군자가 아니라, 현실적인 행정가였던 셈이다.

강귀손의 행적 가운데 가장 이해하기 힘든 부분이 바로 그의 죽음이다. 사관의 평만 놓고 본다면 연산군이 나날이 황패해지자 그를 폐위하려고 동갑내기 친구인 우찬성 신수근에게 의사를 타진하였으나 뜻이 맞지 않아서 누설될까 근심하다가 결국 등창이 나서 죽었다고 하는데, 이것은 물론 사관의 추측이다. 엄정하고 과단성있게 일을 처리한다고 정평이 났던 강귀손답게 이 문제를 처리했다면, 신수근의 반정 참여 거부 의사를 듣고 어떤 방식으로든가 행동에 들어갔어야 하지 않았을까.

강귀손이 신수근을 포섭하려고 연산군 폐립 이야기를 꺼냈다는 시기가 언제인지 확실치 않지만, 신수근은 강귀손이 세상을 떠나기 전에는 물론, 그 이후에도 연산군에게 그에 관한 이야기를 일체 하지 않았다. 연산군은 명나라로 떠났던 강귀손이 등창이 나서 북경에 갈 수 없게 되었다는 소식을 8월 17일에 듣고, 곧바로 신수근을 우의정으로 승진시켜 명나라에 사신으로 가게 하였다. 신수근이 빨리 돌아오기를 기다리다가, 이듬해 2월 12일에 도착하여 복명하자, 시를 지어 환영하였다.

> 몇 번이나 그리워하고 시름도 많았던가
> 묻노니 돌아오는 길에 얼마나 기뻤던가.
> 특별히 여러 관원들을 보내어 문밖에서 맞이하노니
> 모두가 왕후의 친족이라 총영(寵榮)이 빛나도다.

신수근은 그 뒤에도 별탈없이 좌의정으로 승진했다가, 귀국한지 몇 달 뒤인 9월 2일에 중종반정이 성공하면서 그날로 반정군에게 맞아 죽었다. 신수근이 강귀손의 설득을 받았다면 매부와 사위 가운데 누굴 선택할 것인지 고민되었겠지만, 강귀손의 졸기(卒記)에 실린 것처럼 뜻이 맞지 않았다면 당연히 연산군에게 모반 계획을 고발했을 것이다.

강귀손이 신수근에게 반정을 제안했다고 하더라도, 두 사람 사이에 오고 간 말을 누설하지 않았다면 아무도 몰랐을 것이다. 만약에 누군가가 누설했다면, 그때 곧바로 큰 사건이 일어났을 것이다. 강귀손이 세상을 떠난 뒤에 그 흔한 만시(挽詩)나 제문(祭文) 한 편 제대로 남아 있지 않아서 당시의 분위기를 짐작할 수 없지만, 실록에 별다른 기록이 없는 것을 보면 결국 아무런 일도 없었던 셈이다. 그럴수록, 강귀손의 행장이나 비문이 지어지지 않고 신도비도 세우지 못한 이유가 궁금하다.

강귀손이 신수근에게 반정에 관한 의견을 물어본 뒤에 중종반정이 성공하기까지의 과정을 가장 자세하게 기록한 글이 『대동야승(大東野乘) 기묘록(己卯錄) 속집(續集)』에 실린 「구화사적(構禍事蹟)」이다.

정덕(正德) 병인년(1506)에 중추부(中樞府) 지사(知事) 박원종(朴元宗)과 전 참판 성희안(成希顏)과 이조판서 유순정(柳順汀)이 반정을 하려 할 때에 우의정 강귀손을 시켜 비밀리에 좌의정 신수근의 생각을 떠보게 하였다. 이에 수근이 말하기를, "매부를 폐하고 사위를 세우는 것이니 나는 말할 수가 없소." 하였다. 연산(燕山)의 비(妃)는 수근의 누이요, 중종(中宗)의 전 왕비는 수근의 딸이기 때문이다. 귀손이 마침 등극사(登極使)로 명나라 서울에 가는데 일이 발각될까 스스로 의심하여 근심하고 두려워한 나머지 병이 되어 길에서 죽었다.

원종 등은 귀양가 있는 이과(李顆)가 병사(兵使)·수사(水使)·수령과 더불어 본도의 병마를 거느리고 올라온다는 말을 듣고 기일을 당겨서 먼저 거사하려 하였다. 그런데 9월 초이튿날에 마침 연산군이 장단의 적벽에서 놀이를 하게 되었으므로 그 기회를 이용하기로 하였다.

초하룻날 저녁에 원종 등이 장사들을 훈련원으로 모으기로 약속을 하니 그날 모인 자가 백여 명이나 되었으나, 어떻게 할 줄을 몰랐다. 이에 무령부원군 유자광을 부르고 그의 계책에 따라 두터운 유지(油紙)를 오려 표신(標信)을 만들어서 장사들에게 나누어 주고, 죄수와 역부(役夫)를 몰아 돈화문 앞 수백 보쯤 되는 곳에 나가서 말을 세워 진을 치고, 운천군(雲川君)을 시켜 군사를 거느리고 진성대군의 저택을 호위하게 하였다.

변수(邊修)·최한홍(崔漢洪)·심형(沈亨)·장정(張珽)을 시켜 궁 내성

(內城)을 지키면서 내사복시(內司僕寺)에 쌓아둔 꼴더미에 불을 질러 뜻밖의 변에 대비하게 하고, 또 신윤무(辛允武)를 보내어 용맹한 장사 이조(李藻)를 거느리고 신수영·신수근·임사홍의 집으로 가서 그들을 끌어내어 쳐 죽이게 했다.

그리하여 초이튿날 자순대비(慈順大妃)의 전지를 받들어 관원을 보내어 종묘에 고하고, 왕을 폐하여 연산군(燕山君)으로 삼아 교동(喬桐)으로 옮기게 했다. 그리고 진성대군을 맞아 경복궁에서 즉위하고, 그의 부인 신씨를 봉하여 왕비로 삼아 법가(法駕)를 갖추어 궁중에 들어와서 여러 신하들의 하례를 받고 국내에 대사면령을 내려 죄수를 석방하고, 여러 역사(役事)를 파하니 기뻐하는 소리가 천지에 진동하였다.

초4일에, 세 대장(大將, 성희안·박원종·유순정)과 유자광 등이 서로 의논하기를, "이미 그 아비 신수근을 베었으니, 그 딸이 왕비의 지위에 있을 수 없다." 하고, 폐하여 친정으로 내쫓고, 윤여필(尹汝弼)의 딸을 책봉하여 왕비로 삼으니 그가 바로 장경왕후(章敬王后)이다.

이야기 구조는 잘 짜였지만, 역시 나중에 이야기를 맞춘 것이 보인다. 강귀손은 1년 전인 1505년에 명나라로 갔으며, 신수근은 당시 우찬성이었다. 3명의 대장이 강귀손에게 신수근을 포섭하라고 시켰는데, 신수근이 연산군 편을 들면서 거절한 뒤에도 1년 동안 거사를 실행하지 않았다는 것이 설득력이 떨어진다.

이긍익이 지은 『연려실기술』 제6권 「연산조(燕山朝) 고사본말」 상신(相臣)조의 「강귀손」 항목도 인적사항을 간단히 소개하고는 『동각잡기』와 『기묘속록』을 인용하였는데 역시 강귀손이 신수근을 포섭하다가 실패하여 고민이 깊어져 등창이 나서 죽었다는 내용이다.

강귀손은 자는 용휴이며, 본관은 진주이니, 좌찬성 희맹의 아들이다. 성종 기해년(1479)에 문과에 오르고 을축년(1505)에 우의정이 되고 진원군(晋原君)에 봉해졌다. 병인년(1506)에 북경에 갔다가 정묘년(1507) 돌아오는 도중에 죽었다. 시호는 숙헌공(肅憲公)이다.

○ 신비(愼妃)의 오빠 수근(守勤)의 딸이 중종(中宗)의 잠저(潛邸) 때 부인이 되었다. 폐주 연산이 한참 거칠고 어지러울 때 신수근은 좌상으로 있었고, 공은 같이 우상으로 있었는데, 어두운 임금을 폐하고 밝은 임금을 세우려는 뜻이 있었다. 그때 마침 공이 북경으로 가게 되었는데, 하루는 수근과 만나 조용히 "매부(연산군)와 사위(중종) 가운데 누가 더 가까운가?" 하고 심중을 떠보았다. 수근이 말하기를, "세자가 영명하니 다만 그를 믿을 뿐이오."라고 대답하니, 공은 아무 말도 않고 길을 떠났다. 날마다 말이 누설될까 염려하더니 북경에서 돌아오기 전에 등창이 나서 죽었다.
　　　　　　　　　　　　　　　　　　　　　　　－『동각잡기(東閣雜記)』

○ 『기묘속록(己卯續錄)』에는, "박원종이 그를 시켜 비밀히 수근의 마음을 떠 보았더니 수근이 말하기를, '매부를 폐하고 사위를 세우는 일을 나는 할 수 없다.'고 말하였다."고 기록되어 있다.

『연려실기술』은 대표적인 역사서이지만, 오류가 더 심해졌다. 1505년에 우의정이 되고, 1506년에 북경에 갔으며, 1507년에 북경에서 돌아오는 도중에 죽었다고 하였는데, 『연산군일기』 11년(1505) 6월 4일 기사를 보면 "좌찬성 강귀손을 우의정으로 삼아 등극사(登極使)로 충차(充差)하였다."고 하였다. 처음부터 사신으로 보내려고 우의정으로 승진시킨 것이며, 두 달 뒤에 중국으로 떠났다가 8월 17일 평안도에서 등에 종기가 심해져 북경에 갈 수 없게 되자 신수근을 우의정으로 삼아 대신 가게 한 것이다. 실제로는 국경도 벗어나기 전에 평안도에서 병이 심해져 돌아온 것이니, "북경에서 돌아오기 전에 등창이 나서 죽었다."

는『동각잡기(東閣雜記)』의 인용도 역시 오류가 심하다. 중종반정이 이미 1506년에 성공한 뒤이기도 하다.

강귀손과 신수근이 연산군 폐위에 관해 주고받았다는 말은 두 사람만이 알 수 있는 비밀인데, 비교적 합리적으로 기록한 글은 실학자 성호(星湖) 이익(李瀷)이 기록한「익창부원군의 연시연을 축하하는 서문[益昌府院君延諡宴序]」이다.

신공은 바로 연산(燕山) 폐왕(廢王)의 왕비의 오라버니이자 중종의 비 단경왕후(端敬王后)의 부친이다. 연산이 정사를 어지럽힐 때 신민(臣民)들이 다른 임금을 원하였고 공도 또한 시국을 어찌할 수 없었다.

박원종(朴元宗)이 함께 장기 두기를 청하고 그 궁(宮)을 바꾸면서 뜻을 탐색하였다. 궁(宮)이란 (장기에서) 한 판의 주인이 되는 말을 속칭한 것이다. 공이 대번에 말하기를 "내 머리는 벨 수 있다." 하였다. 강귀손이 은밀히 딸과 누이 중에 누가 더 가까우냐고 물으니, 공이 또 말하기를 "세자가 영명(英明)한 것을 믿을 뿐이다." 하였다.

아! 이 일은 후세에 드러낼 만한 것이다. (줄임) 공의 경우는 왕후의 근친이고 임금의 복심인 대신의 자리에 있으니 떠날 명분이 없었고, 세자의 현명함이 믿을 만하였다. 그러므로 편치 않은 마음으로 세월을 보냈는데, 나라의 위망(危亡)에 대해서는 이미 깊이 헤아리고 있었던 것이다. 사람은 비록 처한 시대는 다르지만, 일의 실제에 있어서는 서로 비슷한 점이 있는 것이다.

음이 양을 소멸시킬 때에 종묘사직이 다시 편안해지는 것은 천명이지 사람의 계책이 관여할 수 있는 일이 아니다. 공은 권유를 물리쳐 목숨을 잃으면서도 아무런 유감이 없었다. 그러나 만약 혼몽한 임금의 사적인 신하로 귀결시키고 천명을 알지 못했다고 단정한다면 전혀 그렇지 않다. 당시 강귀손의 권유는 이해가 분명하였으니, 자기 이익을 챙기는 자라면 어찌 취하지 않았겠는가. 그리고 박원종과의 장기 놀이를 통해 형세가 크게 드러났으니, 한쪽 편을 드는 것을 어찌 하지 않겠는가. 공은 단지 죽음을 기다리며 천명을 따를 뿐이었다. 박원종 등이 이미 공을 살해하고 단경왕후에게까지 해를 미쳐 임금을 거의 협박하여 폐위시켰으니, 이륜(彝倫)이 패몰된 지가 오래이다. 무엇을 차마 말할 수 있겠는가. (줄임)

지금 우리 주상 전하께서 확연히 결단하시어 선조(先朝)의 뜻을 잘 이어서 중전의 지위를 회복시키고, (줄임) "두 임금을 섬기지 않고 강개하게 물리쳤으니, 그 뜻은 확고하였으되 그 마음은 괴로웠을 것이다." 하였다.

영조(英祖)가 1739년에 신수근을 영의정 익창부원군에 추증하고 '신도(信度)'라는 시호를 내리자, 후손들이 잔치를 베풀었다. 이익은 이 글에서 신수근이 개인의 이익을 위해 반정군(反正軍) 편에 서지 않고, 현명한 세자가 즉위하여 나라가 안정될 날을 기다리며 편치 않은 마음으로 세월을 보냈다고 하였다. 반정이 이뤄지자 박원종이 신수근을 살해하고 단경왕후를 폐위시킨 것을 패륜이라고 비난하였는데, 자신에게 역모(逆謀)를 누설한 박원종을 연산군에게 고발하지 않은 은덕을 배반했다는 비난이기도 하다.

영조가 "그 마음은 괴로웠을 것이다"하고 헤아린 것은 신수근의 마음 뿐이 아니라 결국 강귀손의 마음을 헤아린 것이기도 하다. 만약 강귀손이 신수근을 믿지 못했다면, 신수근의 반정 참여 거부의 뜻을 확인한 뒤에 박원종에게 알려서 거사 일정을 앞당기든지, 아니면 자기 한 몸이 살기 위해서 연산군에게 고변(告變)할 수도 있었을 것이다.

진주강씨장갈편집소(晉州姜氏狀碣編輯所)에서 1929년에 간행한 『진산

강씨선세장갈편집(晉山姜氏先世狀碣編輯)』에 숙헌공에 관한 사적 4건을 소개하였다. 다른 분들 경우에는 묘도문자(墓道文字)를 소개하였지만, 강귀손 경우에는 신도비가 없으므로 「숙헌공 귀손 유사」를 소개하였다. 4건 가운데 첫 번째 기사가 바로 위의 이야기이다.

성화(成化) 15년 기해(1479)에 정광세(鄭光世) 방(榜)에서 급제하여, 벼슬이 대광보국 숭록대부(大匡輔國崇祿大夫), 의정부 우의정 겸 영경연춘추관사(領經筵春秋館事) 세자부(世子傅)에 이르렀다. 진원군(晉原君)은 숙헌(肅憲)이라는 시호를 받았는데, 연산군 조정에서 재상이 되었지만, 항상 어두운 임금을 몰아내고 밝은 임금을 세우려는 뜻이 있었다. 이조판서가 되었을 때에 몰래 우의정 신수근에게 말하였다.

"매부(妹夫)와 사위 가운데 누구와 친하고 누가 소중한가?"

신수근이 연산군의 비(妃)에게는 형제가 되고, 중종(中宗)에게는 장인이었다. 신수근이 잠자코 대답하지 않더니, 그 말을 연산군에게 고하였다.

이 설화에서는 신수근이 친구 강귀손의 역모를 연산군에게 고발하였다고 기록하였다. 강귀손이 이조판서 때였다면 앞뒤가 더더욱 맞지 않는다. 두 사람이 직접 남에게 말하거나 기록한 내용이 보이지 않으니, 세월이 지날수록 진실은 더욱 왜곡된 셈이다.

평생 모든 일을 과감하게 결단하던 강귀손이 연산군을 폐위하려는 반정 계획에 참여했더라도, 두 친구가 의리 때문에 서로 괴로워하다가 원치 않는 죽음에 이르는 과정이 너무나 인간적이다. 평생 어려운 친지들을 도와주며 살았던 강귀손이 자기 말 때문에 난처해진 친구 신수근을 지키려다가 뜻밖의 죽음을 맞은 것이 가슴 아프다.

세상을 떠난 지 5년 뒤의 『중종실록』에 그의 이야기가 실려 있다.

시독관(侍讀官) 이빈이 (왕에게) 아뢰었다.

"옛날에는 재상의 자제 가운데 (처음부터) 들어와 벼슬하는 자가 많지 않고 다 학궁(學宮)에 유학하여 학업을 닦다가, 나이가 많아지고 성취한 것이 없게 된 뒤에야 벼슬을 얻을 궁리를 하였습니다. 그런데 지금은 재상의 자제로 학궁에 있는 자를 볼 수 없고, 겨우 총각을 면하면 이미 벼슬을 구할 생각부터 합니다. 선비의 풍습이 아름답지 않음이 이에 이르렀습니다. 옛날 강귀손이 이미 사판에 올랐다가 곧 잠홀을 버리고 글을 읽으니, 그 아비 희맹이 기특하게 여겼습니다. 지금은 그러한 사람을 볼 수 없으나 일일이 금지할 수도 없으니, 만약 이 폐풍을 구제하고자 한다면, 이미 사판(仕版)에 오른 자는 과거에 응시하는 것을 허락하지 마소서. 그렇게 한 뒤라야 이 풍습을 개혁할 수 있겠습니다."

― 『중종실록』 5년(1510) 9월 26일

강희맹이 아버지의 제안을 듣고도 벼슬을 사양하며 과거시험 공부를 하여 급제한 뒤에 벼슬생활을 한 것이나, 강귀손이 자신의 능력으로 벼슬을 얻기 위해 종4품 첨정(僉正)이라는 높은 벼슬을 그만두고 공부를 다시 시작한 것이 모두 후대인들에게 모범이 되었다.

시독관은 경연(經筵)에서 왕에게 유교의 경서를 강독하는 관원이다. 강귀손이 세상을 떠난 지 5년 뒤에 이미 시독관 이빈이 이들 부자의 선비다운 아름다운 풍습이 사라지는 것을 아쉬워하였다. 기득권을 포기하고 남들과 같은 조건에서 경쟁하려는 강귀손 같은 기풍을 다시 살려보고 싶었던 것이다.

[부록 1]
숙헌공 강귀손 연보

• 세조(世祖)

1450년

○월 ○일　강희맹과 안숭효의 따님 사이에 장남으로 태어났다.

　　관향(貫鄕) 진양(晉陽). 자(字) 용휴(用休).

　　『서경(書經)』「익직(益稷)」에 "하늘이 임금에게 거듭 명해서 더욱 아름
　　답게 해 줄 것이다.[天其申命用休]"라는 말에서 자를 지었다.

• 성종(成宗)

　　문음(門蔭)으로 군기시(軍器寺) 주부(主簿 종6품)를 거쳐 돈녕부(敦寧府)
　　첨정(僉正 종4품)에 제수되었다. /『연산군일기』 11년 8월 17일 졸기(卒記)

1468년. 19세

　　벼슬을 그만두고 공부하겠다고 하자, 강희맹이 「훈자오설(訓子五說)」
　　을 지어 타일렀다. 귀손에게 쓴 편지 성격의 발문은 6월 하순에 썼으
　　며, 서문은 7월 16일에 지었다. 이해에 진사시에 합격하였다.

1479년. 30세

○월　　　별시문과에 병과6인(전체 10위)으로 급제하였다.

　　『국조문과방목(國朝文科榜目)』에는 응시할 때의 벼슬이 충훈부(忠勳府)

경력(經歷 종4품)으로 기록되어 있다.

책문(策問)의 시제(試題)는 「학문을 좋아하고 부지런히 다스리며 올바른 사람에게 맡기고 형벌을 삼가는 것이 오랑캐를 대하는 도리이다[好學勤政任人愼刑, 待夷之道]」이다.

1481년. 32세

1월 4일   결송(決訟) 낭청(郎廳)으로 승정원에 회부되었다.

1482년. 33세

2월 8일   통훈대부 사헌부(司憲府) 집의(執義, 종3품)에 제수되었다.

3월 5일   사헌부 집의 사직을 청하여 윤허받았지만, 3월 12일에 '갈지 말라'고 명하였다.

4월 5일   대비가 신임하는 선종판사(禪宗判事) 내호(乃浩)의 국문을 청하였다.

윤8월 28일 경차관(敬差官)으로 영안도(永安道)에 파견되었다.

11월 9일   모친 정경부인 순흥 안씨가 세상을 떠났다.

1483년. 34세

2월 18일   부친 좌찬성 강희맹이 졸하였다. 시호는 문량(文良)이다.

7월   성종의 명을 받고 부친 문량공(文良公)의 유고(遺稿)를 수집하여 『사숙재집(私淑齋集)』을 편집하고, 서거정에게 서문을 받아 교서관에서 금속활자본으로 간행하였다.

1485년. 36세

상주목사(尙州牧使 정3품)로 부임하였다. / 『공목공파대동보(恭穆公派大同譜)』

1486년. 37세

10월 24일 인정전(仁政殿)에서 중시문과(重試文科)를 실시하였는데, 2등
으로 급제하였다.

상주향교(尙州鄕校)를 중수하였다. 상주향교의 유생 김보형이 홍귀달
(洪貴達)에게 부탁하여 그 사연을 기록한 「상주향교중수기(尙州鄕校重
修記)」가 『허백정문집(虛白亭文集)』 권2에 실려 있다.

12월 3일 겸 사헌부 집의에 임명되어 8도(道)에 나누어 파견되었다.

1487년. 38세

2월 19일 실록에 사복시(司僕寺) 정(正, 정3품)으로 기록되었다.

1488년. 39세

윤1월 25일 선농제에 수고하여 대가(代加)하였다.

(대가(代加)는 가자(加資)될 사람이 가자되지 못하게 될 경우에 본인을 대신하여
그 아들이나 사위, 동생, 조카 등을 가자해 주는 것을 이른다.)

3월 서거정에게 부탁하여 부친 문량공(文良公)의 신도비명(神道碑
銘)을 받아 시흥 하상동 선산에 세웠다. 신도비명[推忠定難翊戴, 純誠明亮
佐理功臣, 崇政大夫, 議政府左贊成兼知經筵, 春秋館事, 判義禁府事. 晉山君.
贈諡文良姜公神道碑銘]은 『사숙재집』 권11 부록에도 실려 있다.

1491년. 42세

3월 교서관(校書館)에서 금속활자본으로 간행한 『사숙재집』이 적
어서 인멸될 것을 염려하여, 성현에게 발문을 부탁하여 목판본으로 다
시 간행하려 하였다.

1492년. 43세

6월 『금양잡록(衿陽雜錄)』을 간행하기 위하여 발문을 썼다.

10월 5일   통정대부 장례원(掌隷院) 판결사(判決事, 정3품)에 제수되었다.

1493년. 44세
5월 19일   통정대부 홍문관(弘文館) 부제학(副提學, 정3품)에 제수되었다.
윤5월 11일   경연(經筵)에 참찬관(參贊官, 정3품)으로 참여하였다.
6월 1일   통정대부 이조참의(吏曹參議, 정3품)에 제수되었다.
10월 27일   통정대부 승정원 동부승지(同副承旨, 정3품)에 제수되었다.
11월 6일   통정대부 승정원 우부승지(右副承旨, 정3품)에 제수되었다.

1494년. 45세
6월 16일   이후 좌부승지(左副承旨, 정3품)로 실록에 기록되었다. (우부승
       지로 기록된 적도 있다.)
9월 29일   예방 승지(禮房承旨)로 기록되었다.

• 연산군

1496년. 47세
3월 14일   좌승지(左承旨, 정3품)에 제수되었다.
10월 30일   도승지(都承旨, 정3품)로 실록에 기록되었다.

1497년. 48세
1월 17일   묘소 옮기는 여러 가지 일을 관장하였다.
2월 20일   한 자급 더해 주었다. 가선대부(嘉善大夫, 종2품) 승정원 도승
       지에 제수되었다.
6월 14일   경기관찰사(京畿觀察使, 종2품)에 제수되었다.
12월 21일   실록청(實錄廳) 본 건을 아뢴 승지(承旨)로 아마(兒馬) 한 필을
       하사받고, 『세조실록(世祖實錄)』의 예에 의해 출사(出仕)한 날짜의 구근

(久近)에 따라 논상(論賞)에 반영하였다.

1498년. 49세

고을을 순행하다가 마전군(麻田郡) 관아가 피폐한 것을 보고 조정에 청하여 수리하게 하였다. 홍귀달이 지은 「마전군관사중수기(麻田郡館舍重修記)」가 『허백정문집(虛白亭文集)』 권2에 실려 있다.

4월 4일　　병조 참판(兵曹參判, 종2품)에 제수되었다.

○ 지평 신복의(辛服義)가 "경기감사(京畿監司) 강귀손이 만기가 되지 못했는데 특별히 병조참판을 제수한 것은 잠저(潛邸) 시대의 옛 은혜로써 사람에게 사정을 보인 것이니 개정하시라."고 청하였지만, 연산군이 "특지(特旨)는 차한에 부재한다. 너희들이 정사를 하려느냐."고 전교하였다.

5월 24일　　사헌부(司憲府) 대사헌(大司憲 종2품)에 제수되었다.

7월 16일　　김종직의 「조의제문(弔義帝文)」 편집자를 논죄하기 시작했는데, 김일손의 편을 들어서 옹호하였다.

7월 28일　　정헌대부(正憲大夫, 정2품 상계) 형조판서(정2품)에 제수되었다.

윤11월 30일 실록에 경연(經筵) 동지사(同知事, 종2품)로 기록되었다

1499년. 50세

1월 22일　　실록에 산릉도감(山陵都監) 제조(提調)로 기록되었다.

11월 10일　　실록에 한성부(漢城府) 판윤(判尹, 정2품)으로 기록되었다. 성균관 윤차 당상(成均館輪次堂上)의 사임을 청하자 들어 주었다.

1500년. 51세

1월 5일　　도총부(都摠府, 오위도총부) 도총관(都摠管, 정2품)에 제수되었다.

1월 18일　　실록에 이조판서로 기록되었다.

3월 11일　　이조판서(吏曹判書, 정2품)에 제수되었다.

1501년. 52세

아들 태수(台壽)가 생원(生員)과 진사(進士) 두 시험에 모두 합격하였다.
- 생원 2등 7인으로 합격한 기록에는 유학(幼學)으로 되어 있으며, 진사 1등 4인으로 합격한 기록에는 부친의 직함이 이조참판으로 잘못 기록되어 있다.

사마방목에는 진사 합격한 등수가 김안국(金安國), 나승중(羅承重), 정충량(鄭忠樑), 강태수(姜台壽), 김안로(金安老) 순으로 되어 있는데, 김안국은 예조판서, 정충량은 이조참의, 김안로는 좌의정까지 올랐다. 동년 친구인 김안국과 강태수는 뒷날 사돈이 되었다.

3월   처조모 공인(恭人) 김씨(金氏)의 장례를 치르면서 강혼(姜渾)에게 부탁하여 묘표(墓表)를 짓게 하였다.

7월 12일   이조판서 사직(辭職)을 원했으나, 연산군이 들어 주지 않았다. 이날 『연산군일기』 사평(史評)에 "강귀손은 일을 처리하는 재간이 있었으나, 사람을 죽이고 살리는 권한이 그에게 있었기 때문에 사람들이 모두 두려워하고 꺼려했다."고 기록하였다.

1502년. 53세

1월 10일   사헌부에서 '김자정(金自貞)을 아무런 이유도 없이 서용(敍用)하지 않은 일'로써 이조 관원들을 추문(推問)하기를 청하자, "사헌부에서 논핵한 것이 옳다"고 하며 사직하기를 청하였다. 그러나 연산군이 들어주지 않았다.

1월 15일   태평관(太平館) 어귀와 종루(鐘樓)에 붙은 익명서(匿名書)를 가지고 와서 해임되기를 원하였지만, 연산군이 들어주지 않았다.

1월 16일   연산군이 이조좌랑 이우를 보내어 위로하고, 사임하지 말라고 이해시켰다.

1월 19일   실록에 상정청 당상(詳定廳堂上)으로 기록되었다.

3월 5일   실록에 선공감 제조(繕工監提調)로 기록되었다.

5월 9일　　이조판서 사직을 원했으나, 들어주지 않았다.

　－"전조(銓曹)는 한 사람이 오래 있을 자리가 아니며, 근일에는 또 한재
　가 너무 심하니 아마 신이 전주(銓注)를 잘못한 소치인 듯하므로, 사직
　(辭職)하기를 청합니다."라는 이유로 사직을 청한 것이다.

5월 24일　　이조판서 겸 동지경연사(同知經筵事, 정2품)에 제수되었다.

6월 16일　　진원군(晉原君) 지경연사(知經筵事, 정2품)에 제수되었다.

9월 17일　　세자책봉주청사(世子冊封奏請使)로 북경에 갔다.

1503년. 54세

2월 3일　　병조판서 겸 판의금부사(判義禁府事, 종1품) 동지경연사(同知
　經筵事)에 제수되었다.

2월 20일　　병조판서에 제수되었다.

4월 15일　　실록에 지대사(支待使)로 기록되었다.

－ 명나라 세자책봉사 김보(金輔)와 이진(李珍)을 접대하는 직책이다. 지난
　해에 명나라에 가서 세자 책봉을 주청하였으므로, 세자책봉사 접대를
　맡은 것이다.

4월 28일　　명나라 세자책봉사를 모시고 금강산 여행을 다녀왔다.

5월 23일　　명나라에 가서 세자책봉을 주청한 공으로 밭 50결과 노비(奴
　婢) 8명을 하사받았다.

1504년. 55세

4월 5일　　우찬성에 제수되었다.

4월 29일　　실록에 좌찬성(左贊成, 종1품)으로 기록되었다.

윤4월 26일　　우찬성(右贊成, 종1품)에 제수되었다.

5월 6일　　연산군의 생모 윤씨를 제헌왕후(齊獻王后)로 추숭할 때에 옥
　책(玉冊)을 읽은 공으로 한 자품(資品)을 더하여, 숭록대부(崇祿大夫, 종1
　품) 좌찬성에 제수되었다.

8월 8일   실록에 사복시 제조(司僕寺提調)로 기록되었다.

8월 19일   실록에 수리도감(修理都監) 제조(提調)로 기록되었으며, 창덕궁 공사를 지휘하였다.

8월 24일   실록에 타위지응사(打圍支應使)로 기록되었다.

11월 9일   실록에 춘추관(春秋館) 당상(堂上)으로 기록되었다.

1505년. 56세

2월 4일   실록에 충훈부(忠勳府) 당상(堂上)으로 기록되었다.

6월 4일   우의정(右議政, 정1품)에 제수되고, 하등극사(賀登極使)로 정해졌다.

○ 사직(辭職)을 청하였지만, 들어주지 않았다. "이제 바야흐로 풍속이 순정(淳正)하니, 간신(奸臣)만을 적발하고 충성으로 임금을 섬기면 다시 무슨 일이 있으랴? 사직하지 말라."/『광해군일기』 11년 6월 4일

7월 8일   명나라에 하등극사(賀登極史)로 출발하였다.

8월 17일   평안도에 이르러 등에 종기가 나서 연경(燕京)에 갈 수 없으므로, 돌아왔다.

8월 25일   세상을 떠났다.

졸기(卒記) : 귀손의 자는 용휴이고 본관은 진주이며, 좌찬성 강희맹의 아들이다. 문음(門蔭)으로 군기시 주부(軍器寺主簿)에 제수되어, 여러 번 옮겨서 돈녕부 첨정(敦寧府僉正)에 이르렀다. 기해년(1479) 과거에 급제하여, 사재감 정(司宰監正)·통례원 좌통례(通禮院左通禮)를 지냈다. 장례원 판결사(掌隸院判決事)·홍문관 부제학(弘文館副提學)·이조참의·승정원 동부승지로 옮겼으며, 여러 번 승직(陞職)하여 도승지(都承旨)에 이르렀다. 정사년(1497)에 외직으로 나가 경기 관찰사(京畿觀察使)가 되었다가, 무오년(1498)에 병조참판으로 옮기고, 사헌부 대사헌으로 사옥(史獄)에 참국(參鞫)하여 형조판서로 초승(超陞)되고, 이조·병조의 판서, 의정부 좌찬성으로 옮겼다. 을축년(1505)에 우의정으로 승배(陞

拜)되어 새 황제의 등극을 축하하러 연경(燕京)으로 가다가 도중에 등창이 나서 죽으니, 나이 56세이다. 숙헌(肅憲)이라 시호(諡號)하니, 마음을 바로 지켜 결단함이 숙(肅)이요, 널리 듣고 재능이 많음이 헌(憲)이다.

성품이 억세고 재간이 있어 직무에 임하면 엄밀했으며, 일에 따라 잘 처리하여 하는 일은 남의 마음을 시원하게 했으며, 친척과 친구를 후하게 대우하여 곤궁하거나 영달함에 따라 태도를 달리하지 않았다. 만년에 작은 정자(亭子)를 지어 장륙(藏六)이라 편액(扁額)하고 뜻을 비추었다. 그러나 속마음은 음험하여 자기를 거스르는 사람이 있으면 겉으로는 잘 지냈지만 속으로는 감정을 품었으며, 또 기를 부려서 꺼리는 사람이 많았다. 일찍이 이조판서이었을 때에 자주 회뢰(賄賂)하여 전주(銓注)가 공정하지 않았으므로, 종루(鍾樓) 기둥에 '완산(完山)의 원은 베짜는 종을 바치고, 진도(珍島)의 아전은 매[鷹] 다루는 하인을 바쳤다.'고 써붙인 사람이 있었는데, 사람들이 귀손을 가리키는 것으로 여겼다. 왕이 황패(荒悖)가 날로 심하여지매 끝내 보전하지 못할 것을 알고, 폐립(廢立)하려고 신수근의 뜻을 알아볼 꾀를 썼으나, 뜻이 맞지 않아 모사(謀事)가 누설될까 근심하더니, 드디어 등창이 나서 죽었다. /『광해군일기』 11년 8월 25일

실록에 보이는 숙헌공 강귀손 관련 기사*

• 성종

1478년

7월 14일

이조판서 강희맹이 상소하고, 인하여 아뢰었다.

"신이 전일에 사직하는 글을 올렸는데, 전교하기를, '지금 너의 청을 들어 준다면 나도 또한 그 사람의 술책 속에 말려든 것이 되니, 사퇴하지 말라. 내가 마땅히 끝까지 추궁하여 찾아 잡아서 통쾌하게 징계하겠다.'고 하였습니다. (줄임) 신의 직책을 사면하여 여생을 보전하게 하여 주시도록 청합니다."

상소의 내용은 이러하였다.

"(줄임) 비방자는 신을 가리켜 말하기를, '겉으로는 강직한 것 같으나 교언 영색(巧言令色)하며 간교하기 형용할 데가 없으니, 젊어서부터 그러하다. 자기에게 아부하는 사람은 벼슬을 올려주고, 아부하지 않는 사람은 비록 현능(賢能)한 사람이라도 멀리 배척하여 백 가지 계책을 여기에 맞춘다. (줄임) 본가의 사람이나 말은 네 첩의 처소 및 **강귀손**과

---

* 강귀손이 지은 글이 『금양잡록(衿陽雜錄)』 서문 1편 외에 보이지 않으므로, 실록에 기록된 관련 기사를 통하여 그의 발언과 정견, 행적을 소개한다. 고전번역원 번역을 발췌하여 편집하였으며, 필요한 경우에는 문장을 윤문하였다.

강학손의 집과 그 동복(同腹)들의 집에 출입하지 않고, 거기에는 거마 (車馬)가 꽉 차 있으며 뇌물이 구름같이 모여 있다.'고 합니다.”

1479년
6월 22일

지평(持平) 홍흥이 아뢰었다.

“심한과 **강귀손**이 글을 온양에 보내어서 소송하고 있는 노비를 청탁하 였는데, **강귀손**만 죄를 받게 하고 심한은 면하게 하니, 옳지 못합니다.”

1481년
1월 4일

승정원(承政院)에서 결송(決訟) (줄임) 낭청(郎廳)으로는 김태경 등 10 인을 써서 아뢰었다. 어서(御書)로써 (줄임) 낭청으로 정영통·구치곤· 최호원·**강귀손** (등을) 써서 승정원에 회부하였다.

1482년
2월 8일

강귀손을 통훈대부 사헌부 집의(司憲府執義, 종3품)로 (줄임) 삼았다.

2월 12일

경연(經筵)에 나아갔다. 강(講)하기를 마치자, 집의 **강귀손**이 아뢰었다.

“우리나라의 혼례에는 이미 정해진 법령이 있어서 각기 자기 품수에 따라서 분수를 넘지 못하게 되어 있습니다. 그런데 이제 들으니, 신정 (申瀞)이 한간(韓澗)과 더불어 약혼하여 납채(納采)할 적에 금실로 수놓 은 주홍색의 함을 사용하여 사라 능단(紗羅綾段) 15필과 은(銀) 1정(丁)을 담고서 도투락 대홍 필단[都多益大紅匹段]의 보자기로 쌌다고 합니다. 신정은 이러한 것들이 금제(禁制)임을 몰랐던 것이 아니라 자기의 호부(豪富)한 것을 자랑하여 보이고자 하여서 경솔히 헌장을 범한 것이니, 그를 국문하여 죄를 다스려야 합니다."(줄임)

임금이 말하였다.

"그렇다면 이는 참으로 폐단이 되는 풍습이라 하겠다. 사헌부에서 그들을 국문하라."

강귀손과 정광세가 다시 아뢰었다.

"남흔은 품행이 올바르지 않고 곽인은 용렬한데도 이제 구황 가낭청(救荒假郎廳)이 되었습니다. 그러니 성상께서 흉년을 구제하는 일에 전념하심을 누가 알아주겠습니까?"

임금이 말하였다.

"어제 사헌부에서도 그 일을 말하였다. 그래서 남흔이 죄를 받은 사건과 곽인이 동반(東班)에 적합하지 못한 일을 조사하여 아뢰게 하였다."(줄임)

이극배가 말하였다.

"본도가 비록 가난하지만, 흉년을 구제하는 일이 중합니다. 그리고 진휼사의 행차는 종사관(從事官) 두 사람과 노예와 말 각기 하나 정도이니 번거롭다고 할 수 없습니다. 하물며 백성들로 하여금 성상께서 백성을 근심하는 뜻을 알게 하는 것이 또한 좋지 않겠습니까?"

강귀손이 말하였다.

"신의 의견도 (진휼사를) 파견하는 것이 좋다고 생각합니다. 다만 신의 아비가 진휼사로 있기에 더 아뢰지 못하였습니다."

2월 23일

경연에 나아갔다. 강하기를 마치자 집의 **강귀손**이 해동청(海東青)을 기르는 것이 옳지 아니함을 논계(論啓)하였으나, 들어주지 않았다.

3월 1일

경연에 나아갔다. 강하기를 마치자, 집의 **강귀손**이 아뢰었다.

"전일에 신 등이 해동청에 대한 일을 의논하여 여러 번 말씀드렸으나, 윤허하지 않으셨습니다. 그리고 또 (해동청의 일을 맡았던) 환관(宦官)에게 말을 상주기까지 하였습니다. 상주고 벌주는 것은 임금의 큰 권병(權柄)이어서 함부로 할 수 없습니다. 어찌 해동청으로 인하여 말을 상주십니까?"

임금이 말하였다.

"내가 말을 상준 것은 해동청을 귀하게 여긴 것이 아니다. 정존 등이 부지런히 애쓴 것을 상준 것이다. 말은 관작(官爵)으로 주는 상이 아닌데 어찌 안될 것이 있겠는가?" (줄임)

3월 4일

사헌부에서 아뢰었다.

"경기 도사 최철관은 사휼(詐譎)합니다. 직첩(職牒)을 거두어 들이고 추신(追身)하여 추국하게 하소서. 그리고 강희맹은 성상께서 재결하여 시행하소서."

승정원에 전교하였다.

"최철관은 사휼한 것이 없는데도 거듭 논의하여 죄를 청하고, 강희맹은 대충 예(例)로 청하니, 이는 아마 강희맹의 아들 **강귀손**이 집의(執

義)의 지위에 있기 때문에 그러한 것이라고 여긴다. 혹시라도 **강귀손**의 말을 들어서 그렇게 하였는가? 자세한 것을 물어서 아뢰어라."

대사헌 김승경 등이 합사(合司)하여 와서 아뢰었다.

"처음에 전지에 의거하여 강희맹에게 물었더니, '(진휼사로 갈 때에 수종하는) 인원과 마필은 법도에 따라 인솔하여 갔다.' 하였는데, 그 숫자는 이미 올린 단자(單子) 안의 인원과 마필 수와 같았습니다. 그런데 최철관이 보고한 인원과 마필의 수는 강희맹이 대답한 것과 같지 않았습니다. 그러기에 신 등이 (당시에) 지공(支供)하였던 장부를 가져다 보니, 진휼사(賑恤使)·도사(都事)·찰방(察訪) 세 행차의 인원과 마필을 합하여 계산하여야 최철관의 보고한 숫자와 같습니다. 다만 우구(雨具)를 실은 말 1필이 그 수의 밖이었습니다. 신 등이 여기에 의거하여 다시 최철관에게 물었으나, 최철관이 사실대로 대답하지 않았습니다. 이것이 실지로 최철관이 사휼하다는 부분입니다. 그리고 강희맹도 찰방을 인솔하여 피폐한 고을에 유숙하였으니, 이것도 죄가 없다고 하지 못하겠기에 죄주자고 청한 것입니다. 신 등이 어찌 집의 (강귀손) 때문에 사정에 끌려서 청하였겠습니까?"

승정원에 전교하였다.

"나의 뜻은 최철관이 우연히 말한 것이지 어찌 진휼사를 해치려고 한 것이겠는가? 그리고 또 진산(晉山)이 찰방을 뒤에 떨어지라고 하였는데도 찰방이 억지로 따라갔으니, 이는 찰방의 죄이다. 그러니 어찌 그들을 모조리 추국하지 않느냐?"(줄임)

집의 **강귀손**이 와서 아뢰었다.

"신 때문에 동료들이 모두 추국을 당하는데, 신이 홀로 직사에 나아가는 것은 마음에 참으로 편치 못합니다."

전교하였다.

"이것은 그대에게 관계된 것이 아니다. 그러니 피혐(避嫌)하지 말라."

3월 5일

집의 **강귀손**이 와서 아뢰었다.

"신이 어제 두 번이나 사직을 청하였어도 아직 윤허를 얻지 못하였기에 억지로 직사에 나오고 있습니다만, 그러나 신의 일로 하여 동료들이 모두 추국을 당하는데 신이 홀로 직사에 나오는 것은 마음에 매우 편치 못합니다."

전교하였다.

"집의가 굳이 말하니, 그를 갈도록 하라."

3월 12일

후원에 나아가서 문신들이 활 쏘는 것을 구경하였다. (줄임) 드디어 이조판서와 병조판서를 불러서 헌부의 관리들을 개차(改差)하라고 명하였다. 그러나 집의 **강귀손**만은 갈지 말게 하였다.

3월 25일

경연에 나아갔다. 강하기를 마치자, 집의 **강귀손**이 아뢰었다.

"이제 들으니, '역과(譯科)에 합격된 자는 문과·무과의 과거 사례에 준하여 서용(敍用)하는 절목(節目)을 해조(該曹)에서 의논하여 아뢰라.' 하셨습니다만, 신 등의 소견으로는 미편(未便)하다고 여깁니다. 역관을 권장하고 격려함이 마땅히 이렇게 중하게 할 수는 없습니다. 황중·장유성 같은 자를 탁용하여 2품에까지 이르게 한 것은 그 권장하고 격려

함이 너무 지극합니다."(줄임)

임금이 말하였다.

"아직 정하지 아니한 것이다. 마땅히 의논하여 처리하겠다."(줄임)

강귀손이 말하였다.

"진휼사에게 맡겨버리기 때문에 관찰사들이 흉년 구제하는 일을 돌보지 아니합니다."

임금이 말하였다.

"진휼사가 있기 때문에 관찰사가 창고의 것을 마음대로 꺼내지 못한다."

강귀손이 말하였다.

"신 등이 들으니 평안도 관찰사 신정이 도토리 20만 석을 얻었다고 아뢰었습니다. 그렇다면 이것으로써 흉년을 구제할 수 있겠으니, 진휼사를 따로 보내지 말고 전적으로 신정에게 흉년 구제하는 일을 맡기도록 하소서."(줄임)

강귀손이 또 아뢰었다.

"한존의라는 자가 아침에 옷을 입고 나갔다가 저녁에는 벗고 돌아왔습니다. 날마다 그러하기에 그의 부모가 근심하여서 뒤를 따라가 보았더니, 쌍불(雙不) 도박을 하는 것이었습니다. 본부에서 이를 듣고 그 무리들을 잡아다가 추국을 하였는데 거의 40여 인이나 됩니다. 율문에는 '다만 장물(贓物)이 드러난 것만 거론한다.' 하였습니다. 그러나 신 등이 들건대, 세종조에 이와 같은 사람은 모두 유방(流放)시켜 엄하게 금지하였다 하니, 조종조(祖宗朝)에 의거하여 엄히 징계하게 하소서."(줄임)

임금이 물었다.

"이제 이미 죄를 자복한 자가 몇 사람이 되느냐?"

강귀손이 말하였다.

"14인입니다."

임금이 말하였다.

"그렇다면 다만 이 사람들만 죄주는 것이 좋겠다."

쌍불이란 것은 방언(方言)인데 그 놀이 방법이 장구(藏鬮)와 비슷하다.

4월 5일

경연에 나아갔다. 강하기를 마치자, 집의 **강귀손**이 아뢰었다.

"신정이 범한 바가 가볍지 않습니다. 그런데 잡아 오지 말라고 명하시니, 미편(未便)합니다."

임금이 좌우를 돌아보며 묻자, 영사(領事) 이극배가 대답하였다.

"신은 이 일을 듣고 놀라움을 금하지 못하였습니다. 무릇 위조하는 일은 서인(庶人)의 무지한 자라도 감히 하지 못할 일인데, 더구나 대신이겠습니까? 대간(臺諫)의 말이 매우 옳습니다."

임금이 말하였다.

"내가 차첩(差帖)을 보니 위조한 것이 현저하였다. 다만 신정의 소행인지는 알 수 없다. 과연 신정의 소위라면 그 죄가 가볍지 않다. 대저 위조하는 일은 무지하고 용렬한 사람도 오히려 할 수 없는 일인데, 더구나 대신으로서 하였다면 어찌 대신이라고 일컬으며 조정의 반열에 설 수 있겠는가? 그를 잡아오지 말라고 한 것은 신 정승(申政丞)의 아들이고 또 대신이기 때문이다. 그가 올라오면 진위를 알 수 있을 것이다."

강귀손이 또 아뢰었다.

"선종 판사(禪宗判事)인 중[僧] 내호(乃浩)가 다른 중에게 피소(被訴)되었으므로, 본부에서 국문하였더니, 그 가운데에 허위인 것도 있고, 혹은 의심할 만한 일도 있었습니다. 그가 제자들을 거느리고 사당(社堂)

에 왕래한 일은, 비록 '간음하였다고 지칭하는 것은 불문에 붙인다.'는 율(律)에 구애되기는 하나, 중의 도리에 불가합니다. 신 등이 대면하여 국문하니, 혹은 자복하기도 하고 혹은 숨기기도 합니다. 어떻게 처리하면 좋겠습니까?"

임금이 말하였다.

"대비전(大妃殿)에서 하교가 있었으므로 판사(判事)로 임명하였는데, 그 당자를 추포(追捕)하여 추국(推鞫)하는 것이 법의 규정이 있는가?"

강귀손이 아뢰었다.

"《대전(大典)》에 '중[僧人]은 바로 추문(推問)한다.'고 하였으므로, 이와 같이 하였습니다." (줄임)

임금이 말하였다.

"비록 모반 대역의 죄는 아닐지라도, 만약에 국가에 관계되는 범죄라면 장래를 염려해야 할 것이니, 가볍게 논할 수 없다. 그러나 마땅히 여러 사람의 의논을 널리 채택해야 할 것이다. 대간(臺諫)의 의사는 어떠한가?"

강귀손이 아뢰었다.

"전라도의 풍속이 본래 사납고 악하여서, 노비가 주인을 살해한 자도 있습니다. 그러므로 사형이 이 도에서 많이 나오게 되니, 중죄로 논하는 것이 옳을 것 같습니다."

4월 14일

경연에 나아갔다. 강하기를 마치자, 대사간 강자평과 집의 **강귀손**이 이계동을 석방하는 것이 마땅치 않음을 논하니, 임금이 말하였다.

"이계동은 경자년에 부처(付處)되어 지금 3년이 되었으니, 속히 석방하였다고 말할 수 없다."

강귀손이 아뢰었다.

"옛날에 이숙번은 원훈(元勳)으로 죄를 지었어도, 오히려 공적(功籍)에서 삭제하고 종신토록 서용하지 않았습니다. 이계동의 불경한 죄가 어찌 이숙번의 죄만 못하겠습니까? 그런데도 지금 석방하였으니 이계동만이 스스로 경계되지 않을 뿐만 아니라, 사람들이 장차 징계되는 바가 없을 것입니다."

그러나 들어주지 않았다. (줄임) **강귀손**이 아뢰었다.

"《대전(大典)》에 '내관(內官)의 벼슬은 종 2품에 지나지 못한다.'고 하였으니, 자헌대부(정2품)는 내관의 분수가 아닙니다."

임금이 말하였다.

"통정대부(通政大夫) 이상은 모두 특지(特旨)이다. 어찌 분수 안의 일이겠는가?" (줄임)

강귀손이 또 아뢰었다.

"근자에 '의원(醫員)과 역자(譯者)로서 그 업(業)에 정통한 자는 동·서반(東西班)에 탁용하라.'고 특별히 명하셨으므로, 신 등이 외람하다고 하여 여러 번 진청(陳請)하였으나, 윤허를 얻지 못하여 실망됨을 이기지 못하겠습니다."

임금이 말하였다.

"의술과 역학은 모두 나라의 대사이다. 지금 대비께서 편안치 못하신데, 나라에 좋은 의원이 없으니 내가 매우 한스럽다. 평시에는 사람들이 모두 의원을 천하게 여기다가도 병이 들면 모두 급급하게 의원에게 의지하여 살기를 구하니, 그 임무가 가벼운 것인가? 그리고 역학(譯學)은 교린(交隣) 사대(事大)하는 데 있어서 그 임무가 지중하다. 여진

통사(女眞通事)는 내가 알지 못하나, 왜 통사(倭通事)에 만약 서인달(徐仁達)이 없다면 누구에게서 배우겠는가? 한어(漢語)는 김자정(金自貞)과 지달하(池達河)·장유성(張有誠)·황중(黃中) 이외에는 사람이 없다. 그러나 장유성과 황중은 글자를 알지 못한다. 만약에 장관이 나온다면 누가 능히 문자(文字) 간의 말을 알아듣겠는가? 이것이 내가 (그들을) 탁용하여 장려해서, 그 업에 정진하게 하려는 것이다." (줄임)

강귀손이 아뢰었다.

"습독관(習讀官)과 강이관(講肄官)에게 연소한 사람들을 택하여서 가르치게 하면, 사람들이 모두 성상께서 장려하시는 뜻을 알게 될 것이니, 누가 감히 그 업에 정진하지 않겠습니까?"

그러나 임금이 들어주지 아니하였다. 이어 하교(下敎)하였다. (줄임)

강귀손이 아뢰었다.

"전하께서 불교를 좋아하지 않는 것을 누가 모르겠습니까? 그러나 뒷사람들이 전지(傳旨)를 보게 되면 어찌 의심하지 않겠습니까?"

임금이 말하였다.

"그것을 빨리 거두어 들여서 불살라버리도록 하라."

시독관(侍讀官) 김흔이 아뢰었다.

"중의 일로 인하여 전지를 내리는 것은 온당치 않습니다."

임금이 말하였다.

"비록 그러하나, 전지의 뜻을 알게 하지 않을 수 없으니, 해사(該司)에 승전(承傳)하는 것이 가하다."

강귀손이 아뢰었다.

"승전과 전지가 무엇이 다르겠습니까?"

임금이 말하였다.

"그러면 승전하지 말고, 전지의 뜻을 해사(該司)에 알리는 것이 가하다."

4월 19일

영돈녕(領敦寧) 이상과 육조·대간(臺諫)을 모아, 신정을 형신(刑訊)할 지의 가부를 의논하게 하였다.

(줄임) **강귀손** (줄임) 등이 의논하였다.

"신정이 범한 간사한 죄는 전고에 없었던 일이며, 사증(辭證)이 명백 하여 하나도 의심할 여지가 없습니다. 조정을 더럽혀 욕되게 함이 이보 다 심한 것은 없습니다. 죄상(罪狀)이 드러나고 사리가 변명할 여지가 없으니, 마땅히 사실을 고백하여 자복해야 할 것인데, 지금 마침내 뻔 뻔스런 낯으로 변명을 하여 거듭 성상의 총명을 속이려고 하므로, 간사 함이 더욱 심합니다. 형신(刑訊)을 가하는 것이 마땅합니다. 차첩(差帖) 의 필획(筆畫)이 이미 김기야가 쓴 것이 아니니, 반드시 쓴 자가 있을 것입니다. 즉시 신정이 손수 쓴 글씨를 가져다가 서로 비교해 보면 간 교한 것이 저절로 드러날 것이며, 인신(印信)을 위조한 것도 다른 말 없 이 자복할 것입니다."

4월 22일

강희맹과 허종·조익정이 의논하였다.

"신정이 행한 짓은 더럽기가 더할 수 없습니다. 신정을 위한 계책은 마땅히 자결(自決)하여 성조(聖朝)에 사죄해야 할 것인데, 또 간사하게 거짓말을 꾸며서 상소하여 스스로 변명을 하여 거듭 성감(聖鑑)을 속이 고, 내신(內臣)을 보내어 친문할 때에도 마땅히 실정을 모두 자백해야 할 터인데, 오히려 굳이 숨기고 자복하지 않았으니, 죄악이 하늘에 찼습니다. 성상께서 비록 너그럽게 용서하신다 하여도, 장차 무슨 낯으로 다시 사람의 세상에 설 수 있겠습니까? 그러나 여러 번 대사(大赦)가 지났으니, 사형에 처할 수 없습니다. 마땅히 사약을 내려 자진(自盡)하게 하고, 그 자손을 금고(禁錮)하며, 공신록(功臣錄)에서 삭제하는 것이 어떻겠습니까?"(줄임)

강귀손 (줄임) 등이 의논하였다.

"율문(律文)에 '인신 위조(印信僞造)'와 '사위 제서(詐僞制書)'·'투획 압자(套畫押字)' 등의 조문이 있는 것은 오로지 세민(細民)의 간사하고 무식한 자를 위하여 설정한 것이며, 이와 같은 죄를 범하고도 용서받는 것 또한 이 같은 사람들을 대우하는 것입니다. 재상이 이와 같은 죄를 범한 일은 옛날에도 없었는데, 지금 신정이 이러한 죄를 모두 범하여, 아래로는 조정을 욕되게 하고 위로는 성명(聖明)에 누를 끼쳤습니다. 죄가 이미 상례(常例)가 아닌 데에서 나왔으니, 상사(常赦)의 예를 적용할 수 없습니다. 그런데도 오히려 상소하고 억지로 변명하여 거듭 성명을 속였으니, 죄를 용서할 수 없습니다. 한결같이 율문(律文)에 의거하여 시행하는 것이 마땅합니다. 그리고 금부에서 죄를 청하지 않는 것은, 이것이 비록 관례에 따른 일이긴 하나, 사죄(死罪)를 결정하는 것이므로 반드시 범죄 절차를 자세히 물었어야 할 것입니다. 김기야로 하여금 인신(印信)을 위조하게 하고 불태우게 하였다는 등의 일은, 이것이 모두 거짓으로 꾸며서 한 말인데, 끝까지 추문(推問)하여 실정을 얻어내지 아니하고 고신(拷訊)을 가하기를 네 차례에서 그쳤습니다. 그리고 차첩(差帖) 3장은 하루에 만든 것이 아니니, 이와 같은 반인(伴人)이 세 사람뿐만이 아닐 것입니다. 사유(赦宥)후에도 계속해서 이 인(印)을 사용한 것이 분명합니다. 이 또한 끝까지 추문하지 않았으니, 다시 추궁

하여 실정을 알아내게 하고, 아울러 금부의 관리도 추문하는 것이 어떻겠습니까?"(줄임)

전교하였다.

"지금 죽이고 안 죽이는 것은 결단코 나의 마음에 달려 있으나, 큰일을 결단하는 데 있어 급히 할 수 없는 것이다. 옛말에 '선갑삼일 후갑삼일(先甲三日後甲三日), 선경삼일 후경삼일(先庚三日後庚三日)'이라고 하였다. 내가 마땅히 상량(商量)하여 처리할 것이다. 이와 같은 큰 일은 마땅히 정승들을 친히 만나보고 의논하여 결단해야 할 것이나, 마침 내가 더위 증세가 있어서 관대(冠帶)를 띨 수 없기 때문에 그렇게 하지 못하였다."

4월 29일

경연에 나아갔다. 강하기를 마치자, 집의 **강귀손**과 사간 김여석이 아뢰었다.

"신정(申瀞)이 차첩(差帖)을 위조한 것을 병조에서 이미 거짓인 것을 알고 있으며, 반인(伴人)들도 이미 신역(身役)을 정하였는데 차첩은 내버려둔 채 묻지 않고 있으니 반드시 까닭이 있을 것입니다. 청컨대 이를 국문하게 하소서."

임금이 좌우에게 물으니, 영사 정창손·지사 이극증이 대답하였다.

"대간의 말이 옳습니다."

임금이 말하였다.

"국문하라."

5월 8일

경연에 나아갔다. 강(講)하기를 마치자, 집의 **강귀손**·사간 김여석이 아뢰었다.

"신(臣) 등이 한치례과 이효백을 추국할 것을 청하였으나 윤허를 받지 못하니, 실망함을 이기지 못하겠습니다."

임금이 좌우에게 물으니, 영사 정창손이 대답하였다.

"대간(臺諫)의 말이 옳습니다. 그러나 효백의 일은 대체(大體)에는 관계되지 않습니다."

임금이 말하였다.

"신종군은 특히 잘못 생각해서 망령된 짓을 한 것이지, 무군(無君)의 마음이 있어서 그렇게 한 것은 아니니, 비록 국문한다고 하더라도 또한 어떻게 죄주겠는가? 한치례도 또한 이미 자복하였으니, 다시 묻는 일이 없게 하라."

강귀손이 다시 청하였으나, 들어주지 아니하였다. **강귀손**이 또 아뢰었다.

"요즘 비가 내리지 아니하여 조금 가문 기운이 있으니, 병 술[甁酒]을 가지고 다니는 것을 모두 금하게 하소서."

임금이 말하였다.

"병 술을 금한다는 것은 외쇄(猥瑣)한 듯하다. 만약 병구완에 약으로 먹는 자가 있으면, 이를 금하는 것이 마땅치 못할 것이다."

강귀손이 말하였다.

"혹 사후(射侯)를 일컫거나, 혹 복약(服藥)을 일컫는다면, 비록 백 병을 가지고 다니더라도 이를 금하기는 어려울 것입니다."

임금이 말하였다.

"그렇다면 양맥(兩麥)이 익을 때까지를 한정하여 이를 금하게 하라."

5월 10일

사헌부 집의 **강귀손** 등이 와서 아뢰었다.

"전 병조판서 유지(柳輊) 등과 전 참지(參知) 김세적의 죄를 다만 시추(時推)로써 조율(照律)하라고 하셨는데, 김세적이 체임된 것은 사유(赦宥) 전에 있었던 것을 그릇되게 사유(赦宥) 후로써 조율하였습니다. 청컨대 고쳐서 조율하게 하소서."

전교하였다.

"홍정승의 의논한, '응주불주조(應奏不奏條)와 경사조(經赦條)'에 의하여 다시 조율해서 아뢰라."

6월 2일

경연에 나아갔다. 강하기를 마치자, 집의 **강귀손**과 사간 김경조가 손계량의 직임을 갈도록 청하니, 임금이 말하였다.

"대저 기예(技藝)가 있다고 하더라도 심술(心術)이 바르지 못하면 장차 어떻게 쓸 것이며, 만일 정대하다고 하면, 재주가 모자란다는 것으로써 버리는 것은 옳지 않은 것이다. 그렇기 때문에 여러 대신들에게 의논하도록 하였더니, 혹은 시험해 보고서 그만두게 하는 것이 옳다고 해서 바꾸지 않은 것이다."

강귀손이 말하였다.

"사람을 쓰는 데에는 마땅히 그 심술을 취해야 할 것입니다. 그러나 무재(武才)를 갖추지도 아니한 자를 장수로 삼는 것은 옳지 않습니다. 지금은 국가가 승평(昇平)하지만 뜻밖의 변란을 또한 염려하지 않을 수 없습니다. 이제 손계량은 연로하여 비록 시험해 본다 하더라도 장래의 기대가 없습니다. 전일에 성상께서 여러 사람의 의논을 물리치고 신정(申瀞)을 썼지마는, 신정은 마침내 그 간술(奸術)을 덮어두지 못했습니다. 신 등이 아뢰는 바는 신 등의 사의(私議)가 아니고, 역시 공의에서 나온 것입니다. 어찌 반드시 손계량에게만 절도(節度)의 직임을 맡기는 것이 옳겠습니까?"

임금이 말하였다.

"신정을 시험해 보았더니, 과연 심술이 바르지 못하였다. 그렇기 때문에 죄준 것인데, 어찌 아직 시험도 해 보지 않고서 미리 그 옳지 못함을 헤아리겠는가? 한갓 재주가 모자란다는 것으로써 가볍게 버리는 것이 어찌 사람을 쓰는 도리라 하겠는가?"(줄임)

강귀손이 말하였다.

"부녀와 유생이 절에 다니는 것은 율(律)이 같은데, 유생에게만 죄를 가했으니, 그렇다고 하면 부녀가 절에 다니는 것이 도리어 유생이 절에 다니는 것보다 가볍다는 것입니까? 근일에 광동(狂童)들이 우연히 원각사에 들어갔다가 잠시 중 학조(學祖)를 때렸다고 하는데, 이 중을 위하여 유생에게 과거 응시를 정지 시키는 것이 가하겠습니까?"

임금이 말하였다.

"그 중을 위해서 전지를 내린 것이 아니다. 법을 범하는 자가 많으면 금제(禁制)를 엄하게 하지 않을 수가 없는 것이다."

6월 20일

경연에 나아갔다. 강하기를 마치자, 집의 **강귀손**이 아뢰었다.

"봉사온(奉斯溫)이 사덕(四德)을 첩이 낳은 것이라고 하지 않았는데,

다만 봉장(奉璋)과 김숭신 및 신씨의 말만으로 첩이 낳은 것으로 논하는 것은 온당치 않습니다."

임금이 말하였다.

"내가 장차 다시 의논하겠다."

윤8월 28일

영안도 관찰사(永安道觀察使) 정문형과 북도 절도사(北道節度使) 박성손에게 글을 내렸다.

"지금 경차관(敬差官) **강귀손**을 보내니, 사목(事目)에 의거하여 조치하라."

가지고 간 사목에 이렇게 썼다.

"1. 부령(富寧)에 귀화한 자들이 그 조부 때부터 오랫동안 경내에 살고 있었는데, 근자에 서로 이어 도망해 옮겨 가므로, 아직까지 남아 거주하고 있는 자들도 편안히 생업에 종사하지 아니하고 모두 (이리할까 저리할까) 망서리는 마음을 품고 있다. 지금 그들 가운데에서 시위(侍衛)할 만한 자를 가려서 겸사복(兼司僕)으로 임명하여, 그들로 하여금 조정에서 시위하게 해서 그들의 마음을 진정시켜 달래려고 한다. 그러나 저들이 도망해 간 처음에 갑자기 이같은 의논을 일으키면, 저들이 반드시 생각하기를, '국가에서 우리를 의심하고 두려워하여 이같은 것이다.'고 하고, 뒤에 마음에 맞지 않는 것이 있으면, 저들이 반드시 이것을 빙자하여 도리어 공갈할 계책을 품을 것이니, 경은 이 뜻을 잘 알아서 형적을 드러내지 말고, 시위(侍衛)에 마땅한 자를 추후(追後)하여 간택해서 올려 보내되, 마치 일찍이 조명(朝命)을 받고도 적당한 사람이 없어서 아직 천거하지 못한 것처럼 말을 하라. 그러나 이 일은 다만 저들로 하여금 듣게만 할 뿐이고, 자세하게 개유할 필요가 없다."

1483년
2월 18일
의정부 좌찬성 강희맹이 졸하였다. 철조(輟朝)·철시(輟市)하고 부의(賻儀)를 내리고 조제(弔祭)하고 예장(禮葬)하기를 전례와 같이 하였다. 강희맹의 자(字)는 경순(景醇)이며 진주 사람이고 지돈녕부사 강석덕의 아들이다. 성품이 총명하고 슬기로우며, 독서를 좋아하여 한 번 보면 곧 기억하곤 하였다. (줄임)

강귀손과 강학손 두 아들이 있는데, **강귀손**은 기해년(1479) 과거에 합격했다. 임금이 강희맹의 문장을 소중히 여겨 그 시문을 차례로 엮어서 책을 만들기를 명하니, 《사숙재집(私淑齋集)》약간 권이 세상에 전한다. 시호를 문량(文良)이라 하였으니, 학문을 부지런히 하고 묻기를 좋아함이 문(文)이고, 온순하고 늘 즐거워함이 양(良)이다.

1486년
12월 3일
강귀손·남계당·경임·이증문을 겸 사헌부 집의(兼司憲府執義)로 (줄임) 삼아서 8도(道)에 나누어 보냈다.

1487년
2월 19일
경연에 나아갔다. 강하기를 마치자, 특진관 김승경이 아뢰었다.
"남양의 대부도, 강화의 보음도 등지에 둔전(屯田)을 두는 것이 적당한지의 여부를 단지 사복시 정(司僕寺正) **강귀손**만 보내어 살펴보게 하였는데, 이같은 연혁의 중대한 일은 홀로 보낼 수 없습니다. 청컨대 사복시 제조(司僕寺提調)·호조 당상(戶曹堂上)·경기감사와 더불어 일시에 살펴서 정하도록 하소서. (줄임)"

임금이 "그 말이 옳다."고 하였다.

1488년
윤1월 25일
이조와 병조에 전지(傳旨)하였다.

" (줄임) 친경(親耕) 때 좌통례(左通禮) 윤탄, 우통례(右通禮) 허계, 사복시 정(司僕寺正) **강귀손** (줄임) 등은 대가(代加)하고, 친사(親祀) 때 단하 집례(壇下執禮) 정회, (줄임) 찬인(贊引) 강학손 (줄임) 등은 각각 1자급(資級)을 더하라."

7월 7일
정사를 보았다. (줄임) 사복시 정(司僕寺正) **강귀손**이 형조에서 삼복(三覆)한 계본(啓本)을 가지고 아뢰었다.

"성주 죄수인 김말동이 백인형을 죽이려고 꾀한 죄는, 율이 교대시(絞待時)에 해당합니다."

모두 그대로 따랐다.

1492년
10월 5일
강귀손을 통정대부 장례원 판결사(掌隸院判決事, 정3품)로 (줄임) 삼았다.

1493년

5월 19일

강귀손을 통정대부 홍문관 부제학(弘文館副提學, 정3품)으로 (줄임) 삼았다.

윤5월 2일

홍문관 부제학 **강귀손** 등이 와서 아뢰었다.

"도총관(都摠管)이 정성근에게 보복한 일을 이미 추핵(推覈)하도록 허가하고 얼마 안되어 논하지 말라고 명하셨습니다. 사헌부에서 다시 죄줄 것을 청한 것은 마땅한데, 일을 말하였다 하여 가벼이 대관(臺官)을 가는 것은 사체(事體)에 해가 됩니다."

어서(御書)로 말하였다.

"지금 대관을 간 것이 어찌 사체에 해가 되는가? 그대들이 일의 본말을 깊이 구명하고 정상의 편정(偏正)을 상세히 알아본다면, 내 마음이 향한 바를 스스로 알 수 있을 것이다."

강귀손 등이 또 아뢰었다.

"도총관 등은 정성근이 자기의 일을 말하였기 때문에 정성근의 잘못을 적발하여 상달하기까지 하였습니다. 그 보복한 정상이 이미 드러났으므로 대관이 거론하여 탄핵하였으니, 그 뜻은 조신(朝臣)들이 서로 반목하는 풍습을 바로 잡으려는 것에 지나지 않을 따름이고 치우친 바가 있는 것이 아닙니다. 그런데 이제 총관의 죄를 풀어 주고 도리어 일을 말한 사람을 갈았으니, 어찌 사체에 방해가 되는 것이 아니겠습니까? 원컨대 깊이 유념하소서."

그러나 들어주지 않았다.

윤5월 2일

홍문관 부제학 **강귀손** 등이 차자(箚子)를 올려 아뢰었다.

"대관(臺官)이 총관(摠管)을 규핵(糾劾)한 것은 참으로 공의에 부합합니다. 그러나 총관들은 정성근이 자기들의 숨은 일을 드러낸 것을 매우 원망하여 마음속으로 보복할 생각을 품고 기묘한 계책으로 중상하려고 겉으로는 피혐하는 말을 하는 체하여 성상께서 묻기를 기다려서 발설하였으니, 음모의 몹시 간사함을 저들이 어떻게 숨길 수 있겠습니까? 또 그 반압(反壓)한다는 말을 마음속에 간직해 두었다가 입밖에 냈는데, 성상의 물음에 대답하게 되어서는 도로 숨기고 사실대로 아뢰지 않았으니, 그 보복한 정상과 기망한 죄는 참으로 성감(聖鑑)을 피하기 어렵습니다. 원한이 있어 반드시 보복하는 것은 잗단 용부(庸夫)도 부끄러워하는데, 더구나 식육(食肉)하는 자이겠습니까? 전대를 두루 보건대 간사한 소인이 어리석은 임금을 만나서 몰래 남을 중상하는 일은 있었으나, 성명(聖明)한 세상에서 버젓이 모함하여 꺼리는 바가 없는 것이 이토록 지극하였다는 말은 듣지 못하였습니다. 대관이 반복하여 계청하여 반드시 죄주려는 것이 어찌 공론에 맞지 않겠습니까? 그 시비와 사정(邪正)이 분명한데도 전하께서는 총관을 놓아 주고 말한 자를 가셨으니, 신들은 이제부터 조정에서 서로 양보하는 풍습이 사라지고 서로 반목하는 버릇이 자라나며, 대간의 간쟁하는 길이 막히고 간사한 자의 교묘한 계책이 득의할까 염려스럽습니다. 빨리 성명(成命)을 거두어 대관을 갈지 마소서. 그러면 공도(公道)가 매우 다행하겠습니다."

윤5월 11일

경연에 나아갔다. 강하기를 마치자, 대사헌 성현·대사간 이덕숭·참찬관(參贊官) **강귀손**이 총관들의 죄를 다스리기를 청하고 또 이극배 등이 고문(顧問)에 응대하지 않은 죄를 논하였으나, 모두 들어주지 않았다. 또 아뢰었다.

"성상께서 날마다 경연에 납시고 감히 한가히 쉬지 않으시는데, 특진관(特進官) 여자신·윤은로는 서로 병을 핑계하고 끝내 입시하지 않습니다. 경연에 입시하는 것은 은수(恩數)에 관계되는데도 여자신 등이 이렇게 하는 것은 매우 옳지 않으니, 청컨대 국문하소서."

임금이 말하였다.

"내가 듣건대 여자신·윤은로는 다 병이 있어서 들어오지 못한다 하는데, 만약 경의 말과 같다면 과연 죄가 있으니, 국문하라."

윤5월 11일

주강(晝講)에 나아갔다. 참찬관 **강귀손**이 아뢰었다.

"왜인(倭人)이 왕래할 때에 여러 고을에 오래 머물므로 그 폐단이 적지 않은데, 이것은 오로지 향통사(鄕通事)가 사주하기 때문입니다. 신이 듣건대 접때 왜인이 상주(尙州)에 이르렀을 때에 향통사가 욕심대로 되지 않은 것에 노한 나머지 왜인을 격분시켜 노하게 만들어, 왜인이 촌가에 나가 잤으므로 백성의 살림이 가난한 것을 자세히 알았고, 또 사관(舍館)에 소장한 물건을 훔쳤다 하니, 나라의 체모를 크게 잃은 것입니다. 청컨대 이제부터는 연로(沿路)의 수령을 시켜, 어느 통사가 어느 왜인을 거느리고 어느 고을에 이르러 며칠 동안 머물렀다고 벌여 적어서 감사에게 신보(申報)하여 감사가 아뢰게 하소서. 그러면 이 폐단이 없어질 듯합니다."

임금이 "좋다."고 말하였다.

6월 1일
강귀손을 통정대부(通政大夫) 이조참의로 (줄임) 삼았다.

7월 6일
병조(兵曹)에서 아뢰었다.

"서북면 도원수 이극균이 계달한 가운데, '지금 새로운 군적 사목(軍籍事目)에 조군(漕軍)과 수군(水軍) 자손은 비록 다른 역(役)에 속하였다 하더라도 《대전(大典)》에 의하여 대대로 그 직업을 전하게 하였으나, 이 법은 단지 을사년(1484) 《대전》에만 기록되었고 이전의 《대전》에는 기록되지 아니하였기 때문에 수군 자손들은 으레 육군에 속하여 3,4품 벼슬에 임명되는 데 이른 것이 병오년(1485) 군안(軍案)에 기록되어 있는데 이제 하루아침에 모두 뽑아다 억지로 수군(水軍)으로 정하면 억울하고 민망함이 이보다 더 심할 수 없습니다.'라고 하였습니다. (줄임) 만약 을사년으로써 한정하여 과람하게 육군에 붙이고 갑자기 세전(世傳)의 법을 폐하면 제도(諸道)에서 모두 그 예를 따르게 되어 지극히 시끄러울 것이니, 수군을 채워 정하기가 어려울 것입니다. 거행하지 말기를 청합니다." (줄임)

강귀손 등이 의논하였다.

"수군이 대대로 그 직업을 전하는 의논이 병조와 노사신의 아뢴 바가 같지 않은데, 노사신이 '세(世)' 자(字)의 뜻을 풀이한 것은 근거가 있습니다. 그러나 국가에서 대대로 전하게 하는 법을 세운 것은 바로 수군을 충실하게 하려는 본의이므로 아마도 병조에서 아뢴 바가 옳을 듯합니다. 하지만 수군에서 육군으로 이속(移屬)하여 벼슬이 3,4품에 이른 자는 역시 관에서 임명한 것이며 애초에 법을 어기고 몰래 취득한 것이 아닌데, 이제 다시 억지로 수군으로 돌려보내면 백성을 속이는 것뿐만 아니라 인정에 크게 놀랄 만한 것입니다. 신 등은 생각하기를, 이미 육군에 속하여 벼슬을 받은 자는 예전대로 두어야 한다고 여깁니다." (줄임)

전교하였다.

"비록 대대로 전하는 것이라고 하더라도 단지 아비가 죽으면 아들이 이을 뿐이다. 전에 벼슬이 3,4품에 이른 자를 이제 모두 선군(船軍)으로 정할 수는 없다. 가령 한 선군의 아들이 비록 열 사람에 이를지라도 모두 선군으로 정하겠는가? 이제 좌의정의 의논을 보니, 너무나 옳다."

8월 15일

중추부 도사(中樞府都事) 강재명이 상소하여 그 아들 강수인의 억울함을 소송하였는데, 영돈녕(領敦寧) 이상에게 의논하기를 명하니 (줄임) **강귀손**이 의논하였다.

"강수인의 옥사는 간증(干證)으로써 형신(刑訊)을 받은 것이 한 번이 아니고, 10차례에 이르렀는데도 다른 말이 없으니, 매우 의심스럽습니다. 만약 강수인의 뇌물을 받아서 덮어 숨기고 말하지 않았다면, 사람이 작은 일에 남의 뇌물을 받고 서로 비호하는 자가 있겠습니까? 하물며 허영(許瑛)은 사대부의 아들인데 재물로써 유인할 수 있겠습니까? 그 추안(推案)을 보고 사정을 참작하건대, 아마도 억울함이 있을까 합니다."

어서(御書)에 말하였다.

"여러 의논을 보건대, 모두 옳다. 옥사는 끝이 없는데 만약 지나치게 찾아 구하면 혹시 그릇됨에 이를 것이니, 버려두는 것이 가하다."

9월 23일

병조에서 영안북도 절도사 원중거의 계본에 의거하여 아뢰었다.

"피인(彼人, 여진족)들이 스스로 서로 공격하는 것은 비록 항상 있는 일이나, 서로 보복할 때에 틈을 타서 속이고 노략질을 할 염려가 없지 않으니, 방비하는 모든 일을 마땅히 신칙하여 임기 응변하게 하소서."

(줄임) **강귀손**·김무·박원종이 의논하였다.

"올적합(兀狄哈)은 본래 성밑의 야인(野人)과 틈이 있었는데, 신해년 (1491)의 입정(入征)부터 그 원한이 더욱 깊어져 부락을 침략하는 것이 거의 빈 달이 없으나 성밑의 야인이 가히 더불어 겨루지 못하는 것은 참으로 강약의 형세가 같지 않기 때문입니다. 만약 남는 힘이 있어서 보복할 수 있다면 어찌 조정의 상전(賞典)을 기다리겠습니까? 우리나라 는 큰 무리를 움직여 깊이 오랑캐 땅을 유린하여 위력을 보였으니, 또 한 족히 그들의 심담(心膽)을 두렵게 하였던 것입니다. 그런데 또 소추 (小醜)의 힘을 빌어 조그만 공을 이루고자 한다면 비단 스스로 도량이 크지 못함을 보일 뿐 아니라, 족히 저들에게 원한을 불러일으키기에 알맞을 것이니, 끝내 군사를 쉬게 할 날이 없을 것입니다. 만약 노략질 당해 간 인물을 능히 쇄환하게 하는 자가 있다면 저절로 그 상이 있을 것이니, 허종의 계책은 아마도 시행하지 못할 듯합니다."

"그렇다."고 전교하였다.

10월 16일

승정원에 전교하였다.

"문소전의 지붕을 고칠 때에 신위판(神位板)을 앞뒤의 전(殿)에서 서로 옮겨서 모실 것인가, 옛 동궁에 옮겨 모실 것인가? 영돈녕(領敦寧) 이상과

의정부·육조·대간·홍문관의 관원을 불러서 이를 의논하게 하라."

강귀손 (줄임) 등이 의논하였다.

"앞뒤 전(殿)이 상거가 매우 가까우니, 이제 지붕을 고치면서 비록 서로 받들어 옮겨 모신다 하더라도 역도(役徒)가 많아서 형세가 반드시 시끄러워 아마도 신도(神道)가 고요함을 숭상하는 뜻에 어긋날 듯합니다. 다른 전(殿)으로 받들어 옮기는 것이 적당하겠습니다."

전교하였다.

"지금 정 이상(鄭二相)의 의논을 보건대, 지붕을 고치지 않는 것이 마땅하다고 하였으니, 이를 다시 여러 재상(宰相)들에게 묻도록 하라." (줄임)

강귀손 (줄임) 등이 의논하였다.

"지붕을 다시 고치지 않는 것이 적당합니다."

전교하였다.

"이는 큰 일이므로 마땅히 참작하고 헤아려서 해야 할 것이다."

10월 22일

경상도 울산 병영(兵營)을 옮기는 것이 적당한지 아니한지를 의논하게 하였다. (줄임) 허종이 의논하였다.

"대장이 있는 곳이 저 사람들의 사는 곳과 너무 가까우면 허실(虛實)과 동정(動靜)을 저들이 반드시 알 것입니다. 그러나 영진(營鎭)을 옮기는 것은 작은 일이 아니므로 가볍게 거행할 수 없으니, 후일에 대신을 위임해 보내어 옮길 만한 곳을 살펴보게 하여 옮겨 설치하도록 하는 것이 어떻겠습니까?" (줄임)

강귀손·김무·신수근 등이 의논하였다.

"무릇 영진(營鎭)의 연혁은 친히 그 땅을 밟아 보고 이해(利害)를 밝게 아는 자가 아니면 의논할 수 없습니다. 신 등은 이 진(鎭)의 형세를 보지 못하였으니, 그 옮기는 것이 적당한지 않은지를 알 수 없습니다. 그러나 조종조(祖宗朝)로부터 이 진을 설치한 지 이미 오래 되었으나, 외모(外侮)가 없는데, 한 사람의 계책으로써 갑자기 옮길 수 없습니다."
허종의 의논에 따랐다.

10월 23일
사헌부 대사헌 허침 등이 상소하였다.

"신 등이 듣건대, 왕자군(王子君)과 옹주(翁主)의 혼례는 비록 정한 법이 있다 하더라도 혼인하는 집에서 점점 사치함을 숭상하여, 문채를 교묘하게 조각하고 비단에다 공교하게 수를 놓거나 매듭짓고, 그릇은 금은을 쓰며, 주옥으로 꾸밉니다. 집을 짓는 데에는 남의 집을 철거하고 남의 땅을 점령하여 그 터를 넓히고 그 담장을 높게 하니, 집의 모양이 참람하게 궁금(宮禁)에 비기는데, 이를 금하지 아니하면 검소함을 숭상하는 풍속이 어찌 이루어질 수 있겠습니까? (줄임)"
전교하였다.

"왕자군과 옹주의 집을 경 등이 비록 말하기를, '남의 땅을 차지하여 그 집터를 넓히고 그 원장을 높게 하였다.'고 하였으나, 위력으로 백성의 집을 빼앗은 것이 아니고 백성들이 스스로 바치려고 하여 각각 그 소원에 따라 값을 주고 매수한 것이다. 이 일은 오늘날에만 말한 것이 아니라 일찍이 여러 번 이를 말하였기 때문에 이미 그 제도를 낮추었는데, 경 등이 오히려 말하기를 그만두지 않기 때문에 요즈음 또 승정원으로 하여금 선공감 제조(繕工監提調)와 같이 의논하여 다시 그 제도를 낮추게 하고서 아직 정하지 못하였을 뿐이다. (줄임) 장차 여러 의논을 채택하여 이를 처리하겠다."

명하여 영돈녕 이상과 의정부·육조·한성부 당상관을 불러서 이를 의논하게 하고, 인하여 전교하였다.

"대간(臺諫)의 말은 공론이 되니 따르지 아니할 수 없다. 그러나 대간의 말이라고 하여 일체로 따를 수는 없다. 지금 상소 가운데 논한 바는 나의 처리하기 어려운 바이므로, 각각 마음에 품은 바를 자세히 의논하여 아뢰라."(줄임)

조위·**강귀손**이 의논하였다.

"사헌부에서 논한 바는 공의에서 나온 것입니다. 지금 논박받은 각 사람은 모두 중망에 차지 않은데, 더구나 묘당(廟堂)은 모든 사람이 함께 우러러보는 자리이겠습니까? 윤필상과 이철견은 여러번 비방하는 의논을 입었으니, 더욱 오래 있을 수 없습니다."(줄임)

답하지 아니하였다.

10월 23일

사간원 정언(司諫院正言) 유숭조가 와서 아뢰었다.

"신 등이 듣건대, 김맹린이 남에게 관선(官船)을 빌려 준 죄를 의금부에서 태(笞) 50대로 논하였다고 합니다. 어느 율(律)에 적용하였는지 알지 못하겠으니, 추안(推案)을 보기를 청합니다."(줄임)

승정원에 전교하였다.

"비록 의금부 당상이라고 하더라도 어찌 율문(律文)을 모두 해석할 수 있겠는가? 반드시 검률(檢律)로 하여금 조율(照律)하게 하였을 것이다. 나도 이 율문을 보았으나 어찌 능히 다 해석하겠는가? 의금부 당상을 불러서 이를 묻고, 또 조율의 옳고 그름을 오늘 입궐한 재상들에게

문의하라."

허종 (줄임) 신수근·**강귀손**이 의논하였다.

"지금 율문을 보니, 사간원의 말이 마땅한 것 같습니다. 다만 일수(日數)를 통계하여 논하는 것은 율문에 없습니다. 열 사람이 빌어 쓴 일수(日數)를 빌려 준 사람에게 논하는 것은 아마도 온당하지 못할 듯합니다. 열 사람 가운데 그 일수가 많은 것에 따라 논하는 것이 어떠하겠습니까?"(줄임)

답하지 아니하였다.

10월 27일

강귀손을 통정대부 승정원 동부승지(承政院同副承旨)로 (줄임) 삼았다.

11월 1일

경연에 나아갔다. 강하기를 마치자 (줄임) 정언 이세인이 아뢰었다.

"회덕현(懷德縣)은 몹시 잔폐(殘敝)한데 제사(諸司)의 노비 신공(奴婢身貢)의 포흠(逋欠) 때문에 고을 수령으로 해유(解由)를 받지 못하여 사직하고 떠난 자가 이미 3, 4명이나 됩니다. 국가에서 마땅히 생각하여 처치함이 있어야 할 것입니다."

동부승지 **강귀손**이 아뢰었다.

"회덕현은 신의 처향(妻鄕)입니다. 30년 이래 선환(宣喚)한 사람은 단지 한 사람뿐이었는데, 역시 해유를 받지 못하였습니다. 그런데 어느 수령 때부터 이 포흠(逋欠)이 있게 되었는지를 알지 못하겠습니다."

임금이 말하였다.

"해조(該曹)로 하여금 의논하여 아뢰도록 하라."

11월 6일
강귀손을 통정대부 승정원 우부승지(右副承旨)로 (줄임) 삼았다.

11월 24일
평안도 관찰사 이칙이 급히 아뢰었다.

"귀성(龜城)의 사민(徙民) 염치량은 일찍이 관차(官差)의 체포에 항거한 죄로 곽산에 갇혀 있었는데, 옥(獄)을 넘어 달아났습니다. 그런데 사변(徙邊)을 꺼려서 그랬던 것이 아니라 그 죄를 면하고자 했던 것이니, 사민 도망(徙民逃亡)의 율(律)로 논단할 수가 없기에 삼가 취품(取稟)합니다."(줄임)

강귀손 등이 의논하였다.

"염치량은 죄를 면하고자 하여 도망하였으니 사민 도망(徙民逃亡)으로 논단할 수 없습니다. 그러나 한치량은 이웃 사람들과 더불어 마음을 같이하여 체포에 항거하기로 약속하였으며, 김존은 그 말을 듣고서 장대를 높이 쳐들고 휘두르며 40여 명의 무리를 불러 모았으니, 진실로 관차(官差)에 항거한 것입니다. 그러므로 그 죄는 참(斬)하는 데 해당되니, 사유(赦宥)를 입어 완전히 석방하고 다스리지 않을 수 없습니다. 더욱이 위종(爲從)인 김존이 이미 먼 변방의 구자(口子)에 온 집안이 입송(入送)되었으니, 염치량이 수범(首犯)으로서 홀로 면하는 것이 옳겠습니까? 김존의 예에 의하여 논단하는 것이 인정과 법에 있어서 매우 합당합니다."

전교하였다.

"김존(金存)의 예에 의하여 논단하라."

1494년
1월 4일

도승지 김응기가 아뢰었다.

"정철견은 신의 동향인(同鄉人)이므로, 그 사람됨이 기위(奇偉)함을 알지만, 지금 동료 정석견의 형인 까닭에 인혐(引嫌)하여 아뢰지 아니하였으니, 이것은 바로 근시(近侍)하는 의(義)가 없는 것입니다. 어진이를 천거하는 것은 큰일인데, 감사(監司)가 만약 그 사람됨을 자세히 알지 못하면, 혹 등문(登聞)하지 아니할 것입니다. 그러니 궐하(闕下)에 불러들여 보시면 알 수 있을 것입니다."

우부승지 **강귀손**이 아뢰었다.

"신이 그 사람의 아우 정석견과 평소 친하기 때문에 명성을 들은 지 오래 되었습니다. 신이 상주목사(尙州牧使)가 되어서야 그 사람을 보았는데, 진실로 소문과 부합하였습니다."

전교하였다.

"내가 우의정의 의논을 살펴보건대, 반드시 깊은 뜻이 있었고, 나 또한 깊은 뜻이 있어서 이 의논을 낙점(落點)하였을 뿐이다. 만약 저 사람을 어질다고 여겨 부른다면, 저 사람이 반드시 고기직설(皐夔稷契)이 말하던 것처럼 말할 것인데, 그것은 동료 사이에 있어서도 반드시 이와 같았을 것이다. 평범한 사람으로 향리에 있으면서 강개(慷慨)함을 일컫는 자는 융통성이 없고 통하지 않는 바가 있으나, 스스로 옳게 여기는 것이다. 감사는 반드시 견문이 넓어서 진실로 그 사람이 어진지 어질지 않은지의 여부를 알 수 있을 것이다."

1월 8일

승지 (줄임) **강귀손**·정석견이 의논하였다.

"군사는 정예(精銳)하기를 힘써야지, 많기를 힘써서는 안됩니다. 그런데 지금 보인(保人)과 솔정(率丁)을 함께 묶어 군액(軍額)에 죄다 채우게 하고, 또 여정(餘丁)이 있으면 여외 정병(旅外正兵)을 설치하여 집안에 남은 사람이 없게 하였으니, 신 등은 보인(保人)이 장차 그 역(役)을 감당하지 못해 떠돌아다니며 살 곳을 잃을까 두렵습니다. 이와 같이 되어 정군(正軍) 또한 보인이 없게 되면 혼자 감당할 수 있겠습니까? 옛사람이 이르기를, '연못을 말려서 고기를 잡으면 어찌 고기를 얻지 못하겠는가? 그러나 명년에는 고기가 없을 것이다.' 하였는데, 바로 이러한 유입니다. 오늘 보인(保人)과 솔정(率丁)을 죄다 묶어 따로 여외 정병(旅外正兵)을 설치하면 군액(軍額)은 많아질 듯하나, 몇 년이 안되어 정군(正軍)·보인(保人)이 함께 그 역(役)을 감당하지 못하게 되면, 오늘 많았던 것이 도리어 전일의 적었던 것만 못하게 될 것이니, 장차 무슨 도움이 되겠습니까? 의논하는 자가 말하기를, '정군(正軍)의 보인(保人)이 부족하니, 보인(保人)과 솔정(率丁)을 묶는 것은 부득이한 일이다.' 하지만, 신 등이 생각하건대, 정군(正軍)으로 보인이 없는 자가 많지 아니하고, 비록 더러 있다 하더라도 보인·솔정 외에 반드시 한정(閑丁)이 있으니, 정군(正軍)이 된 자가 또한 장차 스스로 점유하여 얻게 될 것입니다. 보인에게 솔정을 주는 법은 결단코 분경(紛更)할수가 없으니, 《대전속록(大典續錄)》에 의거하여 예전대로 하소서."

전교하였다.

"지난번에는 보인에게 솔정을 주지 말라고 하였는데, 생각해 보건대 보인 또한 군졸이므로, 홀몸이 종군(從軍)하고 집안에 솔정이 없으면 장차 실업하여 도산할 것이고, 정군 또한 단약(單弱)해져 그 역(役)을 감당하지 못하게 될 것이 틀림없다. 《대전속록》에 의거하여 각각 솔정 두 사람씩 주는 것이 가하다."

2월 21일

승정원에 전교하였다.

"전에는 내관(內官)이 옥(獄)에 계류되어도 글을 올려 스스로 해명하는 자가 없었는데, 지금 김순손은 내가 전하지도 않은 말을 전하여 전지(傳旨)를 만들게 하여 풍천위(豊川尉)를 비호한 형적이 있으므로 이미 고신(栲訊)하였다. 비록 정실(情實)은 없었다 하더라도 임금의 뜻을 망령되게 전한 것은 죄가 반드시 있는 것이다. 내가 생각하건대 김순손은 기운이 약해서 재차 형신을 받게 되면 원래 죽을 죄가 아닌데도 형장 아래 운명할 우려가 없지 않다. 그러나 지금 끝까지 그 실정을 국문하지 않으면 끝내 법을 두려워할 사람이 없을 것이니, 어찌하면 좋겠는가?"

이종호·한사문·**강귀손**·구치곤이 대답해 아뢰었다.

"김순손이 함부로 전하지 않은 하교를 전했으니, 그 죄가 본시 가볍지 않습니다. 그러나 원래 죽을 죄가 아닌데 형장 아래 운명하게 되면 (성상의) 호생지덕(好生之德)을 손상함이 있습니다."

전교하였다.

"출납을 삼가지 않고 국사(國事)를 함부로 전했다는 (죄목으로) 조율(照律)해서 아뢰도록 하라."

2월 28일

한성부에서 아뢰었다.

"어떤 사람이 보제원(普濟院) 앞에 있는 봉안군(鳳安君)이 하사받은 전지에 집을 지었으니, 철거하게 하소서."

승정원에 전교하였다.

"지금 세상 사람들이 흔히 일을 좋아해서 말하는 자가 많은데, 만약 철거하게 하면 사람들이 필시 내가 아들을 위하여 백성의 집을 철거했다고 할 것이니 어찌해야 되겠는가?" (줄임)

한사문·**강귀손**이 아뢰었다.

"공전(公田)에 집을 지은 것만으로도 이미 죄가 되니, 철거하는 것이 옳습니다."

전교하였다.

"영세한 백성이 비록 초가 삼간이라도 지어 이루려면 어찌 어렵지 않겠는가? 만약 그 집이 밭두둑에 있다면 굳이 철거해 무엇하겠는가? 호조로 하여금 전지의 형태를 그려서 아뢰게 하라."

3월 24일

승정원에 명하여 유구국(琉球國) 사신의 접대를 의논하게 하니, 김응기·**강귀손**·구치곤이 의논하였다.

"지금 유구의 글을 보건대 그들의 속이는 것이 매우 분명하니, 이들을 유구국 사신으로 대우할 수는 없습니다. 교린(交隣)하는 도리는 신의보다 귀한 것이 없는데 저들이 속이면서 왔으니, 우리가 의리로써 거절하지 못한다면, 이는 계책에 **빠져들게** 되는 것이고, 대국에서 오랑캐를 대우하는 방법이 아닙니다. (줄임)

다만 저들이 도주(島主)의 행장(行狀)을 싸가지고 왔는데, 지금 만약 거절하여 받아들이지 않는다면 아마도 도주가 부끄러워하여 불평한 마음을 품을 것입니다.

　또 마침 권주(權柱)가 갈 일이 있으니, 우선 권전(權典)을 좇아서 이창신으로 하여금 그들이 속이기 때문에 사신으로 대우할 수 없다는 뜻을 조목으로 진술하게 하고, 또 지금 이미 멀리서 왔기 때문에 거절할 수 없다는 뜻을 유시(諭示)하여 일반 왜인의 예로써 거느리고 오도록 하여 접대하는 것이 어떻겠습니까?"

3월 24일
　전교하였다.

　"김석이 윤대(輪對)한 것은 거행하는 것이 옳을 듯하다. 승정원에서는 그것을 의논하도록 하라."

　김응기·한사문·**강귀손**이 아뢰었다.

　"만약 기한을 정하여 고준(考准)하게 되면 궁벽한 마을에서는 비록 확실한 문서가 있다고 하더라도 반드시 미처 고준하지 못한 자가 있게 되어 마침내 위조한 문서가 될 것이고, 간교하게 속이는 무리는 백문(白文)을 추술(追述)하여 고준하게 되면 마침내 확실한 문서가 됩니다. 그러면 그 간교한 속임수만 더하여 주고 술책에 빠져드는 것이 됩니다. 또 수령이 어찌 모두 훌륭한 자들이어서 정미롭게 조사를 하겠습니까? 만약 고준했다고 하여 한결같이 모두 믿는다면 불가합니다. 만약 시비를 분변하여 고준하려고 한다면 이도 하나의 큰 공사이므로 쉽게 하지 못할 것입니다. 신 등의 뜻으로는 이 법은 행할 수 없다고 여깁니다." (줄임)

　전교하였다.

　"경외(京外)에 고준(考准)하는 것을 늦추어 기한을 정하면 간사한 무리가 추술(追述)하는 폐단이 없지 않을 것이니, 급하게 기한을 정하는 것이 가하겠다."

4월 1일

경상도 관찰사 이극균이 급히 아뢰었다.

"신이 폐사(陛辭)하던 날에 왜사(倭使)의 배를 거짓으로 속이는 일에 대하여 아뢰었는데, 대마 도주(對馬島主)와 제추(諸酋)의 사신이 작은 배를 타고 와서 큰 배와 몰래 바꾸니, 비록 그 속이는 것을 분명히 안다고 하더라도 끝내 감히 힐문하지 못하고, 매양 큰 배의 양식을 지급하게 되므로 나라의 저축을 좀먹어 없앨 뿐만 아니라, 점차 지탱할 수 없게 될 것입니다. 저들로 하여금 가만히 앉아서 교만한 마음을 일으키게 하니, 금일에 이르도록 법을 소홀히 함이 이와 같았습니다. 신의 생각으로는, 선척(船隻)을 자로 재는 것은 비록 조종조(祖宗朝)에서 항상 시행한 일이라고 하나, 대국에서 소이(小夷)를 대접하는 도리에는 또한 너그럽지 못한 것입니다. 이 앞서 대마 도주와 여러 거추(巨酋)의 사선(使船)을 정한 숫자가 있으나, 대선(大船)·중선(中船)·소선(小船)의 숫자를 정하지 아니하였기 때문에, 이러한 폐단이 쌓이게 된 것입니다. 신은 원하건대 대마 도주에게 통유(通諭)하여 대선·중선·소선의 숫자를 적당하게 약정하도록 하소서." (줄임)

승정원에 명하여 이를 의논하게 하니 (줄임) **강귀손**·구치곤이 의논하였다.

"전일에 이극균이 아뢰기를, '삼포의 왜선과 연해의 민선(民船)에 표를 붙이도록 하고자 합니다.'고 하였는데, 지금 또 아뢰기를, '형세가 불편하기 때문에 왜인과 더불어 서로 만나 보지 못합니다.'고 하였으니, 그렇다면 형세가 시행하기 어렵겠습니다. 지금 비록 표를 붙인다

고 하더라도 후일에 새로 만든 배를 하나하나 모조리 추쇄(推刷)할 수가
있겠습니까? 그 간사하게 속이는 것도 또한 다시 전과 같아질 것입니
다. 《해동제국기(海東諸國記)》에 이르기를, '대마 도주는 세견선(歲遣船)
이 50척이요, 제추(諸酋)로서 세견선 1, 2척을 보내는 자가 40인이요,
세견선 1척을 보내는 자가 27인이다. 우리 나라의 관직을 받은 자는
해마다 한 번씩 내조(來朝)하기로 모두 약속을 정한 바가 있다. 또 배도
대선·중선·소선의 3등급이 있으니, 선부(船夫)가 대선이며 40명, 중선
이면 30명, 소선이면 20명으로 액수를 정한다.'고 하였습니다.

그러나 지난 경술년(1490)에 나온 왜선 1백 64척 가운데 대선이 1백
60척이고, 중선이 4척이었으며, 신해년에 나온 왜선은 1백 65척 가운
데 대선이 1백 62척이고, 중선이 3척이었습니다. 이로써 보건대 배에
는 3등급의 약속이 있었는데, 간사한 무리들이 매양 대선의 양식을 받
는 것은 정약(定約)의 본의가 아닙니다. 사선(使船)을 자로 재는 것은 또
대국이 소이(小夷)를 대접하는 체모가 아닙니다. 대선·중선·소선을 적
당히 정한다면 반드시 간사하게 속이는 일은 없을 것이니, 이극균의
아뢴 바에 따라 시행하는 것이 편하겠습니다."

전교하였다.

"인정이란 전일에 하지 않던 일을 보면 반드시 의심하고 이상하게
여기는 것이다. 마침 지금 어량(魚梁)의 사건 때문에 이미 경차관(敬差
官)을 보냈는데, 또 수왜(首倭)를 불러서 이러한 일을 말한다면, 어찌
의심스러운 생각을 품지 않겠는가? 이 일을 시행하는 것은 진실로 마
땅하나, 시기를 맞추어야 할 일이 아니니, 우선 천천히 시행하는 것이
어떠하겠는가? 내 뜻을 가지고 전에 의논한 재상과 승정원에 다시 물
어 보도록 하라."

4월 6일

이조에서 계청(啓請)하였다.

"제도(諸道)의 진전(眞殿)에는 참봉 각 1원이 차견(差遣)되는데, 만약 유고가 있으면, 그 도의 감사가 이웃 고을의 교수(敎授)·훈도(訓導) 가운데 가려서 대신 수직(守直)하게 하는 것이 어떠하겠습니까?"

승정원에 전교하였다.

"참봉이 만약 유고하여 훈도·교수로써 대신하게 한다면 훈도·교수가 된 자가 어찌 참봉과 같이 할 수 있겠는가? 내 생각으로는 참봉 2원을 보내어 같이 참직(參直)하게 한다면, 1원이 비록 유고하더라도 1원은 우선 건재할 것이라 여긴다."

승지 이종호·강귀손·구치곤이 아뢰었다.

"비록 1원을 보내더라도 만약 임기가 만료되어 즉시 경직(京職)을 제수한다면, 그들도 또한 근신할 것입니다. 또 감사·도사는 모두 1주년으로서 체임(遞任)되는데, 참봉이 1주년 사이에 어찌 병이 나겠습니까? 만약 병이 있다면 부근 큰 고을의 교수가 반드시 모두 문신일 것인데, 그들을 대신 수직시킬 적에 어찌 능히 근신하지 아니하겠습니까? 신 등의 생각으로서는 1원을 차견(差遣)하는 것이 좋을 것으로 여깁니다."

도승지 김응기가 아뢰었다.

"2원을 차견하라시는 교지(敎旨)가 마땅합니다."

명하여 2원을 차견하게 하였다.

4월 18일

전라도 관찰사 권경희가 급히 아뢰었다.

"왜선(倭船) 4척이 추자도(楸子島)에 웅거하여 기다렸다가 제주(濟州)

에서 진공(進貢)하는 물건을 탈취하였는데, 이에 사람을 상하게 하기에
이르렀습니다."(줄임)

승정원에 명하여 이를 의논하게 하니 (줄임) **강귀손**·구치곤이 의논
하였다.

"왜구(倭寇) 50여 인이 추자도에 웅거하여 제주의 진공을 겁탈하고
인물을 자상(刺傷)하였는데, 우리나라 사람들은 머리를 떨구고 정신을
잃어버린 채 감히 누구냐고 물어 보지도 못하였다 하니, 가슴 아픈 일
입니다. 저들은 반드시 마음으로 이익을 얻은 것을 달갑게 여겨서 다시
와서 도적질할 것이니, 이것이 염려스럽습니다. 지금 진장(鎭將)으로
하여금 더욱 방비하게 한다면 매우 다행하겠습니다.

그러나 계본(啓本)을 보건대 의심할 만한 점이 한둘이 아닙니다. 왜
놈들이 가벼운 배와 짧은 노를 가지고 편리한 때를 틈타 변경을 침범하
여, 이익을 얻으면 물러나고 하며 왕래하는데, 바람처럼 빠른 것이 보
통이었습니다. 그런데 지금은 먼저 추자도에 웅거하여 5, 6일을 머물
며 겁탈하기를 스스로 자행하고, 우리 나라 사람들로 하여금 피리를
불면서 의복을 증정하도록 하여 그들은 조용히 저절로 취득하기에 이
르렀습니다. 이와 같은 것이 그 의심스러운 점의 첫째입니다.

왜놈들의 망혜(芒鞋)·목기(木器)를 우리 나라 배 가운데에 남겨 두었
는데, 신발은 몸에 딸린 물건이라 오히려 말할 만 하나, 목기는 표략할
만한 물건이 아니니, 어디에서 가져와 배 가운데 남겨두었겠습니까?
그 의심스러운 점의 둘째입니다.

왜놈들이 초7일에 보길포(甫吉浦)의 북쪽으로 향하였으니, 그렇다면
보길포에서 이 변방과의 거리가 멀지 않은데, 연해의 군(郡)에서 어찌
성식(聲息)이 없었겠습니까? 그 의심스러운 점의 셋째입니다. (줄임)

　이러한 다섯 가지 의심스러운 흔적이 있는데, 다만 왜변(倭變)으로만 대비한다면, 그 방책을 잃을까 두렵습니다. 신 등은 생각하건대 조관(朝官)을 골라서 보내어 왜적을 만난 상황을 끝까지 추궁한다면, 그것이 진실인지 거짓인지 분변할 수 있을 것입니다."

6월 16일

좌부승지 **강귀손**이 아뢰었다.

　"어제 내려 준 연탁(宴卓)을 왜인이 지금까지 받지 않았으니, 어떻게 처치해야겠습니까?" (줄임)

　황육운이 즉시 돌아와 아뢰었다.

　"신이 이로써 효유하였더니, 저 사람이 말하기를, '나의 소원을 전하에게 아뢰고자 한 까닭에 부연(赴宴)하지 않았음은 나의 죄입니다. 뉘우쳐도 돌이킬 수 없으니, 우리들이 어찌 감히 연탁을 받지 않겠습니까?' 하고 즉시 뜰에 내려가 사배(四拜)를 행한 뒤에 자리에 나갔습니다."

6월 26일

　임금이 임광재의 가비(家婢) 동질금(同叱今)의 초사(招辭)를 의금부에 내렸다. 그 초사(招辭)에 말하였다.

　"하루는 풍천위가 신별실(新別室)에 있는데, 춘대(春臺)가 유온(乳媼)의 말로 와서 말하기를, '아지(阿只)의 숙(叔)이 우리 집에 왔으니, 주공께서 와서 그 말을 들으심이 옳겠습니다.'고 하니, 풍천위가 춘대로 하여금 그 사람을 부르게 하였습니다. 얼마 안되어 사모(紗帽)와 각대(角帶)를 갖춘 조사(朝士)가 와서 풍천위에게 말하기를, '누이가 몹시 불안해 하니 바로 태기(胎氣)가 있음이 아닌가 하오.' 하니, 풍천위가 이르기를, '보내었던 약은 벌써 마셨는가?'고 하니, 대답하기를, '이미 복용하였는데도 병은 오히려 낫지 않으니 여의(女醫)로 하여금 진찰하여 보려고 하오.'라고 하였습니다. 풍천위가 이르기를, '마땅히 여의를 보내리라.' 하고, 이어서 숙지(叔只)로 하여금 문신(問訊)하게 하고 저는 조사(朝士)를 따라서 그 들어가는 곳을 보니, 바로 송침교(松針橋)의 정승댁 동구 끝의 검은 문짝 집이었습니다."(줄임)

의금부에서 양담(楊澹)의 첩인 수비(守非)의 딸 존금과 직장(直長) 강심을 체포해서 국문하니, 수비의 공초(供招)에 말하였다.

"딸 존금은 본시 남에게 시집가지 않았는데, 덕진군(德津君)·수안군(遂安君)·무풍정(茂豐正)이 모두 사람을 시켜 구혼하여 이미 무풍정에게 시집가기를 허락하였으나, 풍천위와는 혼인하지 않았습니다."

의금부에서 무풍정을 국문하기를 청하니, 좌부승지 **강귀손**에게 명하여 도승지 김응기에게 가서 말하게 하였다.

"이 옥사(獄辭)가 일어난 지 오래 되었다. 수비(守非)가 풍천위와 혼인을 도모한 실정을 숨기고자 해서 수안군 등과 상응하여 이와 같이 꾸며 댄 것인가? 풍천위가 선취(先娶)하였음을 수안군 등이 알지 못하고서 혼인을 도모한 것인가? 알 수는 없으나, 그 근본은 버리고 그 지엽(枝葉)만을 취하여, 종친과 혼인을 도모하였음을 가리켜서 풍천위가 간여하지 않은 것같이 하는 것이니, 그대는 신자(臣子)로서 풍천위만을 돕고 나를 두려워하지 않음이 옳겠는가? 내가 친히 국문할 수 없어 위관(委官)과 금부(禁府)·대간(臺諫)을 정하여 그대들에게 추국(推鞫)하게 하였는데, 이와 같이 추국하니, 비록 그대라 하더라도 그 목을 매어 내리지 못할 줄 아는가? 비록 금부 당상이라 하더라도 모조리 갈아치우고 다른 관원을 명하여 추국하게 하지 못할 줄 아는가? 어찌 이와 같이

하는가? 또 문사 낭청(問事郞廳)이 어질지 못한 까닭으로 국문(鞫問)이 소우(疏虞)하여 실정을 알아낼 수 없었을 뿐이다. 어찌 당상의 허물이 겠는가? 항쇄(項鎖)하고 취조했어야 옳았다. 가낭청(假郞廳) 김수동·박억년 등을 모두 하옥하라."

얼마 지난 후 석방하였다. 위관(委官) 윤필상 (줄임)이 모두 와서 대죄(待罪)하니, 전교하였다.

"내가 이미 잘못하였으니 할 말이 없다. (줄임) 경(卿) 등은 이미 잘못한 것이 없으니, 어찌 대죄할 것이 있겠는가? 내가 평일에 풍천(豐川)을 후대하였는데, 어찌 음란한 행동을 저지름이 이처럼 심한 지경에 이를 줄을 알았겠는가?"

6월 27일

우부승지 **강귀손**이 아뢰었다.

"일본 국서(日本國書)를 개서(改書)하려고 승문원 관원을 불렀는데, 오랫동안 오지 않았습니다. 교린(交隣)의 문서는 일이 중대한 데 관계됨에도 완만함이 이와 같으니, 또한 엄하게 다스리기를 청합니다."

전교하였다.

"행수 장무(行首掌務)를 파출(罷黜)하라."

6월 29일

소이전(小二殿) 사송(使送) 조수좌(照首座)가 하직하면서 서계(書契)를 예조 낭청(禮曹郞廳)에게 바쳤다.

"답사(答賜)의 값이 예전보다 반으로 줄어들어, 비록 본국에 돌아가더라도 또한 죽음을 당할 것이니, 내가 차라리 이 땅에서 죽겠습니다.

이제 서계(書契)를 바치어 전하에게 아뢴 뒤에야 마땅히 향연(饗宴)에 나아가겠습니다."

정랑 황육운이 불가하다고 재삼 효유하였으되 오히려 듣지 않았다. 좌부승지 **강귀손**이 서계를 가지고 들어와 아뢰니, 전교하였다.

"이제 (왜인이 가져온) 서계(書契)를 보니 해독하지 못할 것이 많이 있으며, 대개는 그 하고자 함을 이루려는 데 지나지 않는 것이다. 그러나 경솔하게 변경하여 후폐(後弊)를 끼칠 수는 없다."

황육운으로 하여금 효유하게 하였다.

"너희 서계(書契)를 받음은 마땅하지 못하나, 너희들이 굳이 청하는 까닭으로 받는다. 하지만 마땅히 당상과 의논하여 아뢰겠으니, 너는 나아가 먹어라."

(그들이) 그대로 따랐다.

7월 10일

김지(金漬)의 정죄를 의논하게 하였다. 김응기·**강귀손**·구치곤이 의논하였다.

"태조 고황제(太祖高皇帝)가 즉위하고 《대명률(大明律)》을 정하여 천하에 반행(頒行)한 지 30년에 이르러서 또 《대관의두(對款議頭)》를 제정하여 과목을 나누고 조목을 정하였는데, 속사죄자(贖死罪者) 9조(九條)를 준가(准可)하니, 인정과 법을 참작하고 그 사이에 덜고 더하는 것이 어찌 없다고 이르겠습니까? 영종(英宗) 천순(天順) 5년(1461)에 《율조소의(律條疏議)》를 찬정(撰定)하여 속사(贖死) 9조도 또한 상세히 나타내었으니, 홍무(洪武) 정축년(1397)으로부터 천순(天順) 신사년(1461)에 이르기까지 거의 65년이 되었으며, 후왕(後王)이 서로 이어서 따르고 행함도 또한 어찌 연유함이 없고서 그러하였겠습니까? 이로써 보면, 이 법이 중국에 행한 지가 오래였으나, 우리 조정에서만 듣고서 행하지 못했을 뿐입니다. 또《율조소의》는《의두》를 조술(祖述)한 것인데, 성화(成化) 임인년(1482) 이래로부터 우리 조정에서도 또한 이미 참용(參用)하면서도, 유독 속사(贖死)하는 조목만 적용하지 않았으니 온당하지 못한 것 같습니다. 신 등은 생각하건대 속사(贖死) 9조 안에 '관리수장과만(官吏受贓過滿)'과 '도내부재물(盜內府財物)' 등의 조목과 같은 것은 그 정상을 근원하면 비록 죽이고 용서할 수 없으나, 십악(十惡)에 비교하면 차이가 있을 것입니다.《의두》·《소의》가 이 9조로써 속사(贖死)하도록 한 것은 아마 고황제의 흠휼(欽恤)하는 미지(微旨)가 아닌가 합니다. 우리 조정에서도 이미《대명률》을 썼으니,《의두》·《소의》도 또한 중국에서 방금 행하는 법이니 취사하지 않을 수 없습니다."

7월 23일

승정원에서 말비(末非)가 치사(致死)한 일을 의논하니, 권경우·**강귀손**·구치곤·송질이 의논하였다.

"말비의 죽음은 정상이 의사(疑似)한 데 관계된 것이 하나가 아닙니다. 만약 이득남이 때려 죽였다고 하면, 당초에 형조에서 추문(推問)한 것과, 다음날 고장(告狀)에 어찌하여 여기에 언급하지 않았겠습니까? 또 말비가 병이 심하여 그 어미가 딸 성대의 집에서 술을 구하면서 술의 유무(有無)만을 묻고 타상(打傷)한 일을 말하지 않았다가 그가 이미 죽는 데 미쳐서 마을 사람들이 그 연유를 물으니, 그 어미가 더위를 먹음으로써 죽었다고 대답하였습니다. 이는 모두 의심할 만한데, 더구나 그의 형 성대와 절친한 이웃인 돈이 등의 초사(招辭) 안에 하나도 타상(打傷)하였다는 말이 없었으며, 한성부에서 검험(檢驗)할 때에도 또한 아무 물건으로 맞아 상하였다는 것을 가리키지 않았고, 그 상처를 말한 것이 모두 허겁처(虛刦處)가 아니니, 구타하여 치사(致死)한 것으로써 논함은 불가합니다. 비록 목을 잡아 휘두르고 담장 모퉁이에 부딪쳐 상하였다고 이르더라도 모두 증거로 상고할 수 없다면, 어찌 그 어미가 이득남을 원망하고 그 딸과 서로 싸웠다고 거짓 꾸며서 말할 줄 알겠습니까? 이것에 의거하여 자세히 참고하면, 말비는 그 혹 별도로 다른 까닭이 있어 우연히 치사(致死)함인가 합니다."

7월 24일

형조에서 아뢰었다.

"영안도(永安道) 온성(穩城)에 전가 정속(全家定屬)된 조장(趙璋)이 도망하였다가 잡히었는데, 관찰사 성준이 사죄(死罪)로써 조율(照律)하여 아뢰었습니다. 그러나 신 등이 생각하건대 조장은 사민(徙民)이 아니고, 바로 감수 자도(監守自盜)의 장만(贓滿)으로서 감사(減死)되어, 전가(全家)를 정속(定屬)하여 종을 삼았으니, 첫 번의 도망으로는 죄가 사형에 해당하지 않는다고 여겨집니다. 또 사유(赦宥)를 경유하였으므로, 사죄(死罪)로써 조율(照律)함은 마땅하지 않으니, 청컨대 조장은 온성관(穩城官)에 그대로 정속(定屬)하고, 관찰사 성준과 도사 곽종원은 추국(推鞫)하여 과죄(科罪)하소서."

(줄임) **강귀손**·구치곤·송질이 의논하였다.

"양계(兩界)의 사민(徙民)은 조상 대대로 살던 고향을 버리고 황원(荒遠)한 지역에 갔으니, 모두 죽음을 무릅쓰고 도망가고자 하므로, 만약 그 율(律)을 중하게 하지 않으면 금단하기 어렵습니다. 늑령(勒令)과 범

죄한 자는 같은 사민(徙民)인데도 죄가 없는 자는 율이 무겁고 죄가 있
는 자는 율이 가벼우니, 획일한 법에 어그러짐이 있습니다. 또《대전》
안에는 범죄와 늑령(勒令)을 나누어 말하지 않았는데, 오늘날 법을 집
행하는 자가 홀로 범죄 도망(犯罪逃亡)이라 하여 도류인(徒流人)의 도망
률(逃亡律)로써 의용(擬用)하니, 무엇에 의거한 것인지를 알지 못하겠습
니다. 반복하여 참상(參商)하건대 늑령(勒令)과 범죄를 수과(殊科)로써
논단함은 마땅하지 못합니다."

전교하였다.

"늑령(勒令)과 범죄를 모두 사민(徙民)으로써 논단하였으니, 도형(徒
刑)·유형(流刑) 등의 죄는 율에 의하여 단죄함이 옳은 것이다." (줄임)

강귀손·구치곤·송질이 의논하였다.

"무릇 오결(誤決)을 정소(呈訴)하는 자는 장내(狀內)에 오결한 조목을
갖추어 기록하는 것이 바로 소송하는 자의 상례입니다. 이로 인하여
그 오결을 바르게 분변할 수 있으니, 모름지기 별도의 과조(科條)를 세
울 것은 없습니다."

전교하였다.

"이와 같이 하면 오결(誤決)을 정소(呈訴)하는 절목은 반드시 별도로
입법할 것이 없겠다."

8월 4일

병조에서 아뢰었다.

"군적(軍籍)은 이미 고쳤으나 미처 성안(成案)하지 못하였는데, 행하
여야 할 조목을 뒤에 열거하겠습니다.

1. 군사와 동거하는 형제와 사위는 완취(完聚)하게 하소서.

1. 부자가 완취할 때에 아비는 육군이 되고, 자식은 수군이 되는데, 살고 있는 고을에 수군의 여정(餘丁)이 있으면 완취하고, 수군의 여정이 없으면 완취할 수 없는 것이 예입니다. 그러나 본래 수군이 아니면, 청컨대 완취하도록 허락하고, 나이를 더 먹은 장건한 사람으로 충정(充定)하소서."

(줄임) 승정원에 의논하도록 명하니, 김응기·**강귀손**·구치곤·송질이 의논하였다.

"군사로서 동거하는 부자(父子)는 완취시키지 않을 수 없으나, 형제·사위를 모두 완취하게 한다면 한갓 소요할 뿐만 아니라, 형세가 반드시 시행하기 어렵습니다. 또 수군은 갑절이나 고통스러워 사람들이 모두 싫어하고 꺼려하여 도망하기 때문에, 결원이 생기지만, 액수를 채우기가 어렵습니다. 이제 만약 수군을 빼내어 육군과 완취케 한다면, 수군은 도리어 충실하지 못하게 될 것이니, 그 폐단이 적지 않을 것입니다. 하물며 이제 군적을 거의 마치게 되었는데, 어수선하게 고치는 것은 마땅하지 못합니다. 이보다 앞서 군적을 할 때에도 이 법을 거행하지 않았는데, 어찌 생각한 바가 없었겠습니까?"

전교하였다.

"군적을 거의 마치게 되었는데, 경장함은 불가하니, 우선 예전 그대로 하도록 하라."

8월 17일

충청도 관찰사 조위가 급히 아뢰었다.

"올해에는 가뭄으로 인하여 전지(田地)가 많이 황폐해져서 이삭이 패지 못하였습니다. 평소의 농사를 게을리한 예가 아니니, 청컨대 면세

(免稅)하소서." (줄임)

다시 승정원에 명하여 의논하게 하니, 김응기·한사문·권경우·**강귀손**·구치곤·송질이 의논하였다.

"재상(災傷)을 면세하는 법이 《경국대전》에 이미 갖추 나와 있으니, 계목대로 시행하는 것이 좋겠습니다."

그대로 따랐다.

9월 12일

의금부에서 아뢰었다.

"풍천위(豐川尉) 임광재의 계집종 부거지·사내종 도치·계집종 옥매, 충찬위(忠贊衛) 이근수와 물고(物故)한 소비·대이·종이 등이 비상(砒礵)으로 공주(公主)를 모살(謀殺)한 죄와, 사내종 검불이 그 모의를 쳐 옥매에게서 듣고 곧바로 고발하지 않은 죄와, 계집종 청옥이 그 모의를 알고서 고발하지 않고 이치(李致)의 범한 것을 신문하는 데 이르러서야 고한 죄는, 율(律)이 부거지·도치·옥매는 참부대시(斬不待時)에, 이근수는 결장(決杖) 1백대에 고신(告身)을 모두 추탈하는 데에, 검불은 장(杖) 1백 대, 유(流) 3천 리에 처하되 천구(賤口)로서 유속(流贖)하는 데에, 청옥은 자수함으로써 면제받는 데에 해당합니다."

(줄임) 승정원에 명하여 의논하게 하니, 김응기·한사문·권경우·**강귀손**·구치곤·송질이 의논하였다.

"이근수는 내수사(內需司)의 종으로써 면역(免役)되어 원종공신의 반열에 참여하고, 직위를 받는 데 이르렀는데, 모두 공주로 말미암은 것입니다. 그런데 바로 그 어미와 공주를 모해하였으니, 죽어도 용납되지 못할 죄입니다. 그러나 율문(律文)에, '노비(奴婢)와 고공인(雇工人)으

로서 가장(家長)과 가장의 기복친(期服親)을 모살(謀殺)한 자는 죄가 자
손과 같다.'라고 하였습니다. 이근수는 공주에 있어서 가노(家奴)가 아
니며, 또한 고공(雇工)도 아니라면 이 율문(律文)으로써 결단할 수 없습
니다. 또 공주는 예종대왕(睿宗大王)에 기복친이고, 전하에게도 또한 기
복친이며, 이근수는 본디 내수사의 종이면, 노비가 옛 가장과 기복친
을 모살한 율문으로 결단할 수 있습니다. 그러나 노비로서 옛 가장을
모살한 자는 죄가 죽는 데 이르지 않는데, 하물며 기복친이겠습니까?
청컨대 계본(啓本)에 의하여 시행하소서."

9월 29일

전교하였다.

"오늘 양로연(養老宴)을 세자(世子)가 대행함은 새로운 예(禮)이다. 예
조 당상(禮曹堂上)이 벌써 연회에 참석하였으니 진실로 마땅히 검찰할
것이나, 도승지 김응기·예방 승지(禮房承旨) **강귀손**도 또한 가서 모든
일을 검찰함이 옳겠다."

11월 10일

황형의 일을 (줄임) 승정원에 의논하도록 하니, 김응기·한사문·**강귀
손**·구치곤이 의논하였다.

"황형은 나이가 젊고 재주가 있어 비록 쓸 만하다고 이르더라도 상중
에 기생을 두어 이륜(彝倫)을 상패하였으니, 나머지는 족히 볼 것이 없
습니다. 그러나 국가에서 그 재주를 애석히 여겨 폐기하지 아니하는
것은 저절로 쓸 만한 곳이 있어 그러한 것입니다. 그러니 출척(黜陟)하
는 권세를 맡겨 뭇사람의 마음을 풀어지게 할 필요는 없습니다." (줄임)

어서(御書)로 말하였다.

"황형은 자신이 패륜을 범하였으니, 재주가 비록 쓸 만하더라도 의논을 물리칠 수 없다. 우선 개차(改差)하라."

12월 7일

좌부승지 **강귀손**이 아뢰었다.

"전일에 요동 총병관(遼東摠兵官) 나웅(羅雄)이 사의(簑衣)를 요구하고, 산해위 지휘 주사(山海衛指揮主司)는 백후지(白厚紙)와 각궁(角弓)을 요구하였는데, 취품(取稟)하기를 청합니다. 또 허침이 아뢴 봉황성 지휘(鳳凰城指揮) 유탁에게 예로 주는 인정은 어떻게 해야 하겠습니까?"

전교하였다.

"사의(簑衣)·후지(厚紙)·각궁(角弓)은 마땅히 이번 사은사(謝恩使)에게 부쳐 보내도록 하고, 유탁의 인정은 예조에 물어 보도록 하라."

12월 22일

승문원에서 아뢰었다.

"지금 이 자문(咨文)은 각압(刻押)을 찍고 먹으로 더 칠을 하였는데, 조금도 흔적이 없으니, 중국 조정에서 힐문(詰問)할 이치가 만무합니다. 비록 묻는다 하더라도 이는 각압(刻押)이 아니고 친압(親押)이라고 대답하는 것이 어떠하겠습니까?"

전교하였다.

"만약 중국 조정에서 힐문하면, 마땅히 대답하기를, '본래 풍증(風證)이 있어서 오른팔이 조금 떨리므로, 임시로 각압(刻押)을 찍었을 뿐이라'고 하라."

좌부승지 **강귀손**이 아뢰었다.

"이제 각압(刻押)을 찍은 것을 보건대 조금도 흔적이 없으므로 반드시 힐문할 이치가 없을 것이니, 이와 같이 대답할 필요가 없습니다. 또 세종조(世宗朝)에 각압을 쓰면 이자(移咨)하여 전주(轉奏)하는 예가 있었습니다. 그러나 지금은 먼저 이자(移咨)를 하지 아니하는데, 이와 같이 대답하는 것이 옳겠습니까?"

전교하였다.

"그렇다면 승문원에서 아뢴 바와 같이 하는 것이 마땅하다."

12월 23일

좌부승지 **강귀손**이 아뢰었다.

"종묘·사직·소격서(昭格署)와 경기(京畿) 근처는 모두 기도하게 하였으니, 청컨대 외방의 명산 대천에도 겸하여 기도하도록 하소서."

전교하였다.

"가하다."

• 연산군

1494년

12월 25일

정시(丁時)에 소렴(小斂)할 적에 (줄임) 승지 김응기·**강귀손**이 들어와 염(斂)하고 백관이 곡림(哭臨)하였고, 소렴전(小斂奠)을 지낼 적에 백관이 곡림하였다.

12월 26일

승지 **강귀손**이 아뢰었다.

"태종이 대행 대왕에게 고조(高祖)가 되시므로 제사 때에 고할 적에 황고조(皇高祖)라 칭하였으나, 지금 세자에게는 5세(世)가 되는데, 옛글에서 상고하여도 준거할 칭호가 없습니다. 세자께서 아직 즉위하기 전이므로 무슨 조(祖)라 하지 않고 그저 조(祖)라고만 칭하지마는, 내일 즉위하신 뒤에는 장차 어떻게 칭하올지, 대신과 예조로 하여금 함께 칭호를 의논하게 하고, 또 홍문관으로 하여금 옛글을 널리 상고하게 하소서."

"그리하라."고 전교하였다.

12월 28일

홍문관 수찬 손주가 서계(書啓)하였다.

"나라를 이어받는 정시(正始)의 처음에 맨 먼저 불사(佛事)를 거행하는 것은 선대의 뜻을 어기고 성덕(聖德)에 누(累)가 됨이 이보다 심한 것이 없으므로, 관중(館中)에서 방금 논계(論啓)하고 있었습니다. 그런데 도리어 부처에게 바치는 소문(疏文)을 짓는다면, 사체에 미안할 뿐만 아니라, 말과 행동이 다르게 됩니다. (줄임) 승하하신 지 얼마 안 되어 부처에게 아첨하여 복을 구하여 예도에 맞지 않는 일을 거행하는 것은, 대행 대왕의 20여 년의 성스러운 덕화를 모독할 뿐만 아니라, 첫 정사에 크게 누가 되니, 어찌 명령에 따라 소문을 짓겠습니까? (줄임)"

승지 **강귀손**이 아뢰었다.

"승정원도 경연의 직책을 띠고 있으며 뜻을 주장함이 손주보다 못하지 않습니다. 주가 명령을 좇지 않았는데 정원에서 즐겨 짓겠습니까?"

사신이 굳이 아뢰자, 전교하였다.

"승정원에서 지어 보내라."

승지들이 향실(香室)에 입직(入直)한 정자(正字)를 시켜 예전에 쓰던 소문을 베껴 보냈다.

1495년
1월 12일
전교하였다.

"인수 왕대비(仁粹王大妃)께서 정사(丁巳)생인데 지금 하현궁(下玄宮)이 사월(巳月)이니, 해롭지 않겠는가?"

승지 **강귀손**이 관상감(觀象監)에 물어서 아뢰었다.

"탄생하신 해는 정사(丁巳)이고 지금 4월은 신사(辛巳)인데,《음양서(陰陽書)》에 이르기를 '단지(單支)는 기(忌)할 것이 없다.'고 하였습니다."

2월 1일
원상(院相) 및 승지에게 전교하였다.

"예종께서 일찍이 산릉에 가 보셨으니, 나도 가 보고 싶은데, 어떠한가?"

신승선·한사문·**강귀손**·송질 등이 아뢰었다.

"예종 때에는 어떤 사람은 가하다 하고 어떤 사람은 아니라 하므로 친히 가서서 결정하신 것이지만, 지금은 대신이 이미 심정(審定)했으니, 최질(衰絰) 중에 거둥하시는 것은 거북합니다."

권경우만은 '가 보시는 것이 지당하다.' 하니, 전교하였다.

"발인 때에는 시위하지 못할 것이니 안장할 땅을 모를 터인데, 어찌하랴? 그러기에 가 보려고 하는 것이다."

2월 2일

승정원이 아뢰었다.

"전일에 의정부가 양전(兩殿)께 육선(肉膳)을 드시도록 청하였으나, 굳이 거절하고 윤허하지 않으셨습니다. 지금은 여러 종재(宗宰)들도 이미 개소(開素)하였고 복(服)도 역시 다했으니, 다시 청함이 어떻겠습니까?"

'그리하라.'고 전교하였다. 승지 한사문·권경우·**강귀손**·구치곤 등이 창경궁에 나아가 인수대비와 인혜대비께 아뢰었다.

"이제는 이미 복도 다 마치셨으니, 육선을 드소서."

전교하였다.

"나는 식성이 본시 소식(素食)을 싫어하지 않고 또한 늙고 병든 몸이 아닌데, 어찌 차마 육식을 하겠는가."

다시 아뢰었다.

"정은 비록 한정이 없을지라도 예제(禮制)는 지나쳐서는 안 됩니다."

2월 5일

승지 **강귀손**이 아뢰었다.

"〈무일편(無逸篇)〉과 〈칠월편(七月篇)〉을 등사하여 벽에 붙이라고 명하시니, 전하의 감계(鑑戒)하는 뜻이 지극합니다. 신의 생각으로는 병풍 두 개를 만들어 하나는 〈무일편〉을 쓰고, 하나는 〈칠월편〉을 쓰게 하여 거처에 따라 (비치하고 항상) 관성(觀省)하시면 어떻겠습니까? 겨울과 여름에 따라 처소가 다른데 만약 한 곳의 벽에다 붙여 놓으면 늘 관성하실 수 없을 것이니, 옛날 제왕이 병풍에다 쓰게 한 것은 이 때문입니다."

전교하였다.

"병풍에다 쓰는 것이 과연 옳겠다. 그러나 종이에다 써서 거처하는 곳에 따라 벽에 붙이고 보는 것도 역시 좋을 것이다."

2월 26일

승지 **강귀손**이 아뢰었다.

"세자 빈객(世子賓客)이 죽을 경우에는 부조로 쌀·콩 아울러 20 석과 종이 20권을 내려 주는 것이 준례입니다. 전일 성건(成健)이 빈객의 직을 띠고 죽었으므로 준례에 의하여 부조하였는데, 이제 송영의 죽음은 빈객의 직을 체천(遞遷)한 뒤에 있었으니, 어떻게 처리하리까?"

전교하였다.

"빈객의 예에 의하여 부조하라."

3월 8일

경상도 관찰사 김제신이 급히 아뢰었다.

"종 정국(宗貞國)이 특히 직선(職宣)을 보내어 범죄한 왜인을 쇄환하기 위해 와서 어망(漁網)을 불태우고 죄 있는 32호를 쇄환하되 어량(魚梁)을 쟁탈한 자는 그중에 들지 않았습니다. 그 까닭을 물으니, 이렇게 답하였습니다. '경차관(敬差官)이 가지고 온 서계(書契) 가운데 어량을 쟁탈한 왜인의 성명이 기록되지 않았고 경차관이 또한 말하지 아니하므로, 도주(島主)의 명령이 없었으니, 어찌 감히 마음대로 쇄환하겠습니까. 지금 내가 돌아갈 때에 예조에서 만일 이것을 도주에게 통첩하면 처치하기가 무엇이 어려우리까.'"(줄임)

승지 **강귀손**이 아뢰었다.

"국가에서 경차관을 파견한 것은 오로지 어량 때문인데, 지금 그들의 말이 '경차관이 말하지 아니하였다.' 하나, 이미 어망을 불태웠으니 어망의 주인을 알 것인데도 그 말이 이와 같이 간사하니, 지금 비록 타이른들 어찌 들으려 하겠습니까. 예조에서 아뢴 것이 소홀한 것 같사오니, 만일 대신에게 의논하면 반드시 좋은 의견이 있을 것입니다."

3월 10일

전교하였다.

"조칙(詔勅)을 영접할 때 내가 입을 복색은, 문종조(文宗朝)와 대행 왕조(大行王朝)에서는 다 청라포(靑羅袍)·소옥대(素玉帶)를 썼는데, 지금은 의논하기를 '조칙을 영접할 때에 곤룡 강사포(袞龍絳紗袍)·홍정 삽옥대(紅鞓鈒玉帶)를 쓸 것이다.' 하니, 이것은 어느 예에 의거한 것인가?"

승지 김응기·**강귀손**이 아뢰었다.

"문종조와 대행 왕조에서는 조(詔)와 칙(勅)을 일시에 영접하는데, 왕세자의 면복(冕服)이 없으므로, 길·흉의 중간을 참작하여 청라포·소옥대의 의식을 썼습니다. 또 문종께서 이 의식을 정할 때에 중론을 널리 모았었는데, 집현전과 승정원에서는 널리 옛 제도를 참고하여 말하기를 '마땅히 성복(盛服)을 써야 한다.' 하고, 의정부에서는 '길흉의 중간을 참작하여 청라포·소옥대의 의식을 써야 한다.' 하였는데, 문종께서 처음에는 집현전의 의논을 좇으려다가 중론을 다시 모아 마침내 청라포·소옥대를 썼습니다. 근래에 사신 동월(董越) 애박(艾璞)이 온 이후로는 영조(迎詔)와 영칙(迎勅)을 동시에 하지 않았는데, 지금 전하께서는 이미 영조(迎詔)할 때에 황제의 명을 받아 국왕이 된 것이니, 영칙할 때에 성복(盛服)을 갖추셔야 마땅한 것입니다. 그러므로 신들이 어제 대신과 더불어 이와 같이 의계(議啓)하였습니다."

5월 9일

승지 권경우·**강귀손**이 아뢰었다.

"유대승·이지강은 비록 대호군(大護軍)을 지냈으나, 호군의 직위라는 것은 어질고 유능하다고 해서 제수하는 것이 아니라, 공신의 후손은 용렬하더라도 역시 준례에 의해서 제수할 수 있는 것입니다. 지금 대간이 아뢰고, 정부에서도 아뢰었습니다만, 대승 같은 무리는 매우 용렬하여 조정에서 경멸하고 천하게 여기는 바이오니, 동반(東班)의 4, 5품 직을 제수하면 족합니다. 지금 혹은 시행(時行) 부장으로 한다 혹은 의금부 경력(經歷)으로 한다 하지만, 실직이 없이 갑자기 당상관에 승진된다는 것은 너무 분수에 넘치는 일입니다. 신 등의 생각으로는, 대간의 말을 좇는 것이 온당하다고 하겠습니다."

전교하였다.

"어제 이미 하문하였더니, 모두 3품관을 지냈으므로 특별히 가자(加資)하였다."

5월 11일

승지 **강귀손**이 아뢰었다.

"무릇 대례(大禮)를 행하며 홀을 꽂을 때에는 홀을 근시(近侍)에게 주었는데, 성종 대왕께서 전작(奠酌)할 때 홀을 다른 사람에게 주는 것이 불공한 것 같고, 한 손으로 홀을 잡고 한 손으로 잔을 드리는 것도 역시 불공하다고 하여 홀을 품에 꽂았습니다. 이것은 성종대왕께서 그 공경함을 다한 일이니, 오늘도 본받는 것이 옳습니다. 그 예절을 따르는 것이 어떻겠습니까?"

"그리하라"고 전교하였다.

5월 24일

승지 **강귀손**이 아뢰었다.

"3년 상기(喪期) 안에 형을 결정하는 여부에 대해서 전례를 상고해 보았습니다. 성종 초에는 사형에 대하여 대신들을 많이 모아 의논하여, 정리가 애매한 자는 다 놓아주고, 그 외 당연히 처형해야 할 자는 3년 후에 죄를 주게 하였습니다. 사형수는 해사(該司)로 하여금 자세히 사실해서 아뢰게 함이 어떻겠습니까?"

"그리하라"고 전교하였다.

6월 29일

윤탕로의 이름 아래에 유(宥) 자를 써 붙인 단자(單子)를 내어 승정원에 보이며 전교하였다.

"내가 대간이 하는 말을 그르게 여기지는 않는다. 어제 이 단자를 4번이나 도로 내렸는데 굳이 거절하고 받지 않으니, 이는 나를 임금으로 삼지 않는 것이다. 다 직을 갈고 금부(禁府)에 회부하여 국문하게 하라."(줄임)

승지 **강귀손**이 아뢰었다.

"지난날에 우리 성종(成宗)께서 강직한 기풍을 배양하기 위하여 대간(臺諫)을 우대하시므로 한 사람도 간언하는 일로써 죄를 받은 적이 없었습니다. 성상께서 즉위하신 이래로 무릇 교명(敎命)을 내리심에 있어서는 한결같이 선왕과 같으시기 때문에 대간도 역시 믿는 바가 있어 감히 이같이 한 것입니다. 대사간 성세명은 신의 매부이니, 본디 회피해야 마땅할 일이오나, 신이 아뢰는 것은 실로 공의일 뿐이며, 또 마음에 소회가 있으면 다 아뢰지 않을 수 없으므로 감히 아룁니다."

왕이 그 말에는 회답하지 아니하고, (줄임) 전교하였다.

"내가 염려하는 것은 정승들이 내 뜻을 모르고 내가 언사로써 죄를 주는 것이라고 혹 할는지 모르나, 내 뜻은 임금의 명인데 네 번이나 거역하였다는 것이다. (줄임) 이래서 국문하려 하는 것이니, 이런 뜻으로써 주서(注書)를 달려보내어 원상(院相) 등에게 유시(諭示)하게 하라."

8월 25일

경연에 나아갔다. (줄임) 참찬관 **강귀손**이 아뢰었다.

"신이 일찍이 남방의 수령이 되었기 때문에 지금도 이 폐단을 압니다. 유방하는 군사는 장비도 갖추지 않고, 또 장수가 어질지 못하면 물품을 받아들이고 놓아 보내는 것으로써 이름이 유방(留防)이지 방어하지는 않으니, 준의 말이 매우 옳습니다."

1496년
1월 13일

개성부의 정병 이귀손 등 70인이 상언하였다.

"본부는 비록 옛 도읍이나 백성이 적어서 부역에 괴롭더니, 유수 홍흥이 백성을 아끼고 부역을 공평하게 하였는데, 지금 갈릴 시기에 다달았으니, 유임시켜 주시기를 청합니다."

승정원에 전교하였다.

"민원에 따르면 어떻겠는가?"

승지 김응기·권경우·**강귀손**·신수근이 아뢰었다.

"신들도 역시 홍흥의 치적을 들었으니, 백성의 유임 청원은 믿을 만한 것입니다. 그러나 한 번 그 단서를 열어 놓으면 뒤에 가서 홍흥 같지 않은 자가 혹시 백성을 꾀어 유임을 청하게 하는 자가 있을 것 같습니다."

3월 14일
(줄임) **강귀손**을 좌승지로 (줄임) 삼았다.

3월 23일
왕이 유인홍 첩의 사건에 관계된 종의 추안(推案)에서 국문할 만한 8조목을 지적하여 승지 **강귀손**으로 하여금 가서 국문하게 하고, 이어 승정원에 전교하였다.

"이 추안을 보니, 인홍의 딸이 반드시 남에게 죽은 것이 아니라고 못 하겠으며, 인홍도 가장으로서 죄가 없을 수 없는데, 인홍이 이와 같기 때문에 그 사건에 간여된 종들이 잘 승복하지 않을 것이다. 옥사가 끝 나는 동안 인홍을 구금하여 서로 통하지 못하게 하는 것이 어떠한가?"

승지들이 아뢰었다.

"신들의 뜻도 그러합니다. 인홍이 처음에 그 딸이 죽었다는 것을 들 었을 때에 의심을 품고서 그 형적을 따라 죽게 된 까닭을 캐 보았어야 하는데, 지금 일이 이미 발각된 뒤에야 친히 의금부 문앞에 와서 첩을 위하여 발명하였으니 무상(無狀)함이 심합니다. 가장이 이와 같으니, 그 종들이 자복하지 않을 것은 당연합니다. 만약 물을 일이 있으면 인 홍을 아울러 가두는 것이 어떻겠습니까?"

"그리하라"고 전교하였다.

3월 23일
승지 **강귀손**이 아뢰었다.

"전하께서 분부하신 8조목으로 그 사건에 간여된 자들에게 물어 보았으나 전과 같이 숨기어 조금도 어긋남이 없으니, 이는 반드시 미리 꾸며 놓은 것 같습니다. 유인홍이 함께 옥중에 있으면 사건에 관련된 자들이 더욱 자복하지 않으려 할 것이니 진상을 알아내기가 어렵습니다. 승지가 전교를 받은 것 같이 하고서 인홍에게 묻기를, '지금 바른 대로 고백하지 않고서 뒤에 드러나면 중죄로 논하게 될 것이다.'하면 인홍이 반드시 자복할 것입니다."

"그리하라"고 전교하였다.

윤3월 27일

포도장(捕盜將) 정유지가 아뢰었다.

"마전군에 평민 이순형이 딸을 데리고 사는데, 강도들이 그 딸이 아름답다는 말을 듣고서 그 집을 포위하여 불을 지르고 사람을 죽이고, 그 딸을 빼앗아 갔으니, 가서 잡기를 청합니다."

전교하였다.

"도둑을 잡기란 매우 어려우니, 이곳에서 잡으려고 하면 저곳으로 도망할 것이다. 내 생각으로는 팔도(八道)로 하여금 비밀리 기일을 약속하여 한때에 함께 잡으면 도둑이 빠져 달아날 데가 없을 것 같으니, 승정원에 묻는다."(줄임)

승지 **강귀손**·신수근·구치곤이 아뢰었다.

"외방에서 만약 일시에 함께 잡아들인다면 과연 죄 없는 사람까지 잡아들이는 일이 있을 수 있으나 추문하면 가리게 될 것입니다. 또 외방은 서울과 같지 않아 무릇 도둑은 주민들이 다 알고 있으나 두려워서 감히 고발하여 잡지 못하는데, 지금 만약 팔도가 함께 일어나 잡는다면 반드시 그 도당들을 다 잡아서 도둑이 조금 없어질 것이나, 이 일은 어쩌다가 한 번 해 볼 일입니다."

전교하였다.

"만약 사방에서 함께 일어난다면 과연 아뢴 바와 같이 무고한 백성도 혹시 끼게 될 것이다. 그러나 지금 농사철을 당해서 강도가 횡행하여 백성을 죽이면 그 폐단이 더욱 심하니 팔도로 하여금 일시에 잡게 하라."

8월 9일

평안도 관찰사 변종인이 급히 아뢰었다.

"벽동진 병마 첨절제사(碧潼鎭兵馬僉節制使) 정은부의 첩보에, '저들 15명이 길이 험하고 풀이 무성한 곳에 숨어서 엿보다가 탐지하는 갑사(甲士) 최효종·유현계를 사로잡아 가므로 김성구지·최자번 등이 도망쳐 왔다.'합니다."

승지 **강귀손**·신수근 등이 아뢰었다.

"신들이 이 계본(啓本)을 보니, 탐지하는 사람이 사로잡힌 것은 옛적에 없던 일이므로 지금 불문에 부친다면 얼음이 언 뒤에 길을 나누어 침범하여 올 것 같습니다. 청컨대 전대로 조방장(助防將)을 보내야 할 것이니, 전일 병조에서 아뢴 바가 옳습니다. 변경에 가까이 오는 저들을 항상 몰아 쫓으면 장차 위엄을 두려워하여 감히 범하지 못 할 것입니다. 또 국상 3년 안에 토벌할 수 없다 하니, 이 의논이 비록 옳지만, 저들이 자주 침범한다면 죄를 묻는 일은 부득이합니다. 하물며 지금 무사들이 모두 저러함에리까. 무사들은 토벌할 것을 말하고, 문관들은 화친(和親)을 주장하는 것이 비록 예사이나, 신들 또한 가서 토벌하는 것이 옳다고 여기니, 수의(收議)하소서."

"그리하라"고 전교하였다.

8월 10일

정언 안팽수가 아뢰었다.

"신이 오늘 처음 출사(出仕)할 때에 동료와 회의하지 않았습니다마는 공론의 있는 바에 독계(獨啓)하는 것으로써 혐의를 삼지 못하겠습니다. 신주와 사당을 세우는 것은 선왕의 유교가 지극히 엄중한 것이니, 단연 코 거행하지 못할 것입니다. (줄임) 전하께서 선왕의 유교를 어기고 사친(私親)의 은혜만 생각하시어 허물이 장차 가리기 어렵게 되었으니, 대간으로서는 중한 꾸중을 피하지 않고 바로 간하여 임금을 허물이 없 도록 해야 합니다. 그러나 윤민·이극규가 취임하는 처음에 임금의 비 위를 맞추어 하늘에 계신 선왕의 영을 배반하였고, 이의무는 처음에 동료와 회의하여 간하다가 지금은 중간에 변하여 영합하는 윤민과 극 규를 따르니, 내치어서 그 영합하는 죄를 다스리소서."

들어주지 않았다. (줄임) 승지 **강귀손**이 아뢰었다.

"대사헌 등이 장관으로서 논핵을 당하였으니, 이는 사중(司中)에서 용납되지 못한 것입니다. (줄임) 대간이란 소회가 있으면 반드시 아뢰 어 자기 몸을 곧게 행할 것이지, 어찌 물의에 끌려서 억지로 남이 옳게 여기고 그르게 여기는 것을 따르겠습니까? 양편을 다 체직시키소서. 다만 그중에 사간 민휘와 정언 안팽수는 출사한 지 얼마 안 되어 서로 공박하는 데에 참여하지 않았으니, 체직하지 말아야 합니다."

"대간(臺諫)들을 모두 체직시키겠다."고 전교하였다.

강귀손이 다시 아뢰었다.

"대사헌·대사간·집의는 체직시키는 것이 옳거니와, 사간·정언까지도 아울러 체직한다면 외인이 듣고 보기에 어떻겠습니까."

전교하였다.

"만약 체직하지 않는다면 저들이 반드시 홀로 체직되지 않음으로써 혐의로 삼을 것이니, 모두 체직시킨다."

9월 27일

경연에 사간 윤석과 지평 강숙돌이 아뢰었다.

"입묘(立廟)의 일은 전의 하교에 이르시기를, '수의(收議)한다.' 하시고 지금까지 결정이 없사오니, 청하옵건대 중의를 널리 모으소서. 김효강이 제멋대로 아뢰어 판부한 죄는 다스리지 않을 수 없습니다."

왕이 좌우를 돌아보며 묻자 (줄임) 참찬관 **강귀손**이 아뢰었다.

"이번에 직계한 단자에 이르기를, '일반 공천은 그대로 본사(本司)에 속하여서 일을 시켜 움직임이 없다.'고 하였으니, 이것은 따로이 한 법을 세우는 것입니다. 입법의 대사를 어찌 직계로 해서야 옳겠습니까. 또 만일 이 법을 통용한다면 공천은 모두 내수사에 속하게 되니, 고치지 않을 수 없습니다."

10월 24일

정원에 전교하였다.

"지금 날씨가 얼고 추워지니 비록 큰 집안에서 화로를 끼고 앉아도 추위를 견딜 수 없다. 대내(大內)를 수리하는데 일 나온 군사들이 어찌 고생하지 않으랴. 백성은 나라의 근본이니 근본이 굳건해야 나라가 평안하다 하였다. (줄임) 역사를 정지함이 어떠한가."

승지 **강귀손** 등이 아뢰었다.

"전하께서 진념하심이 이러하니 백성들이 반드시 감명하여 받들 것입니다. 그러나 내년 2월 이후에는 마땅히 정전(正殿)에 거처하셔야 합니다. 대내의 역사가 끝나 가는데 아직 미급한 것은 장인(匠人)들의 일 뿐이니, 군인들을 일 시키지 않아도 됩니다. 전하께서 삼년상 중이어서 지금까지 정전에 거처하시지 않았는데, 금년에는 수리를 끝내고 옮겨 거처하셔야 합니다."

전교하였다.

"군인들의 고생이 심하다. 그러나 사세가 이와 같으니 좋도록 하라."

10월 30일.

대사헌 김제신 등이 서계하였다.

"신 등이 직책을 다하지 못하여 이의무에게 업신여긴 바 되었으니, 부끄럽게 직위에 있을 수 없습니다. 지금 의무를 금부로 옮긴다 하더라도 신 등이 모욕을 받은 것은 그대로입니다. 급히 신 등의 관직을 갈아서 대간의 기강을 일신하소서."

들어주지 않고, 이어 전교하였다.

"근래 내가 미령해서 경연에 나가지 못하여 나의 뜻을 친히 말하지 못하였다."

이어 도승지 **강귀손**에 명하여 술을 주게 하였다.

11월 5일

승지 **강귀손**과 송일이 아뢰었다.

"팔도에 명하여 월령 진공(月令進貢)에 속하지 않은 수산물 중에 먹을 것을 진상하는 것은 양전(兩殿)을 위한 것입니다. 황해감사 김자정이 여러 고을을 순행하면서 (물건의) 있고 없음을 자세히 물어보지도 않고 문득 없다고만 아뢰었는데, 위를 받드는 생각이 매우 어그러집니다."

"국문하라."고 전교하였다.

11월 22일

어서를 내리어 말하였다.

"내가 경연을 정지한다고 하여 나를 게으르다 하지말라. 나는 약질로써 갑자기 큰 근심을 만나 어찌 할 바를 몰랐는데, 이른 봄 제사를 드리다가 심한 감기에 걸린 이후 잠시만 수고로워도 다시 발병하여 지금까지 낫지 않아서 여러 신하들을 접견하지 못한 지가 이미 오래되었다. 차도만 있으면 경연에 나가려 한다."

도승지 **강귀손** 등이 아뢰었다.

"신 등이 지척에 있으면서 어찌 상체의 미령하심을 모르겠습니까. 지금 경연에 나오지 못하는 뜻을 정녕하게 말씀해 주시니, 신 등은 기뻐 하례합니다."

12월 13일

예조판서 성현과 참의 조숙기 등이 서계(書啓)하였다.

"전교를 받아보니, 이달 24일 성종대왕 기신(忌辰)에 대상재(大祥齋)를 거행한다 하는데, 신 등이 반복하여 생각하니 마음 아픈 일입니다. (줄임) 전하께서 근일 공도(孔道)를 진흥하고 불교를 쇠하게 한다고 중외에 유시를 내리니, 진신 사류(搢紳士流)가 서로 더불어 기뻐 하례하였습니다. 그런데 지금 이 전교를 들으니 사기(士氣)가 여지없이 쓸쓸해졌습니다. 이래서 신 등이 강력히 말씀드리며 번거롭게 아뢰는 바이니 삼사(三思)를 유념하기 바랍니다."

전교하였다.

"공씨의 도를 존숭하고 석씨의 교를 쇠하게 한다 하였지만 이것은 대상재를 두고 한 말이 아니다. 점차로 쇠하게 하여야겠지만, 재를 올리는 것이라면 기신과 대상이 무슨 다름이 있는가. 진부한 말이구나." (줄임) 성현의 본가는 원래 불교를 숭상하였으니, 전날의 49재는 성현이 계품(啓稟)하여 나온 것이 아니라고는 꼭 말할 수 없을 것이다. 지금 여기서 다시 승전을 청한 것은 대론(臺論)을 두려워하여 재를 마련하는 것이 위의 전지에서 나온 것이요 예조 판서의 의사가 아니었음을 밝히려 한 것이다. 성현 등이 나간 다음에 승지 **강귀손**이 웃으며 말하였다.

"오늘의 논간(論諫)이 전일의 계품을 속죄할 것인가."

12월 19일

의금부에 정수의 추안(推案)을 내리며 전교하였다.

"이는 반드시 이귀손이 혐의를 가지고 무고한 것이다. 그러나 복호·복수가 함께 도망갔는데, 반드시 이 두 사람을 심문하여야 사실을 알 수 있겠다. 관찰사는 한 지방의 소임을 맡고 있으니 졸지에 잡아올 수는 없다고 본다. 승정원의 의견은 어떤가?"

승지 **강귀손**·이인형·표연말이 아뢰었다.

"관찰사 정미수가 곧 아뢰지 않았으니 이것은 죄가 됩니다. 그러나 성명하신 정치에 한 어리석은 백성의 말로 하여 이미 수령을 잡아왔는데, 또 감사를 잡아온다면 이것은 견문에 해괴하고 놀라운 일일 뿐만 아니라 체면에 어찌되겠습니까."

1497년
1월 1일
백관이 시복(時服)으로 인정전 뜰에서 정초(正初)를 축하했다. 여러 도에서 특산물을 바쳤다. 도승지 **강귀손**에게 안팎 옷감[表裏]을 세 대 비전에 드리도록 명했다.

1월 9일
전교하였다.

"내달 세 대비전에 존호를 올릴 때에, 전례는 없더라도 내연(內宴)을 드리는 것이 어떠하냐?"

승지 **강귀손**이 아뢰었다.

"내연을 드리는 것이 매우 마땅합니다

1월 12일
(판서 이세좌 등이) 아뢰었다.

"성균관 앞 길의 민가 10여 를 철거하고 보상으로 면포를 관에서 내어 주기를 예조에서 청했습니다. 그런데 지금 왜(倭) 황금과 동철(銅鐵)을 무역하는 경비가 적지 않습니다. 신이 보건대, 중국에도 문묘(文廟)가 동네 한가운데 있으니 추후에 철거하기 바랍니다."

그대로 좇았다. 이세좌가 (이 일을) 아뢰려는데 승지 **강귀손**이 중지시키려다가 이루지 못하였다. 이세좌가 나가니, **강귀손**이 말하였다.

"즉위한 초기이니 문교 장려에 관련된 모든 일이라면 대신이 된 자는 마땅히 찬성하여야 하는데, 어찌 적은 비용을 계산하여 중지시키겠는가. 또 중국의 문묘가 여염 중에 있더라도 어찌 본받을 것인가. 지금

금과 철을 무역하는 것이 급하다 하여 주상이 문교를 장려하는 뜻을
저지하는데, 금·철과 문묘가 어느 것이 경하고 어느 것이 중한가."

1월 17일

도승지 **강귀손**에게 묘소 옮기는 여러 가지 일을 관장하도록 명하였다.

1월 20일

지평 강숙돌이 서계(書啓)하였다.

"(줄임) 안해(安該)는 용인현령으로 열 번 업적 고사에 열 번 다 상(上)
이니 예에 따라 승천되어야 합니다. 그러나 안해는 승지 **강귀손**의 이성
3촌숙이니 의망할 때에 예에 따라 상피(相避)라 썼어야 할 것인데, 쓰지
않았습니다. 또 의망하는 데에는 세 사람의 인원을 갖추어야 하는데
안해는 홀로 천거 받았으니 공정하지 않습니다. 개정하십시오."

전교하였다.

"(줄임) 안해는 열 번 업적 고사에 열 번 다 상이었으니 예에 따라 승
천되어야 할 것이다. 승지와의 상피를 쓰지 않았던 것은 우연히 잊었을
것이다."

1월 21일

도승지 **강귀손**이 아뢰었다.

"대간이, 신이 전일 상피(相避)를 쓰지 않았다고 하여, 정실이 있고
권세를 농락한다고 하였으니, 감히 안연히 직위에 있을 수 없습니다.
사피하기를 청합니다."

전교하였다.

"대간을 무서워하여 인군의 명을 듣지 않는다면 이것은 진실로 죄가 되는 것이다."

2월 4일

전교하였다.

"승지는 근시(近侍)하는 신하인데 사헌부가 갑자기 면전에서 국문하기를 청했다. 설사 궁인이 죄가 있더라도 면전에서 국문하기를 청하면 사체에 어떻겠는가. 도승지를 국문하지 말라."

이때 도승지 **강귀손**은 안해의 사건 때문에 대간의 탄핵을 받았었다.

2월 5일

승지 **강귀손**이 호조에서 아뢴 회덕현의 포흠(逋欠)을 징수하는 일을 아뢰었다.

"성종조에 간원(諫院)이 경연에서 회덕은 잔폐(殘廢)하여 포흠이 매우 많고, 이 때문에 고을의 원이 서로 잇따라 폄출(貶黜) 당함을 아뢰었는데, 성종께서 좌우의 사람들을 돌아보며 물었습니다. 신이 그 폐단을 자세히 알았으므로 하나하나 진술하여 아뢰었는데, 성종께서 특별히 호조에 상의하게 하여 미수된 전세(田稅)를 바로 본현에 납입하도록 특별히 명하였습니다. (줄임) 지금 (그 포흠을) 독촉해서 징수하려 한다면 폐단만 더욱 심해지고, 끝내는 징수하지 못하고 말 것입니다. 대신들과 의논하여 포흠을 감면하여 소복(蘇復)하게 하소서."

드디어 대신들에게 의논하여 감면해 주었다.

2월 9일

예조가 아뢰었다.

"부묘 후에는 왜(倭)와 야인이 대궐 아래 시립(侍立)하였다가 들어와서 하례하는 것이 준례입니다. 지금 길이 좁으니 들어와서 하례만 하게 하고 시립은 하지 못하게 하소서."

승지 **강귀손**이 아뢰었다.

"왜와 야인이 와서 복종하는 것은 성덕(聖德)에 관계되니, 마땅히 구경하고 백관의 끝 자리에 시립하게 함이 어떠하겠습니까?"

그대로 따랐다.

2월 11일

지평 강숙돌과 정언 남곤이 아뢰었다.

"사문(赦文)에는 강상죄(綱常罪)·탐장죄(貪贓罪)에 대하여 언급되지 않았습니다. 강상은 국가의 원기이니 한 번 헐어지면 나라가 나라답지 않게 되며, 탐장한 사람은 다스리기를 매우 엄하게 하여 자손을 금고(禁固)하기까지 했지만 탐장을 범하는 자가 잇따릅니다. 지금 모두 사면(赦免)하여 준다면 염치의 도가 없어지고 탐람하는 풍습이 그치지 않을 것이니, 사문(赦文)에 (이 내용을) 붙여 기재하기 바랍니다. (줄임)"

승지 **강귀손**이 아뢰었다.

"이미 사면령을 반포하였으니 경솔하게 고쳐서 신망을 잃으면 안됩니다. 또 조종조에서도 강상을 패(敗)한 자를 많이 사면하였으니, 신은 꼭 물어보아야 할 것은 아니라고 생각합니다."

"아뢴 것이 과연 옳다. 대간에게 말하라."고 전교하였다.

2월 12일

승지 **강귀손**이 아뢰었다.

"신이 명을 받들어 하사한 선온(宣醞)을 나누어 줄 때에 한환(韓懽)은 거절하며 마시지 않고, 신이 권하니 '승지가 어찌 미오(迷誤)하느냐.'고 하였습니다. 신은 위의 명을 욕되게 하였으니 대죄(待罪)합니다."

이어 한환을 국문하도록 청하니, 전교하였다.

"(강귀손은) 대죄하지 말라. 한환을 국문하라.

2월 13일

전교하였다.

"사문(赦文)에는 탐장에 대한 언급이 없었으니, 강학손을 서용(敍用) 해야겠다."

승지 송일과 표연말이 아뢰었다.

"한참 국문 중에 있어 판결이 내리지 않은 자는 탐장에 관계됐더라도 용서할 수 있지만, 이미 죄안에 기록된 것은, 조종조로부터 용서를 받은 일이 없습니다. 한 번 그 길을 열어 놓으면 사람들이 모두 그것을 악용할 것이니, 가볍게 허락할 수 없습니다."

답하지 않았다. 강학손은 **강귀손**의 아우이다.

2월 17일

지평 강숙돌이, '이조의 관리와 **강귀손**이 사정을 두었으니 직위에 그 대로 둘 수 없다'고 논란했고, 이와 함께 강상과 탐장(貪贓)한 일은 용서를 받을 수 없는 일임을 논란하였는데, 들어 주지 않았다.

2월 17일

승지 **강귀손**이, 자기 외숙인 안해(安該)를 승진시켜서 임명한 것에 대하여 사헌부에서 논란한 일 때문에 사직하였는데, 허락하지 않았다.

2월 19일

지평 강숙돌이 이조의 관리와 **강귀손**의 관직을 갈도록 청하였는데, 들어 주지 않았다.

2월 20일

승지 표연말이 병으로 사직하니 그대로 좇고, 승지 **강귀손**·신수근·송일은 각각 한 자급 더해 주었다.

○**강귀손**을 가선대부(嘉善大夫, 종2품) 승정원 도승지로 (줄임) 삼았다.

2월 21일

남곤이 또 아뢰었다.

"승지 세 사람이 함께 가선대부에 승진된 것은 예전에 이런 예가 없었는데, 무슨 공로가 있어서인지 모르겠으니 개정하기를 청합니다. (줄임)"

전교하였다.

"**강귀손**·송일은 모두 앞으로 크게 쓸 사람이니 빨리 발탁하여 써서 함께 국정을 의논하여야 하겠다. 신수근은 외척(外戚)이지만 역시 쓸만한 사람이니 모두 외람된 것이 아니다."

2월 24일

강귀손·신수근·송일이 사면하니, 전교하였다.

"지금의 대간은 전례가 있는 일이라도 역시 모두 논집(論執)하니 이
것이 어찌 옳겠는가."

4월 22일

승지 **강귀손** 등이 아뢰었다.

"어제 명하시어 이계동을 돌아오게 하였사온데, 신 등이 의견으로
는, 전라좌도와 경상도는 그리 서로 멀지 않으니, 가서 경상우도 각진
(各鎭)·각포(各浦)의 방어하는 일 등을 살피게 하소서."

그대로 좇았다.

○**강귀손**· 신수근 등이 서계하였다.

"삼포(三浦)의 왜가 당초 와서 거주할 때에는 그 수가 제한되어 있었
는데, 그후 번성하고 늘어나서 지금은 제포(薺浦)에 사는 왜만도 많기
가 3백여 호나 됩니다. 국가에서는 매양 대마도주(對馬島主)에게 명령
하여 데려가게 하지만, 자기에게 이익이 있으므로 따르지 않습니다.
(줄임) 지금은 국세가 당당하니 진실로 염려될 것이 없으나, 자손 만대
의 계교로 볼 때에 어찌 근심이 없음을 보장하리까. 신 등의 생각으로
는, 지금 군사를 출동하여 토벌할 수는 없더라도 접대(接待)·사여(賜與)
를 줄여 국가의 뜻을 보이고, 또 효유하기를, '국가에서 조종조 이래로
너희들을 대우하는 것이 매우 후한데, 너희들이 먼저 스스로 은혜를
저버리기 때문에 이렇게 하는 것이다.'고 하면, 저들 역시 그것이 제가
저지른 것임을 알고 원망이 없을 것입니다. 청컨대 여러 의논을 모아서
처치하소서."

"가하다."고 전교하였다.

5월 18일

승정원에서, 대간(臺諫)이 일을 폐지한 해를 서계(書啓)하였다.

"규찰(糾察)이 폐지되매 온갖 관원이 해태하여 모든 일이 다스려지지 않으며, 탄핵하는 일이 폐지되매 예의가 펴지지 않아 탐오(貪汚)함이 거리낌이 없고, 음사(淫邪)한 일이 활개치며, 간활(奸猾)한 무리가 횡행합니다. 신원(伸冤)하는 일이 폐지되니 옥중의 죄수가 오래 갇혀 있고, 송사가 밀려 도성 안 사람들이 원통함을 풀 길이 없을 뿐만 아니라, 먼 곳에서 양식을 싸 가지고 와서 호소하면서 길거리에서 슬피 부르짖는 자가 그 얼마인지 모릅니다. (줄임)

전일의 하교에, '승정원 역시 대간이다.' 하시니, 신 등이 황공함을 금할 수 없습니다. 그러나 근밀한 곳에 있으면서 이런 폐단에 대하여 끝내 입을 다물고 있을 수는 없습니다. 신 **강귀손**·신수근 역시 외람된 작상(爵賞)에 참여하였습니다. 그러나 폐해가 이렇게까지 되니, 어찌 신 등의 혐의를 생각할 수 있겠습니까."

전교하였다.

"(줄임) 승정원은 다만 왕명을 출납하고 묻는 것이 있으면 대답할 따름이요, 일에 대해 말하는 것은 그 소임이 아닌데, 이제 조목조목 서계(書啓)하니 역시 그르다. 두어 사람에게 가자(加資)하는데 이처럼 논집하니, 이것은 권세가 아래에 있고 군상(君上)에게 있는 것이 아니다. 후의 임금은 당연히 고치겠지만 나는 결코 고칠 수 없다."

5월 24일

목청전 참봉 임계번이 사직 상소를 올렸는데, 대략 이러하다.

"(줄임) 신의 아비 미(粃)가 충주에 사는데, 올해 나이 87세로서 노쇠함이 날로 심해가며 의지하는 곳은 오직 신의 한 몸뿐입니다. 지금 신의 임지가 충주와 상거가 5일 길이나 되어 멀리 떠나서 벼슬에 종사하는 것은 마음에 실로 차마 할 수 없으니, 신의 관직을 갈아 주소서."

승지 **강귀손**이 아뢰었다.

"임계번이 처음에 효행(孝行)으로 관직에 제수되었는데, 지금 어버이가 늙었다 하여 사직하니, 그 마음이 가상합니다. 시골집 가까운 곳으로 바꿔 주소서."

"그리하라."고 전교하였다.

5월 29일

참판 안우건의 첩 아들 안동이, 우건이 죽은 소식을 듣고 분상(奔喪)하여 왔다. 양자인 안환이 이미 죽었는데, 환의 아내 신씨는 곧 왕비의 아우이다. 종을 시켜 내쫓고 복상(服喪)입지 못하게 하므로, 안동이 사헌부에 호소하니, 헌부에서는 첩의 아들로 논정(論定)하였다. 신씨 역시 상언(上言)하니, 명하여 승정원으로 내려보냈다. 승지 신수근은 신씨의 오라비이므로 피혐(避嫌)하였다. (줄임)

승지 **강귀손**이 아뢰었다.

"신이 우건과는 육촌이지만 정리가 절친하여 형제나 다름이 없었는데, 우건이 일찍이 첩 아들이 있다고 말한 적이 없습니다. 오늘 일을 보면 평소의 들은 것과는 같지 않습니다."

전교하였다.

"이것으로 보면 우건의 아들이 아닌 것이 분명하다."

6월 10일

전교하였다.

"승정원이, '대간이 반드시 직무에 나가지 않을 것'이라고 하는데, 나의 소행이 저 주(紂)가 고기를 숲처럼, 술을 방죽처럼 하고 구리 기둥을 세웠던 것과 같다면 간관이 기어이 자기들의 요청을 관철하려 하여도 좋으나, 임사홍 등의 일을 가지고 60, 70번이나 사직하니, 어찌된 일인가? (줄임)"

승지 **강귀손**·신수근·이인형·김수동이 아뢰었다.

"근일에 신 등도 역시 대궐 앞에서 원통함을 호소하는 사람이 있다는 것을 듣고 매양 위에 주달하려고 하였던 것인데, 송일이 마침 하문(下問)하심을 인하여 아뢴 것입니다. 성종조에 임광재가 그 아비를 위해 상소하여 원통함을 진술했었는데, 성종께서 글을 내려 회답하시기를, '내가 경의 부친을 저버린 것이 아니라 경의 부친이 나를 저버렸다.'고 하였었습니다. 성종께서 원래 사홍(士洪)을 중히 여겼지만 필경은 그 소행을 분명히 아셨기 때문에, 그 아들 광재가 공주에게 장가들어 왕실과 연척이 되었지만은 끝내 쓰지 않은 것입니다."

전교하였다.

"사홍에게 대성(臺省)이나 정조(政曹)를 맡겼다면 이렇게 논쟁하여 고집하여도 좋을 것이다. 나의 '다시 신임하여 쓰지 않겠다.'는 말을 사관(史官)이 이미 썼을 것이니, 만에 하나라도 다시 쓸 리가 없다."

6월 12일

호조판서 이세좌가 아뢰었다.

"동청례(童淸禮)가 가지고 갈 부채 1백 30자루를 갑자기 준비하게 하면 백성들에게 폐를 줄까 염려되니 내상고(內廂庫)에 저장해 둔 것으로 주기로 하고, 일체 사여(賜與)하는 부채 역시 내상고에 저장된 것을 쓰기로 하소서.”

그대로 들어주었다. 승지 **강귀손**·이인형이 아뢰었다.

“지금 청례가 가지고 갈 부채는 단지 백여 자루니 비록 시장에서 구입하더라도 역시 마련하기 쉬울 것인데, 어찌 반드시 내고(內庫)에 저장한 것으로 주어야 합니까. 어고(御庫) 저장품을 아래 있는 사람들이 마음대로 계청(啓請)하는 것은 불가하다고 생각됩니다.”

전교하였다.

“해사(該司)에서 갑자기 마련하지 못할 것이니, 우선 내고 저장품으로 주는 것이 옳으리라.”

6월 14일

강귀손을 경기관찰사(京畿觀察使)로 임명하였다.

6월 28일

경기관찰사 **강귀손**이 아뢰었다.

“국가에서 바닷가에 있는 여러 고을로 하여금 소금을 굽게 하고 산고을에 수송하여 곡식과 바꾸어 군자(軍資)에 충당하고 있는데, 이는 실로 아름다운 법입니다. 그러나 민가에서 소금을 쓰는 시기가 봄 3, 4월과 가을 7, 8월이 가장 용도에 적절한데, 염분 차사원(鹽盆差使員)이 군소금의 숫자를 감사(監司)에게 보고해서 감사가 계준(啓准)해야 여러 고을에 나누어 수송하게 되므로 항상 적절한 시기에 미치지 못합니다. 이 때문에 백성들이 즐겨 사지 않아 결과적으로 백성에게 강매해서 그 값을 거둬가니 그 폐단이 적지 않습니다.

더구나 실어 보낼 때에 날이 차서 얼음이 얼면 백성으로 하여금 길어 가게 하니 백성이 또 괴롭게 여깁니다. 금년 가을에 주어야 할 소금은 명년 봄을 기다려서 주고, 명년 봄에 주어야 할 소금은 또 가을을 기다려서 주어, 길이 상례로 삼으시면 백성의 소금받는 것이 적절하게 쓸 시기에 미칠 수 있습니다. 또 '무우 4백 석을 각관(各官)에서 채전(茱田)에 심었던 것으로 폐단 없이 상납하라.' 하였으나, 각관에는 본시 채전이 없으므로 반드시 백성에게 분차하여 거두어 들여야 하니, 그 폐단이 적지 않습니다. 신 등의 생각으로는 사포서(司圃署)의 채전이 심히 많고 또 차비(差備)한 종도 120명이 있으니 그 많은 종들로 하여금 많은 채전에 심어 가꾸게 하오면 어찌 부족하겠습니까.

지금은 그렇지 아니하여, 그 밭에다 콩이나 보리를 심고 채소를 심지 않으면서 진상할 무우가 부족하다 하며 각관에서 거두어 들이면 가하겠습니까. 지난번에 또 역시 경기 백성으로 하여금 무우를 사포서(司圃署)에 들이라 하고, 본서에서 검사하여 퇴각하고 받지 않는 바람에 겨울이 넘도록 백성들이 바치지 못했습니다. 그러자 사포서의 종들이 서로 방납하겠다고 나서, 무우 한 말의 댓가가 면포(綿布) 3필까지 되었으니, 그 폐단이 적지 않습니다. 청컨대 무우를 서울 가까운 고을에서 수집하여 서원(署員)으로 하여금 와서 받아가게 하소서. 또 전에 제향에 소용할 무우가 부족하여 봉상시(奉常寺)의 오래 묵은 면포로 무역한 일이 있는데, 만일 부득이할 경우에는 이 예에 의하기를 청합니다.

또 금년에 경기도 과원(果園)에서 생산된 대추 10여 말을 이미 봉상시(奉常寺)에 납입하였으나, 용도에 부족되므로 예조에서 또 10여 말을 더 납입하라고 독촉했습니다. 그러나 금년은 과물(果物)이 부실하여 모두 바칠 길이 없으니 감해 주소서. 또 경상도의 전세(田稅)를 실은 조선(漕船)이 양근(楊根) 지방에서 침몰되어 그 침수(沈水)된 쌀을 이미 백성들에게 나누어 주었는데, 그 중 50여 석이 너무나 썩어서 먹을 수 없음에도 역시 백성에게 주어서 그 값을 거둬들이고 있으니 민폐가 역시 대단합니다. 아울러 탕감하여 주소서."

전교하였다.

"모두 아뢴 바에 의해서 하라. 다만 무우에 대하여는 3백 석만 감하고 1백 석은 본도에 소장된 오래 묵은 면포로서 값을 주고 무역해 들이도록 하라."

12월 21일

실록청(實錄廳) (줄임) 본 건을 아뢴 승지 김응기·**강귀손** (줄임)에게 아마(兒馬) 한 필을 내려주고, 《세조실록(世祖實錄)》의 예에 의해 출사(出仕)한 날짜의 구근(久近)에 따라 논상(論賞)에 차등을 두었다.

1498년
4월 4일

강귀손을 병조참판(兵曹參判)으로 (줄임) 삼았다.

○ 지평 신복의가 아뢰었다.

"경기감사 **강귀손**이 만기가 되지 못했는데 특별히 병조참판을 제수하신 것은 잠저(潛邸) 시대의 옛 은혜로써 사람에게 사정을 보인 것이니, 청컨대 개정하시옵소서."

전교하였다.

"특지(特旨)는 차한에 부재한다. 너희들이 정사를 하려느냐."

4월 21일

강귀손 등이 의논드렸다.

"변장(邊將)은 이조·병조에서 뽑아서 제수하고 또 감사·절도사가 동의하여 포폄(褒貶)하니 간택하고 거취하는 방법이 진실로 남은 계책이 없는데, 하필 사람을 시켜 각각 천거하게 하여 따로 권장하고 징계하는 방법을 세울 까닭이 있습니까. (줄임)

신 등의 의사로는, 명장(名將)을 녹용(錄用)하고 관방을 설치하는 계책이 일에 유익됨이 없고, 혹 도리어 폐단이 있을 듯하니 아무래도 시행하는 것이 불가할 것입니다."

○승정원이 아뢰었다.

"전번에 여러번 요동(遼東)에 공문을 보내어, 해랑도(海浪島)에 도망가서 사는 우리 백성을 보내 달라고 청했는데 요동에서 답하지 않습니다. 지금 돌려보내지 않은 채 날이 가고 해가 쌓이면 변방 백성이 반드시 몰래 들어가서 후일에는 수효가 불어날 것입니다. 아무리 쇄환하려 해도 형세가 어려울 것이니, 염려되지 않을 수 없습니다. 지금 다시 요동에 공문을 내어 다 돌려보내 줄 것을 청하고, 그래도 답하지 않으면 천자께 주청(奏請)할 뜻으로 효유하여 그 형세를 관망하고 처리하는 것이 어떠합니까?"

명하여 수의하게 하였다. (줄임) **강귀손** (줄임) 등이 의논드렸다.

"전후 그 섬에 간 자가 많은 이익을 얻어가지고 돌아왔으니, 이는 반드시 물산이 풍부하여 살 만한 곳인 듯합니다. (줄임)

지금 고정남의 초사(招辭)를 보면 해랑도(海浪島)는 상국(上國)의 경계에 들어있지 않다 하니, 신 등의 생각으로는 사리를 알고 무재(武才)가 있는 자를 선택해서 무사와 배에 익숙한 자를 거느리고 이문(吏文)으로 평안도 관찰사의 공문을 작성하여 그 섬으로 보내면 좋겠습니다. (줄임) 그 섬 안에 만약 우리나라 사람이 있다면 말하기를 '이 섬에도 역시 우리나라 사람이 있으니 우리는 데려가야겠다.' 해야 하는데, 그 쪽에서 만약 불응하면 강요하고 그래도 응락하지 않을 경우에는 교계할 것 없이 다만 이름만 점검해 오도록 하소서. 가지고 갈 사목(事目)과 거느리고 갈 군사는 해조(該曹)로 하여금 마련하게 하는 것이 어떠합니까?"

왕이 좇았다.

4월 21일

평안도 절도사 이조양이 급히 아뢰었다.

"벽단(碧團) 사람 아이산과 말응산이 저쪽 땅으로 도망해 들어가서 작당하여 도둑질을 하고 있으니 이는 실로 반적(叛賊)입니다. 각기 부모 형제가 있는데 그 마음을 측량하기 어려워서 서로 통하고 유인할 염려가 없지 않으니, 변방 백성들이 이를 본받아서 도망해 들어갈 자가 반드시 많이 있을 것이라 지극히 염려됩니다. 그 족류(族類)를 다스려서 후환을 막으소서."

"이 일을 수의하도록 하라."고 전교하니, **강귀손** 등이 의논드렸다.

"반역은 반드시 그가 자복한 뒤에 죄가 연루자에게 미치는 법입니다. 지금 아이산 등이 비록 저쪽 땅으로 투신해 갔더라도 유인하여 도둑이 된 형상이 나타나지 않았는데 일족(一族)을 죄준다는 것이 정(情)과 법에 합당하지 않습니다. 그 족친들이 만약 물으면 반드시 의혹해서 도망해 흩어질 것이니, 작은 연고가 아닙니다. 이 의사를 발표하지 말고 조용히 진압해야 한다고 유지를 내리심이 어떠합니까?"

(왕이) 좇았다.

5월 4일

강귀손·권경우가 의논드렸다.

"지금 평안도 경차관(敬差官) 유순정의 계본(啓本)을 보니, 심반거·김우당가 등이 함께 사변을 알려주기 위해 나왔는데, 우당가 등 6인은 바로 달한(達罕)이 시킨 바요, 반거는 추장이 보낸 것이 아니라 하였습니다. 전자에 동청례(童淸禮)가 갔을 적에 달한은 '성심으로 귀순하는 것이니 이후로는 적변(賊變)이 없을 것을 보증한다.'고 말했는데, 지금 바로 그 휘하에 있는 백서로(白書老) 등이 적(賊) 노릇을 이와 같이 하였으니 용인할 수 없습니다. 그러니 마땅히 우당개와 따라온 한 사람만 남겨 두고, 그 나머지는 각각 돌려보내되 전자의 사목(事目)에 의해서 개유하여 노획해 간 인구를 돌려 보내라고 독촉해야 합니다. (줄임) 그러나 그들의 행동을 또한 미리 예측하지 못하며 또 변경의 일도 멀리서 헤아릴 수 없으니, 제일 나은 방법으로 계획하라고 유시를 내리심이 어떠합니까?"

5월 24일

강귀손을 사헌부 대사헌으로 삼았다. (줄임) 귀손이 대사헌이 되어 사옥(史獄)에 참국(參鞫)하고, 좌우와 더불어 말하였다.

"내가 승지가 되었을 적에 정언 이주가 아뢰기를 '성종은 우리 임금이다.' 하였으니, 그 말이 놀랄 만하다"

왕이 명하여 이주를 국문하였는데, 귀손의 말한 바와 같았다.

6월 1일

명하여 최말동의 죄를 경감하여 서울의 역군(役軍)에 속하게 하자,

대사헌 **강귀손** 등이 아뢰었다.

"최말동은 범한 바를 형장 한 대도 때리기 전에 모두 자복하였으며 또 옥중에서는 제멋대로 형틀을 풀었으므로 본부에서 법에 의해 조율(照律)한 것입니다. 지금에 가벼운 죄를 주라 하시므로 신 등이 논계(論啓)하였는데, 도리어 전교하시기를 '국가를 너희들의 국가로 삼으려느냐.' 하시니, 신 등이 직에 있기가 미안합니다. 사피하겠습니다."

전교하였다.

"말동이 범한 세 가지 일이 모두 미세한 죄가 아니냐. 경 등이 (줄임) 옛날 동탁(董卓)의 일을 들어 말한 것은 동탁의 마음가짐이 편벽하고 완고하여 자기만 옳다고 여기고 당시 임금은 암약(暗弱)하다고 여기다가 마침내 위망(危亡)에 이르렀기 때문에 이른 것이다. 빨리 직에 나아가도록 하라."

귀손 등이 다시 아뢰었다.

"성종조 때에 유종생이 방(榜)을 길거리와 골목에 붙여 이덕량(李德良)을 비방하였는데, 이는 익명서(匿名書)이기 때문에 법에는 본시 사실로 취급하지 않게 되어 있으나, 성종께서는 대상[大賈]이 조정의 기강을 능멸한 것을 노엽게 여겨서 중형에 처하려 하셨는데, 그 당시 대간과 시종이 사실로 취급하지 않는 것이 타당하다고 하여 단지 강계(江界)로 정역(定役)만 하고 말았습니다. 이로써 보면 말동의 죄를 감속(減贖)한다는 것이 더욱 부당합니다. 또 동탁의 일을 끌어다가 신 등에게 비유하신 것은 주상께서 실언하신 것으로 여겨집니다. 어찌 성명(聖明)의 치하에서 동탁과 같은 일이 있으리까."(줄임)

어서(御書)를 내렸다.

"경 등의 생각이 너무도 교고(膠固)하여 하지 말아도 될 일을 여태껏 결단하지 못하고 여러 날을 끌어, 안으로는 궐정(闕庭)을 소요하게 하고 밖으로는 간하는 말을 거부한다는 소문을 드날리니, 이는 아름다운 일이 아니다. (줄임) 신하가 애써 임금을 이기려는 기풍이 이미 이루어졌으니 임금과 신하가 서로 화평하는 습속은 점차 끊어지게 되었다. 그러므로 마지 못해 계한 바에 따르는 것이니, 말동을 다시 정역(定役)하도록 하라."

7월 15일

유자광과 윤필상이 의논하여 장차 전지(傳旨)를 만들어 김종직의 죄를 논하려 하니, **강귀손**이 아뢰었다.

"여러 신하들로 하여금 이 뜻을 알게 한 후에 죄를 결정하는 것이 어떻겠습니까?"

전교하였다.

"오늘에야 비로소 대간이 있음을 알았다."

자광이 또 스스로 전지를 만들려고 하니, 귀손이 말하기를 '당연히 승정원으로 하여금 주장하게 해야 한다.' 하였다. 여러 재상들이 다 '그렇다.' 하였다.

7월 16일

전교하였다.

"세조께서 일찍이 김종직을 불초하다 하셨는데, 종직이 이것을 원망하였기 때문에 글을 지어 기롱하고 논평하기를 이에 이른 것이다. 신하가 허물이 있어서 임금이 책했다고 이렇게 하는 것이 가한가. 여러 재상들은 알아 두라."

윤필상이 함께 의논하여 종직의 문집 편집자를 국문하기를 청하니, **강귀손**이 말하였다.

"편집한 자가 만약 그 글 뜻을 알았다면 죄가 참으로 크지만, 알지 못했다면 어찌할 것인가?"

유자광이 "어찌 우물쭈물하는가?" 하고, 또 이르기를 "어찌 머뭇거리는가?" 하였다. 필상 등이 아뢰었다.

"신 등이 종직의 「조의제문(弔義帝文)」을 보니, 그 의미가 깊고 깊어 김일손의 '충분(忠憤)을 부쳤다.'는 말이 없었다면 진실로 해독하기 어려웠습니다. 그러나 그 뜻을 알고 찬집하여 간행하였다면 그 죄가 크니, 청컨대 국문하소서."

귀손이 아뢰었다.

"처음 찬집자의 국문을 청하자고 발의할 때에, 신은 말하기를 '그 글 뜻이 진실로 해득하기 어려우니, 편집한 자가 만약 그 뜻을 알았다면 진실로 죄가 있지만, 알지 못했다면 어찌하랴.' 하였는데, 자광의 말이 '어찌 우물쭈물하느냐?' '어찌 머뭇거리느냐?'고 하니, 신이 실로 미안합니다. 종직의 문집은 신의 집에도 역시 있는데, 신은 일찍이 보고도 그 뜻을 이해하지 못했습니다. 신은 듣자오니, 조위(曺偉)가 편집하고 정석견이 간행했다 하는데, 이 두 사람은 다 신과 서로 교분이 있는 처지라서, 지금 신의 말은 이러하고 자광의 말은 저러하니, 자광은 반드시 신이 조위 등을 비호하고자 하여 그런다고 의심할 것인즉, 국문에 참예하기가 미안합니다. 청컨대 피하겠습니다."

전교하였다.

"편집한 자나 간행한 자를 아울러 국문하도록 하라."

귀손에게 전교하였다.

"자광의 말이 비록 그러하다 할지라도 경이 그로써 피해서는 되겠는가?"

○ 대사헌 **강귀손**이 아뢰었다.

"전일 대중(臺中)의 의논이 '병조 낭청(兵曹郎廳)이 다 집을 지었으니, 당연히 국문해야 한다.' 하기에, 신이 이렇게 말렸습니다. '좌랑 이곤은 나의 종친(從親)이요, 또 이곤이 새로 지은 집은 나의 첩자(妾子)가 새로 지은 집과 서로 잇대었는데, 이곤이 내 첩자의 집에서 돌을 가져가기에 내가 말렸으나, 곤은 듣지 않았다. 그러나 감히 겨루지 않았으니, 겨루면 그 과실이 곤과 서로 비슷해지기 때문이다. 그 후 곤은 매양 다른 사람을 보면 나의 과실을 말했다는데, 지금 만약 그를 집 지었다고 국문한다면, 곤이 반드시 원망하여 내가 부탁하여 한 일이라 할 것이니, 묻지 말아달라.' 그런데 근일에 대중(臺中)에서 다시 전의(前議)를 발의하여 곤의 집을 조사해 보기로 하니, 신이 처음에는 비록 이 의논을 저지하였지만 지금 이렇게 한다면, 사람들이 신과 곤 사이에 '묵은 혐의가 있어서 그렇다.' 할 것입니다. 신이 용렬한 몸으로서 직에 있기가 미안하오니, 청컨대 피하겠습니다."

"피혐(避嫌)할 까닭이 없다."고 전교하였다.

○ 대사헌 **강귀손**이 아뢰었다.

"궐정(闕庭)이 옥(獄)이 되고 형장(刑杖)의 독성이 드날리며 죄인이 넘어지니, 도성안이 소요하여 보고 듣는 사람이 매우 놀랍니다. 지금 죄의 괴수가 이미 자복하였으니, 그 나머지 연루자의 국문은 청컨대 유사에게 맡기소서."

승지 홍식이 상의 분부가 있다 해서 난색을 표하자, 귀손이 성내어 아뢰었다.

"홍식이 스스로 보전할 계책만 하여 상의 분부에만 순종하고 간관(諫

官)이 일을 논한 것은 폐각(廢閣)하고 올리지 아니하니, 임금의 총명을 가릴 염려가 이로부터 비롯될 것입니다. 그 사람됨과 심술이 이러하니 국문하지 않을 수 없습니다."

그러나 듣지 않았다.

○대사헌 **강귀손**이 아뢰었다,

"금일 본사(本司)의 집의(執義) 이하가 다 궐정(闕庭)에 나아가 의득(議得)한 초본을 신에게 보여주는데, 신의 의사와는 같지 않았으나, 의득한 것이 공사(公事)가 아니므로 예사로 보고 가부를 논하지 않았습니다. 지금 유청 이하가 모두 형장 심문을 받으니, 신도 의초(議草)를 참견하였는지라 마음이 실로 편안하지 않습니다. 그러므로 피혐합니다."

전교하였다.

"대사헌은 동료들과 더불어 말하지 않았는가?"

귀손이 아뢰었다.

"의득한 초본에 '후세의 두 마음 품는 자를 경계한다.' 하였기에, 신이 '이는 문세(文勢)가 너무 느리지 않느냐?'고 말하였을 뿐이며, 이밖에 다른 말은 없었습니다."

전교하였다.

"대간은 죄가 있기 때문에 형장 심문을 한 것이다. 경은 대죄(待罪)하지 말라."

7월 18일

유자광이 실록청에서 초한 사초(史草)에 누락이 있는가 의심하여 다시 수검(搜檢)할 것을 청하자고 하니, 성준이 말하였다.

"이는 우리들이 모르는 바이다. 무릇 사람들이 입계(入啓)하는 일에 있어서 이와 같이 독차지하는 것은 마땅하지 않다.”

강귀손도 또한 '불가하다' 말하니, 자광이 드디어 정지하였다. 귀손이 남곤으로 하여금 좌중에서 말하게 하였다.

“지금 국옥(鞠獄)에는 위관(委官)이 있고 의금부도 있지만, 일찍이 그 일을 힘써 주장하지 않았는데, 힘써 주장한 자는 오직 무령군(武靈君 유자광) 뿐이다. 비밀에 속하는 일은 진실로 단독으로 아뢰는 것이 당연하지만 만약 공공연한 일이라면 마땅히 공의를 거쳐서 아뢰어야 하는데, 사초(史草)를 다시 초한 일은 좌중이 모두 모르고 무령군이 단독으로 아뢰니, 그윽이 미편하다고 생각한다.”

자광이 노하여 피혐할 것을 청했으며 귀손도 또한 그 뜻을 아뢰었는데, 전교하였다.

“지금 큰 일이 바야흐로 벌어지고 있으니, 경 등이 아뢰는 것은 수리하지 않겠다.”

7월 26일

강귀손이 아뢰었다.

“어세겸은 단지 공의(共議)하기 위해 와서 참예한 것입니다. 그러나 도청 당상은 수찬(修撰)의 일을 전담하여 육방(六房)의 일을 두루 알지 못하는 것이 없는데, 비록 아뢰려고 했다 하여도 오래도록 계달하지 않았으며, 9일에 함께 본 뒤에도 또한 즉시 아뢰지 않았으니, 그 죄가 중합니다. 육방(六房) 당상들과 함께 좌천시키는 것은 불가하니, 아울러 파직시키소서.”

전교하였다.

“이와 같은 일은 말로 하기가 심히 어려우니, (史草 관련자들을) 마땅히 통렬히 다스려서 뒷사람으로 하여금 경계할 줄을 알게 해야겠다. 승지 이세영과 내관 최치돈은 가서 곤장(棍杖)을 감시하고, 승지 김영정과 내관 설맹손은 가서 형(刑)을 감시하라. 그리고 백관 중에 보기를 꺼려서 고개를 돌리거나 혹은 낯을 가리거나 참예하지 않는 자가 있으면 모조리 이름을 써서 가져오라. 내가 장차 그 죄를 다스리겠다."

7월 27일

김일손 등의 추관(推官)이었던 당상(堂上)·낭청(郞廳)과 의금부 낭청·이졸(吏卒)에게 아울러 차등있게 상을 논하였는데, (줄임) **강귀손** (줄임) 등에게는 각기 자급(資級)을 뛰어올렸다.

7월 28일

강귀손을 정헌대부 형조판서로 (줄임) 삼았다.

10월 8일

배목인이 살았던 구례현(求禮縣)을 혁파하는 것이 편의한가에 대하여 의논하게 하니, 윤필상·정문형·성준·**강귀손**이 의논드렸다.

"목인이 비록 원적(原籍)은 구례 백성은 아니나, 그 땅에서 난리를 선동하였으니 혁파하지 않을 수 없습니다. 다만 이 고을이 해적의 직로(直路)가 되므로 국가에서 일찍이 성을 쌓을 것을 의논하였으니, 그 병력을 배치하여 방수(防戍)하는 계책은 병조로 하여금 마련하여 시행하게 하소서. 목인의 애비 계종(係宗)이 남해에 살았으니 그 고을도 또한 혁파해야 합니다만, 진(鎭)이 있는 곳이라서 혁파할 수 없다면 강등해서 현감(縣監)으로 만드는 것이 어떠하겠습니까?" (줄임)

필상 등의 의견을 따랐다.

11월 9일

강귀손을 형조판서로 (줄임) 삼았다.

윤11월 30일

상참을 받고 경연에 나가자, 동지사(同知事) **강귀손**이 아뢰었다.

"형조에서 사형수를 사민(徙民)하는데 도망자가 19명입니다. 그들은 죄가 진실로 죽어 마땅하나, 혹 본토를 그리워하고 혹 그 부모를 사모하여 도망해 왔으니 그 정상이 용서함즉 합니다."

1499년

1월 22일

산릉도감 제조 유자광·**강귀손**·윤효손이 아뢰었다.

"엎드려 전지를 보니, '창릉(昌陵)에 3년간 합제(合祭)하게 한 것은 광릉(光陵)의 구례에 의함이다.' 하셨는데, 이 제도는 정창손 등의 의논에서 나온 것입니다. 그의 의논은 '부인은 지아비를 좇는다.'는 것입니다. 지금 대행 왕비의 신릉은 비록 광릉과 무덤은 다르다 하더라도 같은 한 동네이므로 능호를 별칭할 것이 아니고 다만 정자각(丁字閣)을 별도로 설치하는 것이 타당합니다. (줄임) 신 등은 직이 예관(禮官)이 아니므로 예의를 논할 수 없으나, 산릉의 역사를 감독하다가 우러러 신각(神閣)을 보니 중앙에 서 있는지라, 합제하는 것이 정례에 당연하겠기에 감히 함묵(含默)치 못하고 천청(天聽)을 앙독(仰瀆)하니, 의정부와 예조에 의논하도록 명하소서."

4월 3일

함경도 절도사 유빈이 급히 아뢰었다.

"야인 20여 기(騎)가 삼수군에 침범하여 거민 7명을 살해하고, 남녀 33인과 우마(牛馬) 10여 마리를 노략하여 갔습니다." (줄임)

성현·**강귀손**·변종인이 의논드렸다.

"지금 적세를 보니 내지까지 깊이 들어와서 노획해 간 것이 매우 많아, 다른 사냥하는 야인이 틈을 타서 좀도둑질한 것과는 비교가 안 됩니다. (줄임) 한세충은 호지(胡地)를 가리켜 낙토라고 하여 적의 길잡이가 되었으니, 변민(邊民)이 무역에 고달픔을 알 수 있습니다. 태평한 지 오래되었으므로 변장이 예사롭게 방비하기 때문에 허술하게 되었으니, 이것이 매우 염려스럽습니다. 때때로 중신을 보내어 변지를 순행하고 군기를 살피도록 하는 것이 매우 좋겠습니다. 유지연은 죄가 진실로 중하므로 잡아와서 추국(推鞫)하여 법에 따라 처단함이 어떠합니까?"

6월 7일

서정(西征)에 대한 편부(便否)를 논의하였다. (줄임) **강귀손**과 한사문이 의논드렸다.

"서북의 오랑캐들이 너무 심하게 독기를 부리니 마땅히 죄를 묻는 군사를 일으켜야 하지만, 군사를 출동하는 데는 만전할 것을 예측할 수 없고 혹시 이롭지 못하면 한갓 군사만 괴롭히고 재물만 손상시킬 뿐입니다. 다만 적이 한세충 등을 길잡이로 하여 내지에 깊이 들어와서 침범한 것이 한 번이 아니니, 좀도둑이라 하여 버려 둘 수는 없습니다. 한 원수(元帥)를 보내어 평안·황해 양도의 군사만 인솔하고 강을 건너가서 순사를 정렬하고 타이르기를, '너희의 죄악은 하늘에 닿아 용서할 수 없으니, 만약 사로잡은 사람을 빨리 돌려보내고, 한세충 등의 목을 옭아서 사과하지 않으면 마땅히 군사를 동원하여 주륙(誅戮)하리라.' 하고, 또 수식 리(數息里)의 지역으로 물려서 한계로 하고, 수목을 벌채하여 넘어와서 엿보지 못하도록 하고, 거진(巨鎭)으로 물러나 주둔하여 군사를 나누어 오래도록 버티게 하고, 명년 봄을 기다려 저들이 혹 위반할 경우, 구축하여 쳐없앤다면 대군을 괴롭히지 않고도 변환이 종식될 것입니다."

9월 13일

충청도 관찰사 홍자아가 배사(拜辭)했다.

사신(史臣)은 말한다. "홍자아는 아첨하고 부정하며 권문 요로(權門要路)를 잘 섬겼다. **강귀손**이 이조판서로서 그 장모를 회덕현에 장사지냈는데, 홍자아가 열읍(列邑)에서 많은 쌀과 물화를 모아 주었다. **강귀손**이 돌아와 곧 홍자아의 사위를 천거하여 참봉(參奉)을 삼으니, 식자들이 비루하게 여겼다."

11월 10일

한성부 판윤(漢城府判尹) **강귀손**이 아뢰었다.

"신으로 성균관 윤차 당상(成均館輪次堂上)을 삼았으나 신은 본래 경학을 알지 못하고 또 사장(詞章)에도 능하지 못하므로, 사임을 청합니다." 그 말을 따랐다.

11월 23일

상참을 받고 경연에 나갔다. (줄임) 왕이 말하였다.

"지금 금부의 추안(推案)을 보니, 성준의 일이 모두 옳다. (줄임) 신진의 선비들이 모두 대신을 경멸하여 윗사람을 업신여기는 풍습이 점점 자라고 있으므로 지금 대관(臺官)이라 하여 용서할 수는 없다." (줄임)

동지사(同知事) **강귀손**이 아뢰었다.

"대관(臺官)이 불초하게 송사하는 자와 성준을 비하였으니, 대간의 말은 진실로 격렬해야 합니다. 어찌 다른 말로 논집(論執)할 것이 없어서 꼭 이 말을 하여야 합니까. 이는 대관의 실수입니다. 그러나 대간은 승여(乘輿)를 범촉(犯觸)하더라도 우용(優容)하고 즐거이 받아들이는 것이 인군의 도량인데, 지금 대관이 말을 잘못하였다 하여 옥에 내리어 국문하기에 이르렀으니, 금세의 사람들이 강개한 자가 얼마나 되겠습니까. 대관 6명은 거의 다 강개한 사람들인데, 위에서 우용하지 않으시면 사기(士氣)가 떨치지 않고 언로(言路) 역시 막힐 것입니다."

1500년
1월 5일
강귀손을 도총부 도총관(都摠府都摠管)에 제수하였다

1월 9일
성현·**강귀손**·박숭질이 의논드렸다.

"아조(我朝)에서 조종조 이래로 서북의 야인(野人)을 대우한 지가 오래였는데, 저들에게 서로(西路)를 허락하지 않고 모두 북문을 따라 오게 한 것이 어찌 생각이 없어서였겠습니까. 전에 서로를 열어 주었다고는 하지만 얼마 안 되어서 도로 막았으니, 이 길을 여는 것이 불가함을 알고서 막는 것입니다. 여는 것의 불가한 이유가 세 가지입니다. 산천

의 형세나 도로의 험하고 평탄함을 적이 알게 하는 것이 불가합니다. 더구나 북문은 길이 멀고 서로는 길이 가장 가까우니 만일 이 길을 열어 놓는다면 내조(來朝)하는 삼위(三衛) 야인은 모두 이 길로 들어올 것인데, 국가에서 그 원하는 것을 다 들어줄 수 없고, 만일 원하는 것을 들어주지 않으면 저들이 반드시 대우하는 것이 후박(厚薄)이 있다고 하여 원한의 꼬투리를 일으킬 것입니다. 이것이 불가한 첫째입니다.

평안도의 한 도는 지경이 중국에 연접하여 해마다 왕래하는 사신으로 여러 고을이 쇠잔·피폐하지만 국가에서 구원하려 하여도 방법이 없습니다. 만일 저들에게 왕래하는 길을 허락한다면 시들고 지친 백성들이 무엇으로 소생하겠습니까. 이것이 불가한 둘째입니다.

오랑캐는 천성이 사납고 거칠어서, 저편에서 관문을 두드려 귀순하더라도 우리가 믿고 근심이 없을 수 없으며, 또한 은혜와 신의로 감복시키기도 어렵습니다. 전번에 동청례(童淸禮)를 보내어 추장을 위무 회유하였는데도 변방의 우환은 더욱 심합니다. 길을 열어 은혜를 보여서 야인을 불러 오는 것으로써 변방의 수비를 안연 무사하게 한다는 계책을 신 등은 알 수 없습니다. 더구나 그들이 순종하는 것을 틈타서 도리어 토벌한다는 것이 어찌 왕자(王者)의 도이겠습니까. 또 혹시 한번 그틈을 타서 주륙(誅戮)한다 하더라도 변방의 소란이 영영 그치고 국가에서 서쪽으로 돌아보는 근심이 없게 되겠습니까. 이것이 불가한 셋째 이유입니다." (줄임)

"정원(政院)에 머물러 두라."고 전교하였다.

1월 18일
상참을 받고 경연에 나가자, 이조판서 **강귀손**이 아뢰었다.

"충청도에는 민간에 콩이 아주 모자라고 의창(義倉)에도 저축한 것이 없다 하니, 백성들이 무엇으로 소를 기르겠습니까. 더구나 빈핍(貧乏)한 우역(郵驛)의 이속도 말을 먹이기가 역시 어렵다 하니, 부근인 전라·경상도에 저축한 것을 옮겨다 주게 하소서. 또 의창의 양곡은 수령이 마음대로 거두고 분산하지만, 군자창(軍資倉)의 양곡은 마음대로 꺼내지 못하니, 군자창의 콩을 함께 주소서."(줄임)

모두 그대로 좇았다.

3월 8일

이극돈·**강귀손**이 의논드렸다.

"근래에 왜노(倭奴)들의 방자함이 이루 말할 수 없으니, 즉시 도주에게 통유하고 또 3포에 거주하는 왜들을 엄중하게 단속하여 두렵게 여기도록 해야겠습니다. 그러나 이전에 적왜(賊倭)가 암암리에 침입하거나 혹 거류하는 왜가 무례하던가 하면 예조에서 도주(島主)에게 글을 보내고, 관원을 보내어 거류하는 왜인들을 훈계하여 단속하되, '후회될 짓을 하지 말라. 후회해 봐도 소용없는 것이다.' 하여, 친절하게 훈계하고 단속하므로 승복하지 않은 적이 없었습니다. 또 우리가 저들을 개유하는 말이 도리어 화친을 청하는 말과 같이 되면 일에는 도움이 되지 못하고 한갓 국위만 손상할 것입니다. 신의 생각으로는 예조에서 아뢴 끝부분의 계획이 타당할 것 같으니, 마땅히 변장들을 단속하여 여러 가지로 계책을 마련해서 기어이 적왜(賊倭)를 잡게 하여 그것이 제포에 있는 왜인의 범행인 것을 안 후에는 도주에게 통유하여 거류 왜인들을 단속하게 하는 데에도 반드시 할 말이 있게 될 것입니다. 그렇게 하면 저들이 장차 무슨 말로 대답하겠습니까. 크게 처치한다 해도 저들이 반드시 원통하게 여기지 않을 것이니, 아직은 저들에게 나타내지 말고 기회를 기다리는 것이 어떨까 합니다. 만일 부득이 통유하기로 한다면, 예조에서 아뢴 것이 번거로운 것 같으니 삭제하는 것이 좋겠습니다."

3월 11일
강귀손을 이조판서로 (줄임) 삼았다.

3월 20일
전교하였다.

"해랑도에 있는 사람들을 수색하여 데려올 때에 만일 엄중한 병졸을 데리고 임하게 되면 저들이 반드시 자기들을 해칠까 두려워하여 대항하게 될 것이니, 무고한 사람이 많이 죽게 될 것이다. 내 생각으로는, 사복 차림으로 가서 달래려고 온 뜻을 깨우치다가 저들이 만일 순종하지 않게 되면 위엄으로 보여 주는 것이 어떨까 하니, 병조 및 정승들에게 의논하라." (줄임)

강귀손·윤효손·박숭질이 의논드렸다.

"섬이 바다 가운데 있어 사방으로 다 통하므로, 만일 먼저 사람을 파견해 보내어 정탐만 하고 바로 군사를 들여보내지 않는다면, 저들이 반드시 바라다보고 먼저 도망하여 숨을 것입니다. 지금 마땅히 그들이 생각하지 못한 틈을 타서 군사를 들여보내어 섬을 포위하여 먼저 그들의 출입하는 길을 막아 놓고 장사들을 시켜 유서(諭書)를 가지고 들어가서 조용히 설유하되, 화되고 복될 것으로 말하여 주어도 오히려 듣고 순종하지 않는다면 그 다음에 군사의 위력을 보여 주어야 쇄환(刷還)하는 공을 성취할 수 있을 것입니다. 또한 칙서(勅書)가 이미 본국에 온 것을 평안도 사람들이 모두 알고 있으므로, 저들에게 몰래 알려 주어 도망하거나 달아나게 하는 일이 있을까 두려우니, 빨리 거행하는 것보다 급한 일이 없습니다."

7월 14일

강귀손 (줄임)이 의논드렸다.

"장성(長城)은 마땅히 쌓아야만 될 일이므로 늦출 수는 없습니다. 그러나, 하삼도(下三道)에서 군사를 징발하는 일은 크게 폐단이 있습니다. 먼 도에 있는 백성이 양식을 가져갈 수 없으므로 모두 포화(布貨)를 가지고 와서 곡식을 바꾸어서 먹게 되니 평안도는 백성은 적고 토지는 척박하여 본래 저축이 모자라는데 어리석은 백성들이 먼 장래를 헤아리지 않고 베 바꾸는 것만 좋아하니, 주인과 손이 모두 곤궁합니다. 만약 수재(水災)를 만나게 된다면 살 길이 없게 되니 조종(祖宗) 때에 일찍 먼 도에서 사는 백성들을 징발하여 성을 쌓지 않은 것은 이 때문이 아니겠습니까. 우선 본도의 보병(步兵)·당령 선군(當領船軍)과 황해도의 당령 선군으로 그 요해지(要害地)를 먼저 착수하게 하고 차츰 성을 쌓는 것이 좋겠습니다. 여러 도의 농사가 모두 풍년이 들었을 때는 크게 시작할 것을 의논해도 되지만, 지금은 하삼도(下三道)와 본도가 해마다 실농하여 백성의 힘이 곤궁한 듯합니다." (줄임)

그대로 좇았다.

8월 13일

예조에서 아뢰었다.

"왜인(倭人)에게 동철(銅鐵)의 공무역(公貿易)을 허가할 수 없다면 별도로 면포(綿布)를 내려주어 그들의 소망을 위로하소서."

명하여 의논하게 했다. (줄임) **강귀손** (줄임)이 의논드렸다.

"왜놈들이 우리에게 요구하는 것은 한정이 없으므로 국가에서 그 장래를 염려하여 부득이 사무역법(私貿易法)을 제정하여 저들에게 사실을 알렸는데도, 저들은 교만하여 우리에게 요구함이 그전과 같고 말도 또한 공손하지 못하니 무례함이 이보다 심할 수 없습니다. 진실로 마땅히 법에 의거하여 이를 거절해야 하지만, 예부터 오랑캐를 대하는 데는 하나같이 예법만 따를 수 없어 혹은 시기의 편의(便宜)에 따라 처리하기도 했습니다. 대마도는 선왕 때부터 복종하고 두 마음이 없었으므로 그들을 대접함이 한층 더하였는데, 지금 만약 전체 수효를 허가하지 않는다면 저들의 원한이 반드시 깊어질 것입니다. 원수(元數) 11만 내에서 3분의 1만 공무역(公貿易)을 허가하고, 예조에서 그들에게 이렇게 말하는 것이 좋겠습니다. '본조(本曹)에서 도주(島主)의 소원하는 뜻을 갖추어 전하께 전계(轉啓)하였더니, 하교하시기를, 「국가에는 여유가 있는데 민간에 동철(銅鐵)이 부족하므로 사무역하도록 허가했으니 지금에 와서 다시 고칠 수는 없으나, 도주(島主)가 너의 조부 때부터 대대로 성의를 다하여 국가의 번리(藩籬)가 되었으니, 내가 대접하기를, 특별히 후하게 하여 다른 추장들과 같이 할 수 없다. 그래서 3분의 1을 공무역하기로 특별히 허가하여 별다르게 대우하는 뜻을 보이니, 나머지는 법에 의거하여 사무역을 하라.」 하셨다.' 그러면 저들이 반드시 실망하는 데까지는 이르지 않을 것입니다. 이같이 했는데도 또 청한다면 단연 들어주어서는 안 되니, 예조에서 아뢴 대로 예를 삼았으면 합니다."

그대로 좇았다.

9월 22일

앞서 사헌부가 이조에서 나이 늙은 사람을 임용하여 수령으로 보낸 것을 논박하므로 이조판서 **강귀손**이 아뢰었다.

"나이 늙은 사람이 경관(京官) 중에도 또한 많이 있습니다."

나이 70세가 된 인원을 뽑아 아뢰도록 하라 하였었는데, 이날 사헌부가 아뢰었다. (줄임)

"《대전(大典)》에 의거하여 시행하라."라고 전교하였다.

10월 4일

이조판서 **강귀손** (줄임)을 불러 전교하였다.

"번번이 신하들의 직언을 구해 들일 때에 비록 말하는 사람이 있더라도 조정에서는 이것을 조종(祖宗)의 법이므로 고칠 수 없다고 하여 마침내 그 말을 쓰지 않았으니, 신하들의 직언을 구해들인 본의가 어디 있겠는가. 형벌과 옥사를 처리하는 사이에 있어 관리들이 사정을 두고 형벌을 사용하여 사람을 죽게 한 일이 또한 반드시 있을 것이니, 원통하고 억울하게 되어 이번 재변을 초래하지 않았겠는가." (줄임)

1501년
1월 10일

장령 곽종번이 또 아뢰었다.

"돈령부 직장(敦寧府直長) 김서의 첩은 이조판서 **강귀손**의 서매(庶妹)인데, 김서를 군기시 주부(軍器寺主簿)로 삼았으니, 이를 개정하시고 아울러 이조의 관원을 국문하기를 청합니다."

그러나 들어 주지 않았다.

3월 25일

강귀손을 이조판서로, 노공필을 형조판서로 삼았다.

4월 15일

공안 상정청(貢案詳定廳)을 두어 (줄임) 이조판서 **강귀손**·공조참판 이계남 등에게 그 일을 감독 관장게 하였다.

6월 30일

장성(長城)을 쌓는 일의 편리 여부를 의논하기를 명하니 (줄임) **강귀손**·김수동이 의논드렸다.

"성을 쌓는 일은 실로 만세의 장구한 계책이지만, 본도는 백성이 적고 곡식이 귀하며 설령 다른 도의 민정(民丁)을 징발한다 해도 길 멀고 피곤한 나머지 힘이 반드시 감당치 못할 것입니다. 그러므로 신 등의 생각으로는, 번상 군사(番上軍士)의 쉴 짬을 적게 하여 본도 사람들과 함께 힘을 합쳐서 먼저 요해처부터 가려 성도 쌓고 국경도 지키게 하되, 흉년이 들면 정지하고 풍년이 들면 쌓아서 오래 계속한다면, 그 공을 이룰 수 있으리라 여깁니다." (줄임)

7월 12일

이조판서 **강귀손**이 사직하기를 원했으나, 들어 주지 않았다. **강귀손**은 일을 처리하는 재간이 있었으나 사람을 죽이고 살리는 권한이 그에게 있었기 때문에 사람들이 모두 두려워하고 꺼려했다.

윤7월 20일

의정부 당상 신수근과 **강귀손**이 함경도에 유이(流移)한 사람 이동의 추안을 가지고 아뢰었다.

"이동 등이 말하기를, '우리나라 강계와 함흥의 경계 사이에 비어 있는 땅이 있는데, 지명이 중평(中坪)으로 토지가 매우 비옥해서, 탁석손·왕인강·왕인손 등 20여 호가 부역을 도피하여 그 땅에 들어와 살고 있는데, 우리가 그 땅에 가고자 하다가 중도에서 붙잡혔다.'고 하고, 또 말하기를, '우리가 만약 돌아가면 마땅히 그 길을 지휘할 것이니, 찾기가 어찌 어렵겠는가.' 하였습니다. 신 등의 생각으로는 벼슬이 높은 조관(朝官)을 보내어 이동을 데리고 찾아가면 그 허실을 알 수 있을 것입니다."

"아뢴 대로 하라."고 전교하였다.

1502년

1월 10일

이조판서 **강귀손** (줄임)이 아뢰었다.

"신이 듣건대 사헌부에서 김자정을 아무런 이유도 없이 서용하지 않은 일로써 신 등을 추문(推問)하기를 청한다 하오니, 사헌부에서 논핵한 것이 옳으므로 대죄합니다."

"대죄하지 말라."라고 전교하였다. 귀손이 아뢰었다.

"신이 국사를 만홀히 여겨서 이와 같이 한 것은 아닙니다. 보통 사람의 마음은 처음에는 부지런하지만 종말에는 게으르게 됩니다. 신이 오랫동안 이 임무를 맡았으므로 습관이 되어 심상하게 간과하여 틀리고 그릇됨을 초래하게 되었습니다. 근자에 신이 논핵을 당한 적이 또한

많습니다만 스스로 초래한 것이니, 사직하기를 청합니다."(줄임)

그러나 들어주지 않았다.

1월 15일

이조판서 **강귀손**이 익명서(匿名書)를 가지고 와서 아뢰었다.

"신을 헐뜯는 사람이 이 글을 태평관(太平館) 어귀와 종루에 붙여 두었습니다. 신의 아비 희맹(希孟)이 이조판서가 되었을 때에 주상께서 세자를 신의 아비의 집에 옮겨 거처하게 하였는데, 어느 사람이 '생원 이원좌가 썼다'고 일컫고는 신의 아비의 흠을 거짓 기록한 편지를 대궐 뜰에 버렸습니다. 성종께서 이를 찾았지만 결국 찾지 못하였습니다. 신의 아비는 선인인데도 오랫동안 권력을 잡고 있었으므로 오히려 남의 비방을 받는데, 하물며 신이 용렬한 자질로서 어찌 외람되이 중임에 있겠습니까? (줄임) 지금 이 익명서에 '노비(奴婢)와 전지(田地)의 수량이 얼마나 되는지 알지 못하겠다.'고 하였는데, 노비와 전지를 어찌 남의 이목을 가리고서 몰래 받을 수 있겠습니까? 그러나 권력을 잡고 있은 지 이미 오래되었으므로 마음이 스스로 편안하지 못하니, 신의 관직을 해임시켜 한가한 자리에 있게 하소서."

전교하였다.

"이것은 반드시 관직을 구하다가 얻지 못한 사람이 무고로써 훼방한 말일 것이다. 이 일로 인하여 체직시키면, 이 무리들이 또 반드시 무고로써 훼방하여 자기가 임용된 후에야 그만두게 될 것이므로 체직시킬 수가 없다."

귀손이 다시 아뢰었다.

"비록 비방하는 의논이 없더라도 오히려 스스로 마음이 편안하지 못한데, 지금 비방하는 글을 보고도 뻔뻔스럽게 관직에 있게 된다면 아랫 동료들이 장차 신을 어떻다고 생각하겠습니까? (줄임) 밤새도록 잠을 자지 못하고 감히 와서 아뢰니, 신의 관직을 갈아주시기를 원합니다."

그러나 들어주지 않았다. 익명서는 대략 이러하다.

"**강귀손**은 다른 사람을 한 관직에 옮겨주면, 반드시 그 사람에게서 노비·전지·포백(布帛)·금은(金銀)·마필(馬匹) 등류를 받은 것이 이루 다 셀 수가 없다. 충청도에는 계생(戒生)이 있고, 전라도에는 강악손(姜惡孫)이 있고, 서울에는 첩의 집 5, 6호와 수양(收養)집 4, 5가와 안정(安貞)·안눌(安訥) 등이 있어 몰래 뇌물을 받았으므로 온 나라 사람이 시끄럽게 말하여 귀로 차마 들을 수가 없다. 우선 이 말을 기록하여 사간원에 고하려고 한다."

계생은 귀손의 집 종이고, 악손은 그 아우 학손(鶴孫)을 지칭한 것이고, 안정과 안눌은 귀손의 족친(族親)이었다.

1월 16일

이조판서 **강귀손**이 글을 올려 사직하였으나, 들어주지 않고, 이내 이조좌랑 이우를 보내어 그를 위로하고 이해시켰다.

1월 19일

상정청 당상(詳定廳堂上) (줄임) **강귀손**이 아뢰었다.

"『경국대전(經國大典)』의 정수 이외에 더 정한 선상(選上)의 수량이 매우 많아 사섬시(司贍寺)에 납공되는 수량이 점차 줄어들게 됩니다. 근년에는 국가의 용도가 대단히 많게 되고, 왕자·왕녀의 길례(吉禮) 때의 소용과 왜인(倭人)·야인(野人)의 회봉(回奉)도 모두 사섬시에서 나오게 되니, 1년의 상납 수량과 용도 수량을 계산해 보면 상납한 수량이 절반 이상 모자라게 됩니다. 내의원(內議院)의 연약(煉藥)하는 보정병(步正兵)을 줄여서 보충대에 주고, 습독관(習讀官)을 폐지하여 그 근수노(跟隨奴)의 선상(選上)을 개혁하기를 청합니다.

또 이보다 앞서 사옹원(司饔院)의 물선(物膳)과 피물(皮物)을 군기시(軍器寺)·제용감(濟用監)·공조 등의 관사(官司)로 나누어 보내어 국용(國用)에 공급했기 때문에 외공(外貢) 피물의 수량을 이로 인하여 작정했습니다. 지금은 모두 궁방(弓房)에 바치게 한 까닭으로 공조 등 관사에 소용이 모자라게 되었으니, 궁방에 바치지 말고 국가의 용도를 넉넉하게 하기를 청합니다. 또 사옹원의 물선과 생선은 지금 본청에 명하여 작정한 것이므로 함부로 줄이기가 어려우므로 상의 재가를 청합니다."

전교하였다.

"선상(選上) 등의 일은 아뢴 대로 할 것이며, 습독관을 폐지해야 되는지 여부는 내의원(內醫院)에 물을 것이며, 피물의 절반은 공조 등 관사로 보내고, 생선은 너무 큰 것을 사용하지 말라."

1월 22일

대마도주(對馬島主)에게 책유(責諭)하는 서계(書契)에 관한 일을 예조가 아뢴 것에 대하여 의정부·육조·한성부의 당상에게 의논하도록 명하였다. (줄임) **강귀손**·윤효손·박숭질이 의논드렸다.

"저들과 우리나라 사이에는 청구한 것이 있다면 반드시 연유가 있었으니 연유 없이 청구한 것이 있음을 듣지 못했으며, 또한 연유가 없는데 증여할 수도 없습니다. 대마 도주(對馬島主)가 이미 은 1천 냥을 청구하였으나 우리나라에서 생산되는 것이 아닌 이유로써 면포 1백 필만 허가했는데, 사자가 이것을 그냥 두고 갔다가 얼마 안 가서 또 저포(苧布) 1천 필을 청구하니, 앞뒤의 청구가 모두 연유가 없는 것이므로 그들의 의사는 알 수가 없습니다. 그러나 우리나라에서 도이(島夷)를 대우할 적에 무릇 청구하는 것이 있다면 그 청구에 따른 것이 많았으니, 그들의 충성을 가상하게 여겨서가 아니고, 다만 그들을 회유하는 도리로써 그렇게 하지 않을 수 없었습니다. 지금 만약 그들의 청구를 따르지 않는다면 이것은 그들과 관계를 끊는 것입니다. 은은 우리 나라에서 생산되는 것이 아니지만 그래도 면포를 주어 그들의 청구에 답해주고, 저포는 우리나라에서 생산되는 것이므로 아주 끊고서 주지 않아 그들의 마음을 저버려서는 안 되니, 1백 필 이하로 적절히 주어서 그들로 하여금 실망함이 없도록 하는 것이 어떻겠습니까?"

3월 5일

선공감 제조(繕工監提調) 이세좌와 **강귀손**이 아뢰었다.

"인정전에 단청(丹靑)을 다시 칠하는 기계목(機械木)은 모름지기 군인을 부려야 하는데, 보병은 한 명도 남아 있는 사람이 없으니, 사세가 매우 어렵습니다. 그러나 군사의 힘이 아니면 일을 할 수가 없으니, 군사 5백 명을 정하여 주소서."

"그리 하라."고 전교하였다.

3월 11일

이보다 앞서 우의정 이극균, 우찬성 신수근이 의금부 당상으로 있을 때, 유진의 노비에 대해 잘못 결정한 일로써 국문을 당하게 되자, 서계(書啓)하였다.

"《경국대전》에 '원고가 논죄를 받는 중에 스스로 사리에 굴함을 알고 여러 달 동안 나타나지 않고, 가동(家僮)을 다시 가둔 뒤에도 만 30일 동안 나타나지 않는 사람은 송사에 나온 사람에게 준다.'고 했습니다. (줄임) 50일 동안에 유진이 친히 명자(名字)를 기록한 것은 단지 5일이고, 유씨(柳氏)의 대비(代婢) 돌금이 친히 명자를 기록한 것은 비록 20일 미만이지만, 유진은 단지 5일만 명자를 기록했으니 나오지 않은 날이 이미 20일이 넘었습니다. 돌금이 친히 명자를 기록한 것이 비록 30일 미만이더라도 주기로 판결한 것은 의심할 것이 없습니다. 또한 송사를 시작한 후 50일 동안에 이유 없이 송사에 나오지 않는 날이 30일이 넘을 경우, 송사에 나온 사람에게 준다는 항목의 주(註)에, '송사 마당에 나와 자신이 명자를 기록한 것으로써 징험을 삼는다.' 하였으니, 송사하는 사람이 기회를 보아서 회피하는 까닭으로 50일을 한정 일수로 삼은 것입니다. (줄임)

한정 일수 50일 안에 유진이 친히 명자를 기록한 날은 5일 뿐이고 돌금이 친히 명자를 기록한 날은 48일이므로 장례원(掌隷院)에서 법에 따라 판결한 것이고, 의금부에서 다시 조사해도 착오가 없었으니, 전에 판결한 대로 주기를 아룁니다."

전교하였다.

"이를 의정부와 육조의 판서 이상의 관원에서 수의(收議)하라."

한치형 (줄임)·**강귀손**·윤효손 등이 의논드렸다.

"지금 《경국대전》의 글 뜻을 살펴보건대, '송사를 시작한 뒤 50일 안에 이유없이 송사에 나오지 않은 날이 30일이 지났을 경우, 송사에 나온 사람에게 준다.'고 한 것은, 갑과 을이 서로 송사할 때 50일 안에 갑이 30일이 지나도록 송사에 나오지 않고, 을이 송사에 나온 날이 비록 30일에 차지 않더라도 만약 21일이 지났으면 마땅히 을에게 주어야 하며, 갑과 을의 소송에 나온 날, 안 나온 날이 모두 30일이 찬 뒤에 승부를 판결할 필요는 없다는 것입니다. 또 원고·피고가 나오지 않은 날을 계산에서 제하는 것이 비록 법조문에 없지만 한정 일수를 이미 관원이 좌기한 날로 계산했으니, 원고·피고가 다 나오지 않은 날도 또한 계산해서 제해야 합니다."

4월 5일

학생 윤무함은 삼정(三丁)의 한 아들인데, 서리의 직을 그만둔 뒤에 내금위(內禁衛)에 소속되고자 했으나, 병조에서 그가 향리라 하여 허락하지 않았다. 윤무함이 상언(上言)하여 호소하니, 수의(收議)하도록 명하였다. (줄임) 신수근·**강귀손**이 의논드렸다.

"내금위는 무사의 청선(淸選)으로서 조종 때부터 다만 무재(武才)만 뽑은 것이 아니라 반드시 세족(世族)의 자제를 가려 소속시켰습니다. 국가에서 변성(邊城)의 중임을 맡긴 사람들도 모두 여기에서 나왔으니, 잡류를 섞어 소속시켜 무사들로 하여금 이반(離叛)하게 할 수는 없습니다. 하물며 윤무함같이 향리로서 겨우 서도(胥徒)의 천역(賤役)을 면한 자이겠습니까."

4월 30일

영의정 한치형 (줄임) 이조판서 **강귀손** 등이 의논드렸다.

"중국 관리와 호송군을 의순관(義順館)에서 접대할 때에 비록 의주(義州) 관리들이 사단(事端)을 낸 것이 부당했으나 중지할 수 없으니, 우선 해조(該曹)에서 대접할 준비를 조치하도록 해야 할 것입니다. 다만 요동 등지는 원래 고구려의 땅이었으므로 압록강에서 요하(遼河)까지 거주하는 사람이 모두 우리나라 사람입니다. 고황제(高皇帝)가 처음 천하를 평정하고 압록강으로 국경을 삼았지만, 두 나라 인민들이 서로 왕래할 것을 생각하여, 동녕위(東寧衛)를 설치해서 원주민을 살게 하고 땅의 경계를 확실하게 한정하여 두었던 것입니다.

그 뒤 요양(遼陽)의 인구가 점점 불어나, 동팔참(東八站)에 흩어져 살며 농사를 지으므로 자주 야인들의 침략을 입었습니다. 중국에서 처음에 애양보(靉陽堡)를 설치했고, 다음에 봉황성(鳳凰城)을 설치했으며, 지금 또 탕참(湯站)을 설치했는데 의주와 거리가 겨우 반나절 길입니다. 중국에서는 비록 조선의 공물 바치는 길을 위한 것이라고 공공연하게 말하지만, 실상은 팔참(八站)을 내지(內地)로 만들어 토지를 개척하기 위한 계책입니다. 서로 바라보이는 반나절 길이니 의주의 이익을 늘이려는 사람들이 반드시 아침에 갔다가 저녁에 돌아오므로, 이로 인하여 무거운 일을 피하고 수월한 일에 나아가는 사람들이 점차 들어가 살게 되므로 참으로 작은 일이 아니니, 두 나라의 관방(關防)을 삼가지 않을 수 없습니다. 지금 또 호송한다 핑계하고 지척의 거리를 반드시 늦을 넘어와서 여러 날 묵게 되면, 서로 접촉하는 데서 생기는 폐단이 이루 말할 수 없을 것이니, 어찌 다만 쌀과 베를 대어 주는 일 뿐이겠습니까.

다음 천추사(千秋使)가 갈 때에 별도로 증여하는 물건을 통사(通事)에게 맡기고 이내 총병관과 도사에게 자세히 말하기를 '전일에는 우리나라의 재상을 호송하는 서반(序班)이 매양 압록강까지 오다가 그 뒤에는 조정의 명에 의하여 요동까지 오고 말았으므로, 중국 관원과 호송군도 또한 압록강까지 오고 말았는데, 지금은 압록강을 건너 의순관(義順館)에 유숙하게 되니 우리의 주인된 도리로서는 참으로 감동되나, 다만 전후가 다른 것을 알 수 없다.'고 완곡한 말로 타일러서 그들의 의사를 시험해야 할 것입니다. 중국 관원이 나온 것이 비록 혹시 도사(都司)의 명령이더라도 탕참(湯站)의 호송군이 전원 압록강을 건넌 것은 반드시 도사가 아는 일이 아닐 것이니, 도사에게 알린다는 뜻으로써 탕참과 봉황성 등의 진수(鎭守)에게 말하여 그들의 대답하는 말을 듣고 돌아온 뒤에 다시 의논하여 조치하도록 하소서."

5월 9일

이조판서 **강귀손**이 아뢰었다.

"전조(銓曹)는 한 사람이 오래 있을 자리가 아니며, 근일에는 또 한재가 너무 심하니 아마 신이 전주(銓注)를 잘못한 소치인 듯하므로, 사직하기를 청합니다."

들어주지 않았다.

5월 24일

강귀손을 이조판서 겸동지경연사(吏曹判書兼同知經筵事)로 (줄임) 삼았다.

6월 4일

이조판서 **강귀손** (줄임)이 아뢰었다.

"대간(臺諫)이 유응룡을 논박한 일로 인하여 신 등에게 전례를 상고하도록 하시므로, 신 등이 성세명·손번·강숙돌·정순의 예를 적어 아뢰었는데, 대간의 말이 '세명 등은 모두 5품을 거쳤는데도 혹은 6품으로 강등된 사람들이므로 이 예가 아닌데 적어 아뢰었으니, 이는 속인 것이다.' 합니다. 신 등의 생각에는, 신하가 임금을 섬기면서 어찌 감히 속이는 일이 있겠습니까. 선공 첨정(繕工僉正)은 비록 4품이지만 관직이 천하고 사무가 괴로우며, 그 사람과 그릇이 서로 적당하므로 의망(擬望)한 것입니다. 대간이 만약 사람을 씀이 잘못된 것으로써 신 등을 논핵한다면 당연하겠지만, 임금을 속인다고 지적하니 몹시 민망함을 견딜 수 없습니다."

전교하였다.

"신하의 죄는 임금을 속임보다 큰 것이 없는데, 경 등이 어찌 그랬겠는가? 대간의 말이 지나친 것이다."

6월 15일

이조판서 **강귀손**이 아뢰었다.

"신이 오랫동안 중대한 임무가 있었으므로 전일에 이미 여러번 사직했으나 윤허받지 못하므로, 감히 굳이 사직하지 못하고 세월만 지체하다가 오늘에 이르렀지만, 권병(權柄)은 오래 가질 수 없는 것입니다. 하물며 지금 또 신을 비방하는 사람이 방문(榜文)을 길에 걸었음에리까? 전일에도 일찍이 방문을 걸어 신을 비방하므로, 신이 즉시 사직하기를 청했으나, 하교하기를 '이것은 반드시 벼슬을 구하다가 얻지 못한 사람이 한 짓일 것이다.' 하셨습니다. 성상의 하교가 이러하시므로 감히 굳이 사직하지는 못했는데, 이것은 비록 벼슬을 구하다가 얻지 못한 사람의 짓이더라도 신이 허물이 있기 때문입니다. 여러번 비방을 받고도 오히려 직을 띠고 있으면 조정의 의논이 어떻다 하겠습니까? 신을 해직(解職)시켜 여생을 보전하며 성상의 은혜를 갚게 하여 주소서."

전교하였다.

"그전 이조판서의 직에 있은 기간을 상고하여 아뢰라."

이조가 아뢰었다.

"이극돈·유순·신수근이 모두 20개월이 차지 않았는데 갈렸습니다."

"체차(遞差)하라."고 전교하였다.

6월 16일

강귀손을 진원군(晉原君) 지경연사(知經筵事)로 (줄임) 삼았다.

○ 이조판서 **강귀손**이 본직을 사임하니, 위에서 특별히 허침(許琛)으로 대신하게 하였다. 귀손이 오랫동안 전형(銓衡)을 맡았는데, 사람들이 그가 몹시 청렴하지 못하다고 비난하였다. 그러나 용모가 뛰어나고 의기가 충만하여 경솔하고 악착스러운 사람에 비할 바가 아니었으니 또한 명상(名相)이라 할 수가 있다. 허침은 단중(端重)하고 간아(簡雅)하여 한때의 명상이 그보다 나은 사람이 없었는데, 지금 본직에 임명되므로 조정과 여론이 흡족하고 쾌하게 여겼다.

7월 29일

전교하였다.

"폐비(廢妃)의 일은, 성종의 명철로 어찌 깊이 생각해서 하지 않았겠는가마는, 일이 투기에서 생겼는데, 투기하는 일은 비록 요순(堯舜)의 시대라도 또한 어찌 반드시 없었겠는가? 하물며 이 일이 20년 전에 있었음에랴? 모자의 사이는 인정이 절로 그칠 수 없는 것이다. 회묘(懷墓)와 효사묘(孝思廟)에는 비록 별도로 친제(親祭)를 거행할 수 없지만, 혹시 다른 능(陵)이나 전(殿)에 친제하는 일로 인하여 지나는 길에 거행하는 것은 무방할 것 같다. 또 효사묘에 아침저녁으로 상식(上食)하고자

하는데, 전(奠)을 올리는 의례는 더해도 아주 지나쳐서는 안 되며, 줄여
도 너무 간략하게 해서는 안 되니 사옹원(司饔院)으로 하여금 적당하게
갖추도록 하고, 내관을 임명하여 그 일을 받들게 하라. 만약 내관에게
만 전적으로 맡기는 것이 불편하면 참봉을 두어서 이를 관장하게 하는
것이 어떻겠는가?"

(줄임) **강귀손**·윤효손·박숭질 등이 의논드렸다.

"폐비(廢妃)는 선왕에게 죄를 지었기 때문에 선왕께서 대의로써 결단
하여 상제(喪制)를 갖추지 못하게 하였으나, 상에게 있어서는 모자의
사이이므로 임시 방편에 따라 효도를 펴지 않을 수 없습니다. 어머니가
비록 도리를 잃었더라도 자식이 어버이를 섬기는 데는 마땅히 정성을
다해야 할 것입니다. 선비(先妣)를 위하여 이미 묘소를 옮겼고 또 사당
을 세웠으니, 추모하여 효도하는 데는 도리가 있기 때문입니다. 친제
같은 것은 비록 자문하지 않더라도 마땅히 거행해야만 하니, 묘와 사당
에 각각 관원을 두고 사당에는 아침저녁으로 제사를 행하는 것도 또한
인정과 예절에 맞을 것입니다."

○ 선공감 제조(繕工監提調) 이세좌·**강귀손**이 아뢰었다.

"경복궁에 퇴락한 데가 많으니 빨리 수리해야 되겠지만, 영선할 곳
이 너무 많습니다. 더구나 금년은 흉년이어서 백성들이 굶주리고 있으
니, 진실로 큰 역사를 경솔히 일으킬 수 없습니다. 재목과 기와를 미리
구해 두었다가 다른 해를 기다려서 크게 수리하기를 청합니다. 또 인정
전에 단청을 다시 칠하는 일은 모든 재료가 이미 갖추어졌으나 가뭄으
로 인하여 정지되었는데 지금 곧 시작하는 것이 어떻겠습니까?"

전교하였다.

"경복궁은 마땅히 수리해야겠지만, 금년은 아직 정지하라. 인정전은

금이나 은으로 장식하는 것이 아니고 단지 단청을 고쳐 칠하는 것뿐이
며, 또 중국 사신을 접대하는 일은 반드시 이곳에서 하게 되니 다시
채색하지 않을 수가 없다."

8월 9일

동지사(同知事) **강귀손**이 아뢰었다.

"대간(臺諫)의 말이 진실로 옳습니다만, 이미 초범자와 재범자의 율
이 있으니, 초범자는 삭감하여 죄를 주어야 합니다."

왕이 말하였다.

"무기를 빌리거나 혹시 손질하지 않으면 도총부에서 점검하여 살피
는 것이 당연하다."

강귀손이 아뢰었다.

"신이 예전 도총관이 되었을 때 이 폐단을 깊이 알았습니다. 그러나
무기 관리가 허술한 까닭으로 그렇게 하지 않을 수 없었습니다. 성종께
서도 속전을 징수하는 것이 너무 지나침을 염려했으나, 손질하지 않은
무기를 가지고 대궐 안에 들어오는 것을 점검하여 살피기를 명하고,
과연 그 허술함을 알았기 때문에 속전 징수를 다시는 금지하지 않았습
니다."

9월 17일

진원군 **강귀손**과 예조참판 김봉을 북경(北京)에 보내어 세자 책봉을
청하도록 했다.

1503년

2월 3일

강귀손을 병조판서 겸 판의금부 동지경연사(判義禁府同知經筵事)로 (줄임) 삼았다.

2월 20일

강귀손을 병조판서로 (줄임) 삼았다.

4월 15일

지대사(支待使) **강귀손**이 아뢰었다.

"중국 사신이 금강산에서 현번(懸幡)할 때에, 부처를 공양하고 중을 먹여야 할 것이니, 경창(京倉)의 쌀 30곡(斛)을 실어다 쓰게 하소서."

전교하였다.

"어찌 중을 먹이는 일로 경창의 쌀을 허비할 수 있는가? 본도에서 준비해 주도록 하라."

귀손이 다시 아뢰었다.

"신이 강원도 각 관창(官倉)에 저장된 쌀을 알아보니 10섬 저장된 데가 없으며, 지금 벼를 방아 찧는다면 늦어서 제때에 대지 못하겠으니, 경창의 쌀을 쓰도록 하소서."

전교하였다.

"현번은 황제의 명이니 폐할 수는 없지만 어찌 경창의 쌀을 부처 공양하는 데 쓰겠느냐? 중이나 부처의 공양은 나쁜 쌀이라도 무방하니, 본도에서 가져다 쓰도록 하라."

4월 28일

중국 사신이 금강산에서 돌아왔는데, 지대사(支對使) **강귀손**이 아뢰었다.

"상사(上使)가 도중에서 신에게 묻기를 '재상들 역시 불도를 배척하는가?' 하기에 신이 대답하기를, '본국의 풍속은 진사(進土) 출신만 되어도 감히 부처에게 절하지 못하며, 절하면 사람들이 모두 웃는다.' 하였습니다. 또 갈지 않은 밭을 보고 말하기를 '이 밭은 어찌하여 갈지 않았는가? 전하께서 우리들을 위해 사냥하게 되므로 그런 것이 아닌가? 나는 전하께서 학문을 좋아하신다는 것을 듣고 싶지, 사냥 좋아하신다는 말을 듣고 싶지 않으니, 속히 전하께 아뢰어 아예 사냥하시지 말게 하라.' 하였습니다. 현번(懸幡)할 때 상사는 전연 부처에 절할 뜻이 없고, 신의 손을 잡아 절하게 하며 장난삼아 웃기에, 신 역시 절하지 않았는데, 오직 부사(副使)는 부처에게 절을 매우 공손히 하였습니다."

5월 23일

세자책봉을 주청한 주문사(奏聞使) 병조판서 **강귀손**에게 밭 50결과 노비 8명, 부사 예조참판 김봉에게 밭 40결과 노비 5명을 하사하였다.

6월 21일

이극균·이세좌·박건·**강귀손** (줄임) 등이 의논드렸다.

"견성군(甄城君) 이돈이 수월사(水月寺)에 대하여는 사사로이 창건한 것과는 다르니, 해당시킨 율(律)이 중할 것 같습니다. 또 율에는 팔의(八議)가 있으니, 하사한 노비만 회수하여 경계하도록 하소서."

극균 등의 의논을 좇았다.

○ 형조에서 아뢰었다.

"김말손이 매부 신연조와 틈이 벌어졌는데, 어느날 술이 취하여 서로 싸우다가 절구대로 연조의 머리를 때려 죽였습니다. 일부러 죽인 것으로 논할 것입니까? 싸우다 죽인 것으로 할 것입니까?"

의논하게 하니, (줄임) **강귀손** (줄임)이 의논드렸다.

"김말손이 연조를 죽인 일은, 『율해변의(律解辨疑)』 투구 고살(鬪毆故殺)조의 주(注)에 '칼을 가지고 서로 싸우다가 칼을 사용한 것은 곧 해치려는 마음이 있는 것이니, 이것은 일부러 죽인 것이라 한다.'고 하였습니다. 절구대는 사람을 때리는 것이 아닌데 사람을 다치는 물건임을 분명히 알면서도 감히 이것으로 때렸으니, 일부러 죽인 것이 아니고 무엇이겠습니까? 만일 취했기 때문에 생긴 일이라 하여 경하게 논단한다면, 이 뒤로는 술에 취한 사람이 사람 죽이기를 거리낌없이 할 것이니, 이것은 사람 죽이는 길을 열어놓는 것입니다. 죽은 자가 원통함을 지하에서 씻을 길이 없을 뿐만 아니라, 또한 국가에서 사형하여 살인을 방지하는 뜻이 아닙니다. 한나라 고조(高祖)의 약법 삼장(約法三章)에 살인한 자는 죽이는 것이 첫머리에 있었습니다." (줄임)

"특별히 감사(減死)하라."라고 전교하였다.

○ 김우신의 아들 김눌을 적자(嫡子)로 하는 것이 합당한지 여부를 수의(收議)하였는데, (줄임) 박건·**강귀손** (줄임)이 의논드렸다.

"사헌부와 의금부에서 여러 차례 분간하여 첩자(妾子)로 논단하였으니, 고침이 불가합니다."

그대로 좇았다.

○ 오천 부정(烏川副正) 이사종이 양녕대군의 제사를 받드는 것이 합당한지 여부를 의논하게 하였는데, (줄임) **강귀손** (줄임)이 의논드렸다.

"오천 부정(烏川副正)의 일은 예조에서 아뢴 대로 제사받드는 것을 허락하지 않음이 어떻겠습니까?"

○좌의정 이극균이 아뢰었다.

"영산포·법성포 두 창고의 곡식을 운반하는 물길이 멀어서 근년에 허다히 침몰되고, 조군(漕軍)도 많이 죽었습니다. 신이 들으니 태종 때에 경상도 전세(田稅)를 전라도 순천부 해룡(順天府海龍) 지방에 창고를 설치하고 실어다 바치게 하였습니다. 그러나 물길이 험하고 멀어 서울에까지 실어올 수 없기 때문에 하륜과 함께 건의하여 충청도 충주 지방에 새로 창고를 설치하고 실어다 바치게 하였다가 다시 조운(漕運)하였는데, 지금까지 폐해가 없었습니다. 전라도는 길이 험한 곳이 아니어서 백성들이 실어오기 쉬우니, 두 곳 창고의 조세(租稅)를 옥구의 군산포 등지에 자리를 보아 창고를 설치하고 조운하면 어떻겠습니까?"

의논하게 하니, 윤필상·유순·박건·**강귀손** (줄임)이 의논드렸다.

"극균이 아뢴 '영산·법성 두 창고를 옮겨 설치하여 조운하는 계책'은 편리할 것 같습니다. 그러나 그 편리 여부를 멀리서 알기 어려우니, 본도 관찰사가 지세를 살펴보고 널리 편리 여부를 물어서 상의하고 절충하여 아뢰게 함이 어떻겠습니까?" (줄임)

필상 등의 의논을 좇았다.

7월 3일

관반(館伴) 노공필이 아뢰었다.

"신이 두 사신에게 말하기를 '요동 호송군(遼東護送軍)이 갑인년 이후는 강변까지 왔다가 돌아갔는데, 신유년 이후로는 매양 강을 건너와 혹은 5, 6일 머물고 혹은 3, 4일 머물다 가는데, 의주는 지역이 작으므로 지탱하는 비용이 매우 어렵다. 요동 총병관(總兵官)이 대인과 매우 친하다니, 한 마디 말을 하여 주면 이 폐단을 덜 수 있다.' 하니, 상사가 말하기를 '전에는 팔참(八站)에 성보(城堡)가 없었기 때문에 반드시 호송해야 하였지만, 지금은 의주에서 요동까지 설치한 성보가 서로 바라다보이니, 호송하지 않아도 된다.' 하였습니다. 신이 대답하기를, '이것은 바로 상국에서 우리나라를 후대하는 것이지만 졸지에 면제하기를 주청할 수 없다.' 하니, 상사가 말하기를 '재상의 말이 옳다. 호송군이 강을 건너와서 팔고 사는 것은 자기 물건만이 아니라 도사(都司)와 총병관이 부친 것도 있다. 요동은 광녕(廣寧) 총병관의 관할이니, 우리들이 광녕 태감에게 말하면 이 폐단을 제거할 수 있지만, 산료(散料)를 전부 폐지할 수는 없으니, 우리들의 생각을 조정과 함께 의논하겠다.' 하였습니다." (줄임)

정승 및 육조(六曹) 당상에게 의논하게 하였다. (줄임) **강귀손** (줄임)이 의논드렸다.

"명나라 조정에서 본국을 해내(海內) 제후(諸侯)와 같이 보아, 사신이 명나라 서울에 가면 접대와 호송을 넉넉하고 후하게 하려고 애쓰니 이것은 다른 여러 번(蕃)에는 없는 황제의 은혜입니다. 전에는 요동 호송군이 반드시 강을 건너와 머물러 있다가 돌아갔으며, 본국에서 대접하는 예절도 반드시 성의를 다하였는데, 근년에는 의주의 저축이 많지 않아 계속하기 어려운 것이 걱정입니다. 그러나 빈주(賓主)간 정의에 있어서 싫어하는 뜻을 보인다면 장차 우리가 공급하는데 인색하다 하게 되고 말 것이니, 사체에 어찌 되겠습니까?

지금은 동북 일대에 가는 데마다 진참(鎮站)을 설치하여 인가가 서로 바라다보이므로 중국 군사의 호송이 없어도 된다 하지만, 다만 생각건

대 불의의 변이 생겨 변방 성이 수비되지 못한다면 동팔첨 일대가 적의
소굴이 될 것인데, 조공(朝貢)은 폐할 수 없고 길이 막혀 왕래하지 못하
게 되면, 본국의 약한 군사로 호송할 수는 없이 사세가 부득이 다시
(호송을) 청하게 될 것이니, 그러면 우리나라를 어떻게 여기겠습니까?

만일 호송을 그만두기를 청한다면 주인의 도리에 불가한 일이니 관
반(館伴)을 시켜 조용히 말하여 주기를 '호송하고 온 사람이 강을 건너
여러 날을 국경에 머물면, 무지한 백성들이 다투어 나가 물건을 바꾸다
가 혹 실례할까 하니, 지금부터는 오래도록 머물지 않고 돌아가게 하는
것이 편할 듯하다.' 하게 하소서."

필상 등의 의논을 좇았다.

7월 13일

장령 유희철과 정언 서후가 신종옥의 일을 논계하고, 또 아뢰었다.

"김석린이 병조판서 **강귀손**의 삼촌 조카딸의 남편으로 사산 감역(四
山監役)에 제수되었으니, 온당하지 못합니다."

들어주지 않았다.

9월 19일

의정부와 육조·한성부 당상들을 불러들여 전교하였다.

"이계동이 과일을 던져 기생을 희롱한 것도 대간이 오히려 탄핵하였
는데, 이세좌는 하사하는 술을 엎질렀다. 이는 교만 방종하여 그런 것
이니, 계동의 일보다도 공손스럽지 못함이 더욱 심하다. 그런데, 지금
조정에서나 대간이 한 사람도 말하는 자가 없으니, 이는 세좌의 아들
이수의가 한림(翰林)이고, 이수정이 홍문관 관원이기 때문에 세력이 무

서워 말하지 않는 것이다. 수의 등은 청요(淸要)한 자리에 있는 것이 옳지 않으니, 갈도록 하라. 다만 세좌의 죄를 다시 논할 것이 있는지 대간이 벙어리인 양 한 마디 말도 없으니, 역시 죄주어야 할 것인지 각각 의논하여 아뢰도록 하라."(줄임)

박건·**강귀손** (줄임)이 의논드렸다.

"이계동이 잔치에 모신 자리에서 취중에 희롱하였는데도 대간이 죄주기를 청하여 외방에 부처(付處)하였는데, 지금 세좌는 본래 술을 마시지 못하기는 하지만 하사하시는 술을 받는 자리에서 흘리고 쏟아 어의(御衣)를 적시게까지 하였으니, 그 무례함이 계동보다도 지나칩니다. 그런데도 특별히 대신이라고 우대하여 본직만 체임하니, 벌이 지극히 경하고, 대간은 말을 하여야 하는데 말하지 않았으니, 역시 죄가 없을 수 없습니다."

10월 25일

왕이 사냥할 때 군사들이 타는 말이 모두 여위고 약한 것을 보고, 정승들에게 군마를 정예하게 훈련시키는 절목(節目)을 마련하게 하였는데, (줄임) **강귀손**이 의논드렸다.

"병가(兵家)에서 믿을 것이 말보다 중한 것이 없는데, 태평에 습관이 되어 대소 군사들이 거의 유의하지 아니하므로 타는 말이 모두 약하고 둔합니다. 심지어 궁중을 호위하는 군사 가운데 다른 말을 빌려 타는 자가 있으며, 번드는 군사는 (말을) 먹이기가 어려워 점고받은 뒤에는 곧 본집으로 돌려보내고, 호종(扈從)할 일이 있게 되면 반드시 모두 세내거나 빌립니다. 빌린 말도 여위고 지쳐 거개 엎어지고 거꾸러지니, 병마가 정예하지 못함이 이 때문입니다. 지금부터는 병조에서 때 없이

점고하되, 빌려 타는 자는 제서를 어긴 율[制書有違律]로 처벌하고 빌려
준 자도 같은 죄를 주며 말은 관에 귀속시키며, 서울 군사는 한 달, 외
방 군사는 두 달 기한을 주어 말을 갈게 하되 위반하는 자는 처벌하며,
번(番)든 군사로서 남의 집에 부쳐 있으면서 제 말을 기르지 않고 빌려
타는 자는 주인도 중죄로 처벌해야 합니다. (줄임)

1. 지방의 유력한 집 자제들이 번들기를 꺼려 거개 보솔(保率)에 속하
고, 호수(戶首)는 거개가 가난하고 잔약하므로 이 때문에 군사가 충실
하지 못하니, 절도사가 자세하게 가려내서 세력 있는 자로 보솔이 된
자를 호수로 올리고 명단을 만들어 아뢰게 하되, 만일 숨기거나 빠진
자가 있으면 절도사·수령을 중죄로 처벌해야 합니다.”

11월 1일

조하(朝賀)를 받고 경연에 나아갔다. (줄임) 장령 강징(姜澂)이 아뢰었다.
“도교(道敎)는 불교와 다를 것이 없어 군신과 부자의 도가 없습니다.
국가에서 소격서(昭格署)를 설치하여 받드느라 1년 동안 제사에 쓸 물품
을 바로 그곳에서 받아들이는데, 비용만 매우 많고 국가에 이익이 없으
니 폐지하시기 바랍니다.”

왕이 말하였다.

“조종 때에 설치한 것으로 그 유래가 오래되었으니 하루아침에 폐지
할 수 없다. 다만 쓰도록 대주는 물품을 적당하게 감하는 것이 좋을
것 같다.” (줄임)

강귀손이 아뢰었다.

“중국의 동악묘(東岳廟)는 도교의 술법을 위하여 설치한 것인데, 도
사(道士)들이 모여들고 수호하는 자도 매우 많습니다. 중국에서도 역시

숭상하여 중히 여기는 것이므로, 지금 소격서에 대는 물품을 재량해서 감하는 것이 좋겠습니다." (줄임)

왕이 말하였다.

"조종조의 옛일은 아름답지 못한 일이더라도 갑자기 폐지할 수 없다. 더구나 윤대같은 것을 어찌 폐지하랴? 근일에 일이 있어 우선 정지한 것이다."

11월 5일

전하였다.

"궁궐 담장 밑 백 자[尺] 안 내려다보이는 곳에 집을 지을 수 없는 것은 이미 법으로 금한 것이다. 법을 무릅쓰고 집을 지은 것을 그 관사에서 아뢰어야 하는데 말하지 않으니, 이는 원래부터 위를 업신여기는 풍습이 있기 때문이다. 재상이나 조사(朝士)들이 모두 위를 위하지 않고 아랫사람과 하나가 되어 태만하게 금하지 않는데, 신하로서 인군 섬기기를 의당 정성과 공경으로 하여야 하지만 국법을 무서워하지 않고 집을 짓는 자 역시 참으로 그르다. 지금 집을 헐리게 된 사람 가운데 권성필처럼 원망하여 말하는 사람도 혹 있지만, 사리를 아는 사람으로서야 어찌 이럴 수 있겠는가? 재상이나 대간(臺諫)이 더러 추운 겨울에 민가를 헐 수 없다고 말하는 것도 역시 공평하다고 할 수 없다. 안 말이 밖으로 나가고, 바깥 말이 안으로 들어오는 것이 모두 불가하다. 만일 궁궐 담장 밑이나 내려다보이는 곳에 집을 지어도 된다고 하여 금하지 않는다면, 궁궐도 반드시 엄숙할 필요가 없고 안팎도 반드시 분별할 필요가 없을 것이니, 병조·공조와 한성부 당상이 집 주인들을 모아놓고 철거할 뜻으로 효유하는 것이 승지의 의견에는 어떠한가? (줄임)"

강귀손 등이 대·중·소·소소가(小小家) 4등급으로 나누어 아뢰었다.

"대가에는 무명 50필, 중가에 30필, 소가에 15필, 소소가에 10필씩 주시기 바랍니다."

"그리 하라."고 전하였다.

○ 전하였다.

"이현(梨峴)과 선인문 아랫쪽 담 모퉁이에 모두 정문과 좌우 협문(挾門)을 짓고, 그 양쪽을 행랑을 지으라."

강귀손이 아뢰었다.

"겨울 날씨가 추워서 문을 만들 수 없으니, 우선 산대목(山臺木)을 세워 울타리를 둘러치는 것이 어떠하리까?"

전하였다.

"나무를 목책처럼 세운들 사람이 어찌 감히 다니겠는가? 반드시 울타리를 만들 것이 없다."

11월 12일

유용의 추안(推案)을 내려보내며, 전하였다.

"형장은 속(贖) 바치고 고신(告身)을 다 뺏은 다음, 거제도에 충군(充軍)하라. 근자에 무뢰배들이 사람 모함하기를 좋아하여 이 풍습이 너무도 각박해지기 때문에 율문(律文) 이외의 처벌을 하는 것인데, 승정원 및 여러 재상들의 의견은 어떤가?"

병조판서 **강귀손** 등이 아뢰었다.

"조율(照律)이 매우 합당합니다. 만일 풍속을 바로잡으시려면 성상의 전교가 매우 타당합니다." (줄임)

전교하였다.

"승정원에서 아뢴 것은 그르다. 전엔들 어찌 법률 이외의 죄를 받은 자가 없었겠는가? 근자에도 법률 이외로 (논죄하여) 온 집을 변방에 옮긴 일이 많다. 내가 풍속이 각박하고 나빠지기 때문에 통절히 다스려 다른 사람들을 깨우치려는 것이다. 임금이 하는 일은 자연 하나의 법이 되는 것이니, 어찌 일정한 법제가 있겠느냐?"

○ 병조판서 **강귀손**과 공조판서 정미수 등이, 돈화문 동쪽에서 단봉문까지의 궁궐 담밑 인가 20여 곳을 적어서 아뢰었다.

"법을 범하고 지은 집을 전번 적간(摘奸)할 때 미처 적어 올리지 못하였으니, 철거하게 하소서."

그대로 좇았다.

○ **강귀손** (줄임) 강징 (줄임)이 의논드렸다.

"송산(松山) 등이 사명을 욕되게 하였고, 또 도망해 숨었으니, 죄를 범함이 크고 중합니다. 그러나 도망해 숨은 것은 죄 받을 것을 두려워한 데 지나지 않는 것이요 다른 정상이 없는데, 제서(制書)를 훼기(毁棄)한 율로 논죄하는 것은 중할 듯하니, 사형을 감하여 변방에 옮기게 함이 어떠합니까?"

11월 24일

강귀손 (줄임)이 의논드렸다.

"박원종이 어전에서 하직하고 성밖에 머물러 잤으니 참으로 사신으로서의 체모를 잃었습니다. 그러나 처음 왕명을 받아 교서(教書)를 받들고 가는 자와는 차이가 있을 것 같습니다." (줄임)

의논이 들어가자 내려보내지 않았다.

○ **강귀손** (줄임)이 의논드렸다.

"우리나라는 토지가 넓지 않아 중국의 지역 폭과 비할 것이 못되는데, 감사를 임명해 보내어 풍속과 교화를 바로잡고 살피는 소임을 맡겼습니다. 그러니 다시 어사(御史)를 둘 것이 아니요, 때때로 관품이 높고 사리를 아는 조관(朝官)을 보내되 어사의 직책을 띠고 수령의 비위를 순찰하여 금지하고 단속하게 하소서."

12월 2일

함경북도 절도사 이손이 아뢰었다.

"야인(野人) 살지(撒知) 등이 서울에 와서 조회하기를 청합니다."

의논하도록 하니, 윤필상·성준·박안성·**강귀손** (줄임)이 의논드렸다.

"살지는 그 아비 야당지가 살해된 뒤로, 국가의 위덕(威德)을 두려워하여 가족을 거느리고 성 밑에 옮겨와 삽니다. 올량합(兀良哈)과 같은 예로 올려 보내도록 하여 그 마음을 안정시키는 것이 제왕(帝王)의 먼 곳 사람을 안아주는 체통에 합당할 것 같습니다."

1504년
1월 27일

함경북도 절도사 이손이 급히 아뢰었다.

"이마거(尼亇車)가 올량합(兀良哈)으로 더불어 친하여 결혼하려 하는데, 변방의 일이 생길까 염려됩니다."

정승들을 불러 의논하게 하자, (줄임) **강귀손** (줄임)이 의논드렸다.

"이마거와 올량합이 틈 생기기 전에는 함께 모의하여 변방에서 도둑질하므로 조정에서 근심하였습니다. 그러나 신해년(1491) 북정(北征) 때에, 올량합이 우리의 향도(嚮導)가 되었는데, 그 뒤로 원수가 되어 서로

죽이고 노략질하여 편안한 해가 없었지만 우리의 변방 진영(鎭營)은 편
안하여 아무 일도 없는 지 14년이나 됩니다. 어찌된 일인가 하면, 이마
거는 멀리 홀하(忽河)가에 있고, 올량합은 가까이 성 밑에 있으면서 우
리의 울타리가 되어 있으니, 두 오랑캐가 잘 지내지 않는다면 들어와서
도둑질하려 하여도 나올 길이 없습니다. 그런데 지금 만일 원수를 풀고
서로 왕래하며 혼인을 맺는다면, 변방의 우환이 다시 전과 같아질 것이
니, 절도사에게 유시하여 그렇게 되기 전에 성곽과 진지를 수축하고,
군사와 말을 정비하여 미리 준비를 하며 이간시키는 계교를 쓰고 좋게
지내는 것을 막아, 원수를 풀지 못하게 함이 어떻겠습니까?"

3월 11일

경기 관찰사 홍귀달이 아뢰었다.

"신의 자식 참봉 홍언국의 딸이 신의 집에서 자랍니다. 처녀이므로
예궐(詣闕)하여야 되는데, 마침 병이 있어 신이 언국을 시켜 사유를 갖
추어 고하게 하였는데, 관계 관사에서 예궐하기를 꺼린다 하여 언국을
국문하게 하였습니다. 진정 병이 있지 않다면 신이 어찌 감히 꺼리겠습
니까? 지금 비록 곧 들게 하더라도 역시 들 수 없습니다. 언국의 딸이
기는 하지만 신이 실은 가장(家長)이기로 대죄(待罪)합니다."

전교하였다.

"언국을 국문하면 진실과 허위를 알게 될 것이다. 아비가 자식을 위
하여 구원하고 아들이 아비를 위하여 구원하는 것은 지극히 불가한 일
이니, 귀달도 함께 국문하라." (줄임)

강귀손 (줄임) 등이 아뢰었다.

"세좌의 죄는 과연 중합니다. 당초 놓아 사면하는 날에 신들의 생각

역시 빠르다 여겼으나, 다만 특별히 내리는 은명(恩命)이기 때문에 감히 아뢰지 못하였던 것인데, 지금 생각하니 신들의 잘못이었습니다. '성 밖에 있게 한다.'는 성상의 하교가 지당하십니다. 지금 귀달의 죄를 다스리는 것인즉, 재상들이 알아두어야 하겠습니다."

3월 23일

윤필상 (줄임)이 의논드렸다.

"회묘(懷墓, 생모 윤씨)께서 좌죄(坐罪)된 일은 종묘 사직에 죄를 얻은 일이 아니니, 전하의 망극하신 심정을 풀지 않을 수 없습니다. 시호와 능호(陵號) 올리는 일은 해당 조(曹)에서 의논해서 시행토록 하시고, 후궁에 대한 일은 성상의 하교가 지당하십니다."

강귀손 (줄임)이 의논드렸다.

"회묘를 추숭(追崇)하는 일이 의리에 어렵기는 합니다. 그러나 전하의 망극한 심정에서 나온 것이니, 존숭하는 절목(節目)을 예조에서 의논하여 시행함이 편하겠습니다. 죄 있는 후궁은 그 몸이 죽은 뒤에는 후궁의 준례로 대우하지 않는 것이 마땅하나, 다만 그 어머니의 죄 때문에 그 아들의 복을 폐할 수는 없습니다." (줄임)

전교하였다.

"성인(聖人)의 칠거(七去)의 법이 있으니, 만일 그런 죄라면 버리고 말 것이지 하필 죽여야 하는가? (줄임) 성종께서 명철한 임금이시지만, 어찌 잘못한 일이 없겠는가? 그때의 재상들이 극력 간하였다면 반드시 위의 마음을 돌릴 수 있었을 것이다. 옛말에 '만일 그 도가 아닌 일이라면 어찌 3년을 기다릴 것인가?' 하였다. 이에 앞서 재상 및 신용개 등이 또한 이런 뜻으로 시를 지었다. 그때는 내 나이 매우 적었다. 만일 지금 같았다면, 불공 대천(不共戴天)의 원수를 어찌 세상에 있게 하였겠는가? 그 사람이 죽은 뒤에 어찌 후궁의 예로 장사지내며, 그 소생 아들 역시 어찌 복제대로 복입을 수 있는가? 대간(臺諫) 및 귀손(龜孫) 등의 의논에 '그 아들의 삼년복을 폐할 수 없다.' 하였는데, 이 말은 그르니, 정승들이 다시 의논하여 아뢰라."

3월 24일

강귀손 (줄임)이 폐비 윤씨의 시호를 의논하여 아뢰었다.

"공정대왕(恭靖大王)은 친종(親宗)이 아니기 때문에 후비(后妃)를 안정(安定) 두 자로 존호(尊號)만 올리고 휘호(徽號)는 없었으며, 세조대왕은 공덕이 지극히 크기 때문에 후비도 휘호와 시호가 있었습니다. 지금 역시 시호와 휘호를 함께 의논하여 아뢰리까?"

전교하였다.

"안정왕후의 예에 의하여, 두 글자로 높이는 시호만 정하는 것이 근본을 보답하는 의미에 매우 합당하리라."

3월 30일

승정원에 전하였다.

"이세좌가 제 스스로 '지위가 높고 나이 늙었으니 혹 죄를 범하더라도 나를 어찌하랴' 하여, 그 교만 방종한 마음을 길러 내가 친히 주는 술을 엎지르고 마시지 않았다. 또 성종께서는 명철한 임금이시니, 왕비를 폐위할 때에 있어서 만일 힘써 다투어 중지하여 선왕의 성대한 덕에 누가 없게 하였으면 좋을 것인데, 구차스럽게 인군의 명을 따라가서 일을 보았으니, 이는 간교하고 아첨하여 살기만 탐한 것이 아닌가? 지금 역시 교만 방종하여 이런 불경을 범하였으니, 반드시 베어 죽인 뒤에야만 쾌하겠다. (줄임)"

강귀손 (줄임)이 의계(議啓)하였다.

"이세좌·김순손·이유녕·박은의 일은 성상의 하교가 지당하십니다."

전하였다.

"세좌는 재상이다. 사약을 내리도록 하라. 또 대신으로서 중한 죄를 범하여 사약을 내린 뒤에 역시 뒤따라 처치한 일이 있는가? 전의 사례를 상고하여 아뢰라. 순손은 율문(律文)에 의하여, 참(斬)해야 하면 참하고 교(絞)해야 하면 교하되, 또한 성문 밖에 그 머리를 조리돌리고, 의금부에서는 검험(檢驗)하여 아뢰도록 하라."

의금부에서 아뢰었다.

"세좌의 죄는, 율문을 상고해 보니, 단지 그 몸만 죄주고 적몰(籍沒)하는 일은 없습니다. 순손은 군상에게 오만하였으니, 법으로 참하여야 합니다."

4월 5일

유순을 의정부 좌의정, 허침을 우의정, **강귀손**을 우찬성에 (줄임) 임명하였다.

4월 18일

전교하였다.

"폐비(廢妃) 때에 이파(李坡)가 옛일을 인용하여 찬성했으니 그 죄가 난신(亂臣)과 다름이 없다. 널을 쪼개 시체를 베고 가산을 적몰하며, 자손을 금고(禁錮)하여야겠다. 신하로서 인군을 섬길 때는 죽든 살든 한

절개를 가져야 하는 것인데, 윤필상이 전에는 그렇게 의논하고, 지금 추숭할 때에는 의논을 이렇게 하여 반복하며 뜻을 순종하니, 그 죄를 논하지 않을 수 없다. 주(紂)가 비록 무도하였지만 죄악이 가득 찬 뒤에야 정토(征討)하였는데, 차마 괴로움을 주지 않고 제 스스로 불에 타 죽게 한 것은 (주나라 무왕이) 신하로서 인군을 쳤기 때문이다. 신하로서 인군에게 간하다가 듣지 않으면 부질(斧鑕) 아래서 죽기를 청해야 할 것인데, 정창손 등은 힘써 간하지 아니하여, 북[杵]을 던지는 의심을 이루게 하였다. 그 몸은 이미 죽어 장사지냈지만 서인(庶人)의 준례에 의하여 그 아들들을 나누어 정배하는 것이 가하다. 의정부·한성부·대간(臺諫)·홍문관·육조(六曹)를 불러 의논하라."

유순·허침·**강귀손** (줄임)이 의논드렸다.

"이파(李坡)는 널을 쪼개 시체를 베며 가산을 적몰하고 자손을 금고하고, 윤필상은 고신(告身)을 다 빼앗고 가산을 적몰하며 아들과 함께 외방에 부처(付處)하며, 정창손·한명회·심회·정인지·김승경은 고신을 추탈(追奪)하고, 장사를 서인의 준례에 의하여 묘의 석물을 제거하며, 그 아들도 고신을 빼앗고 나누어 정배하는 것이 사세에 합당합니다."

4월 25일

강귀손 (줄임)이 의논드렸다.

"죄인이 살던 고을은 혁파하는 것이 매우 온당한 일이나 다만 능침이 있는 곳은 전부 폐하지 못할 것 같으니, 모두 강등하여 부르며, 또 죄인이 살던 지방을 떼어 근방의 조잔한 고을에 붙이는 것이 어떻겠습니까?"

안처량 (줄임)이 의논드렸다.

"이 무리가 위에 속하는 부도한 말을 하였으니, 사지를 찢어 죽이더라도 그 죄에 당하지 못할 것입니다. 살던 고을을 혁파하여 중외와 원근(遠近)에게 경계할 줄 알게 함이 어떻겠습니까?"

처량 등의 의논을 좇았다.

4월 29일

전교하였다.

"정승 및 예조판서를 불러 다시 상제(喪制)를 의논하라. (줄임)"

좌의정 유순, 우의정 허침, 좌찬성 **강귀손**(줄임)이 의논드렸다.

"대행 대비 상제를 신들이 이미 다 의논하였습니다. 성종께서 이미 회간(懷簡) 대왕을 추숭하고 여러 번 휘호를 모후(母后)에게 올리고, 고명(誥命)을 천자에게 청하여 존숭함을 지극하게 하셨으니, 덕종을 세자의 상사로 하였다 하여 의심하여 오늘의 복을 감할 수는 없습니다. 덕종은 세자였으니, 세자로 상사를 지내고, 대행 대비는 천자의 고명(誥命)을 받아 모후가 되었으니, 모후로 상사를 지내는 것이 당연합니다."

전교하였다.

"나의 얕은 소견은 그러하다. 그러나 그 일은 이렇게 하여야 하겠다."

윤4월 2일

강귀손 (줄임)이 빈청(賓廳)에 모여 의논하여, 대행 대비의 시호를 소혜(昭惠), 휘호(徽號)를 휘숙 명의(徽肅明懿)로 올렸다.

윤4월 11일

강귀손 (줄임)이 의논드렸다.

"구성(具誠) 등이 사사 감정을 가지고 구전(具詮) 부자를 해치려 하고,

무근한 말을 지어내서 대간(臺諫)에게 청탁하였는데, 유령은 그 청탁을 들고 탄핵하였으니, 죄가 진실로 용서할 수 없습니다. 다만 당초 죄를 결정할 때에 그 죄를 함께 벌주지 않았으니, 다시 경중을 사실하여 의논해서 정하는 것이 어떨까 합니다. (줄임)

이세좌가 이미 중한 죄를 범하였으니 이극균은 의당 문을 닫고 죄를 기다려야 할 것인데, 감히 망령되어 의논하니 그 죄가 본디 큽니다. 먼 변방으로 옮겨 정배하고, 그 아들·사위는 모두 직첩(職牒)을 거두는 것이 어떻겠습니까?"

윤4월 17일

강귀손 (줄임)이 의논드렸다.

"정성근은 밖은 곧으나 안은 거짓이요, 감정을 죽여 이름을 얻으려 하였으며, 조지서는 부망(浮妄)하고 궤이하여 남에게 오만하고 제가 높은 체하였습니다. 구성·최숙근은 음흉 간사한 일을 날조하여, 가까운 친족을 무함하였으니, 드러내어 베임 받음이 마땅합니다."

윤4월 20일

강귀손 (줄임)이 모여, 윤필상·이극균의 죄를 논하였다.

"필상 등은 죄악이 매우 큰데도 사사로이 그치니 죽어도 감격해야 할 것인데, 말하는 것이 그러하니 어찌 신하로서 두려워하는 뜻이겠습니까? 죽어도 죄가 남으니 시체를 베는 것이 어떨까 합니다."(줄임)

전교하였다.

"여러 사람의 의논에 의하여, 참시(斬屍)하라."

윤4월 23일

전교하였다.

"근자에 몸이 불편한 데다가 또 큰일을 만나서 마음을 썼더니 기운이 안정되지 않는 것 같다. 경연(經筵)을 정지하려 하는데, 어떤가?"

(줄임) 왕이 주색에 빠져, 학문을 강할 생각이 없는데, 순 등이 견책당할 것을 두려워, 역시 권하지 못하였다. 그리하여 경연이 영영 폐지되어 왕의 위엄과 포학이 날로 심하여 한 마디의 말이 왕의 뜻을 거슬러도 문득 죄주고 베므로 조정의 사람마다 위태롭게 여겼다. 순과 허침·박숭질이 정승이 되어서도 그저 자리나 채울 뿐 감히 바로 잡는 일이 없었고, 오직 명을 받들어 순종할 뿐이었다.

이때 김수동·정미수·김감·이계남이 의금부 관원이 되고, **강귀손**·김수동·송일·허집이 춘추관(春秋館) 관원이 되고, 박열·이계맹 등이 승지가 되었는데, 모두 해치려는 마음이 없어, 무릇 역사를 상고하여 죄를 의논하는데 힘써 구원하였으며, 순(洵) 등이 또 많이 미봉하였기 때문에, 사람들이 혹 그 힘으로 살아나기도 하였다.

윤4월 26일

강귀손을 우찬성에, (줄임) 강징을 우부승지에 (줄임) 임명하였다.

윤4월 28일

전교하였다.

"곽종번·이철균·신징·박한주·이윤번이 궁중 일을 지레 짐작한 일은 그 죄가 율문에 있으니, 거기에 의하여 죄주어서, 다른 사람들로 경계할 줄을 알게 함이 어떤가? 또 최숙생이 아뢴 전곶전(箭串田)은 위에 바치는 일인데 감히 논계하였으니, 매우 그르다."

(줄임) **강귀손**·김수동 등이 아뢰었다.

"종번 등이 아뢴 것은 그릅니다. 그러나 나이 젊은 선비가 언관(言官)이 되면 사체를 모르고 말합니다만 지금 와서는 저도 반드시 징계되어 스스로 새로워졌을 것입니다. 근일 설원(雪冤)하는 일로 하여 죄를 얻은 자가 매우 많은데, 종번 등의 죄는 생각하면 그것과는 다름이 있을까 합니다."

전교하였다.

"(줄임) 사냥은 봄·가을로 행하는 것이 준례이나, 내가 혹 수시로 행한다 하여 대간(臺諫)된 자가 또한 이것을 논계하는데, 나는 매우 그르게 여긴다. 지금 언관을 죄주는 것은 말하는 길을 막으려는 것이 아니다. 이것이 바로 말하는 길을 여는 것이다. (줄임)"

○ 정승들이 아뢰었다.

"내관(內官)이 말탄 것을 말한 자는 전 대간 김제신·이자건·윤빈·곽종원입니다. 그러나 이 사람들은 눈으로 그 사실을 보고 말하였으니, 그 죄가 지레 짐작한 자와는 다릅니다." (줄임)

전교하였다.

"다 참형(斬刑)에 처하게 하라." (줄임)

순(洵) 등이 아뢰었다.

"성준은 참형에 처하고, 한치형·어시겸은 부관 참시하고, 이극균은 능지(凌遲)했으면 합니다." (줄임)

전교하였다.

"**강귀손**·송일이 승지로서 제신이 논계할 때에 저지하지 못하였으니, 추문하여 아뢰라. 또 신징 등이 진계(進啓)할 때에도 반드시 먼저 주장한 자가 있을 것이니, 상고하여 아뢰게 하라. 그리고 노형손·윤필상의 머리 베어 오는 것이 어찌 더디냐? 물어보라."

5월 6일
강귀손을 숭록대부 좌찬성(崇祿大夫左贊成)에 (줄임) 강징을 가선대부 우부승지로 임명하였다.

5월 8일
강귀손·신준이 아뢰었다.

"궤이하여 세속과 같지 않은 자를 신 등이 널리 탐문하였지만 아직도 얻지 못하였습니다. 무릇 사람의 심술이란 속에 감추어지고 밖에 나타나지 않는 것이니, 스스로 행사에 나타나지 않으면, 어떻게 알 수 있겠습니까. 이러므로 얻지 못하였습니다."

5월 9일
강귀손을 의정부 좌찬성으로, (줄임) 강징을 좌부승지로 임명하였다.

5월 10일
전교하였다.

"의정부·육조·한성부 당상·대간(臺諫)과 상시 큰일 의논에 참여하는 재상들을 모아 조회복(朝會服)을 사·라·능·단(紗羅綾緞)으로 하는 일을 의논하게 하라."

강귀손 (줄임)이 의논드렸다.

"성대한 복장으로 인군에게 조회하는 것은 예의에 당연한 일입니다.

당상관 이상은 조참(朝參)에 사라능단 웃옷을 입는 것이 좋겠습니다."

　(줄임) 삼정승은 전에 이미 아뢰었으므로 의논에 참여하지 않았는데, "의논 대로 시행하라." 하고 전교하였다.

5월 21일

　전교하였다.

　"풍속이 너무도 각박 험악하다. 내가 통렬히 다스리지만 그래도 10분에 겨우 반분 정도 고쳐졌으니, 사람들의 죄를 정할 때마다 반드시 중한 율로 하라. 내가 그 과중함을 모르는 것이 아니다. (줄임)"

　강귀손 (줄임)이 의논드렸다.

　"정인인이 발탁되어 제주목사에 제수되었는데, 풍파가 험한 먼 곳이 싫어 아프다고 사면하였으니, 왕명을 거역한 것으로서 그 죄가 진실로 죽음에 이르러야 하며, 또 사복시 밭을 내농포(內農圃)에 주는 것이 불편하다고 한 일 역시 위를 위한 뜻이 아니며, 시를 짓게 하였는데 두 수를 더 짓고 서문을 덧붙여 남과 다르게 하려는 것은 그 마음이 위에 요공(要功)한 것이 아니라 반드시 재주를 부리려 한 것입니다. 그 사람됨을 논한다면, 풍속을 고치는 때이므로 죽을 죄라도 아까울 것이 없습니다. 그러나 그 소행으로 보면, 정성근·조지서와는 차이가 있을 것 같습니다."

　(줄임) 전교하였다.

　"인인의 죄가 조지서·정성근과 무엇이 다를 것 있어서 이렇게 말하는 것인가? 다시 묻노라."

　귀손 등이 아뢰었다.

　"성근의 간사함과 지서의 오만함은 온 나라 사람이 다 아는 일입니다. 인인이 범한 세 가지 일이 그 죄가 의당 죽어야 하지만, 그 심술은 성근·지서와 같지 않음을 온 나라 사람이 다 알고 있습니다.”

전교하였다.

“만일 인인이 죽어야 한다고 여기면 분명히 죽어야 한다고 말하고, 죽일 것이 아니라면 또한 분명히 죽일 것이 아니라고 말해야 할 것이지, 두 가지를 들어 말하는 것은 부당하다. 지금 만일 중한 법으로 다스린다면, 불초한 사람들이 반드시 재상은 죽일 것이 아니라고 말하는데, 인군이 혼자서 중한 법으로 다스렸다 할 것이니, 이 어찌 되겠는가.”

귀손 등이, 의논한 글을 고쳐 ‘중한 법으로 다스리기를 바란다’고 아뢰니, “의논대로 중한 법에 처하라.” 하고 전교하였다.

6월 4일

춘추관 당상(春秋館堂上) 유순·허침·박숭질·**강귀손** (줄임) 등이 전교 (傳敎) 13조목을 받고서 《시정기(時政記)》를 상고하여 서계(書啓)하였다.

“사관(史官)의 기사는 상세하고 소략함이 같지 않아, 뚜렷이 드러나서 상고할 만한 것 밖에 그 나머지는 상고할 근거가 없습니다. 또 신 등도 ‘언로(言路)에 방해됨이 있다.’는 계(啓)와 ‘승정원을 거치지 않고 아뢰었다.’는 계를 범하였으니, 피혐(避嫌)을 청합니다.”

전교하였다.

“피혐하지 말라. 풍속이 이러함은 그 유래가 이미 오래이다. 모두 논사(論事)하기 좋아하나 실상은 본디 성심이 아니며, 한갓 명예를 낚는 것일 따름이요, 일의 옳고 그름을 돌보지 않고서 어지러이 논계(論啓)함은 매우 마땅하지 않다.

대간·홍문관이 아뢴 바 ‘밤까지 사냥함은 온편치 못하다.’ 한 것은,

곧 명예를 낚는 것일 따름이고 실로 성의가 없는 것이니, 먼저 발언한 자를 찾아서 죄주어야 한다. (줄임) '유자광이 추관(推官)이 됨은 온편치 못하다' 하였는데, 임금이 명한다면 누군들 맡아서 안되랴? 추문(推問) 해야 한다."

6월 14일
유순 등이 아뢰었다.

"내수사가 승정원을 거치지 않고 직계(直啓)함이 온편치 못하다 한 일과 유생을 구제하기를 논한 일로 **강귀손**·신수근 (줄임) 등을 국문하니, 모두가 이인형·권경우가 앞장서 주장하였다고 하였습니다."

6월 15일
강귀손 등의 공사(供辭)에 판하(判下)하였다.

"앞장서서 주장한 자는 중률(重律)로 조준(照準)하라. 그 나머지의 조율(照律)도 가벼우니 다시 조준하라."

○유순 등이 '내시(內侍)가 결장(決杖)을 감시함은 온편치 못하다'는 일을 논계(論啓)한 사람 한형윤·이자화·권홍을 국문(鞫問)하니, '홍형이 앞장서 주장하였다'고 하였는데, 전교하였다.

"임금이 즉위한 처음에 경계의 말을 아뢴 것도 마땅하지 못하거니와, 한때 한 일을 자꾸 논계하는 것은 곧 명예를 낚는 것이니, 뒷사람으로 하여금 그 어짊을 일컬어 '아무가 아무 조(朝)에 있어서 논사(論事)를 잘하였다.'고 하게 하려는 것일 따름이다. (줄임)

그 가운데에서 **강귀손**·김감 등으로 말하면 비록 대신일지라도 죄주어야 마땅하지만, 요즈음 조정에 죄를 입은 자가 많으므로 너그러이 결단한다. 그러나 징계하지 않을 수 없으니, 재상들은 율문(律文)에 따라 속(贖)하도록 하고, 나이 젊은 민원·강혼(姜渾) 등은 장(杖) 60으로 결단하여 유임시키라."

6월 16일

전교하였다.

"(줄임) 신수근은 중궁(中宮)의 오라비이니 버려두라. (줄임) 재상 중에 만약 두 번 범한 자가 있거든 다만 녹봉(祿俸)만 빼앗으라."

유순 등이 두 번 범한 사람으로 (줄임) **강귀손**을 아뢰니, "녹 2등(等 반년치 봉급)을 주지 말라."고 전교하였다.

6월 21일

유헌·김양보 등의 죄를 의논하게 하니, (줄임) **강귀손** (줄임)이 의논 드렸다.

"유헌·김양보는 그 죄가 죽어 마땅합니다. 다만 내수사(內需司)의 장리(長利)의 일을 대간(臺諫)이 바야흐로 논계하는데, 헌이 경연에서 아뢰었으니, 비록 말은 마음대로 생각한 데에 걸리나 그 정상은 그리 몹시 방해되지 않습니다. 양보는 신진의 선비로 형명(形名)을 익히지 못하여 오직 얼른 가려내지 못함을 걱정하는 사이에 무례하기에 이르렀습니다."

7월 2일

내관(內官) 김자원, 영의정 유순, 좌찬성 **강귀손** (줄임)에게 명하여 정업원동(淨業院洞)에 가서 인가를 철거할 한계를 살펴 정하게 하였다. 순 등이 돌아와서 아뢰었다.

"사도시(司䆃寺) 뒷고개부터 신정(新亭)까지와, 신정부터 정업원까지는 모두 철거함이 어떠하겠습니까?"

"그리 하라."고 전교하였다.

7월 7일

수리도감 제조(修理都監提調)와 승정원에 하문하였다.

"내간(內間)에 고쳐 지을 곳이 많이 있으며, 승정원은 좁고 연영문(延英門)은 낮고 작으니 함께 고쳐 짓는 것이 어떤가? 선인문부터 숙장문까지도 어로(御路)를 만드는 것이 옳지 않은가?"

강귀손 등이 아뢰었다.

"상의 분부가 마땅하십니다. 다만 승정원의 터는 좁으나 옮길 만한 터가 없으니 고쳐 짓기 어려울 듯합니다."

"우선 연영문을 고쳐 짓고 어로를 만들라."하고 전교하였다.

7월 10일

영의정 유순, 좌찬성 **강귀손** (줄임)에게 명하여 성균관동(成均館洞) 안의 철거할 인가를 살펴보게 하고, 승정원에 전교하였다.

"예로부터 제왕으로서 때에 따라 도읍을 옮긴 이가 있어, 중조(中朝)는 처음에 남경(南京)에 도읍하였다가 뒤에 북으로 옮겼다. 우리 국초(國初)에는 경복궁을 세워 담 밖 백 척(尺) 안에 집을 짓지 못하게 하였고, 창덕궁은 처음에 이궁(離宮)이었으므로 좁아서 제도를 갖추지 못하였으나, 이제는 이어서 오래 거처하매 이미 정궐(正闕)이 되었지만, 성균관이 담장에 다가 가까우니, 국가의 체모가 온편치 못하다. (줄임) 이

제 원각사의 부처가 외람되어 향사(享祀)를 받은 지 오래되었으니, 원각사의 부처를 내쳐 버리고 공자(孔子)의 신위(神位)를 거기에 옮겨 모시고, 그런 뒤에 성균관을 철거함이 어떠한가? 젊은 유생들이 누가 감히 반궁(泮宮)의 철거를 시비하랴? 후세 사람으로서 비록 사도(邪道)가 있던 곳에 우리 정도(正道)를 들을 수 없는 것이라고 평의하는 자가 있을지라도, 사도를 내쳐버리고 정도를 끌어들임이니 무슨 안 될 것이 있으랴?"

승지 박열·권균·이계맹·강징·이충순이 아뢰었다.

"절과 반궁은 제도가 같지 않으니, 원각사를 철거하고 성균관의 옛 재목을 써서 옮겨 세워도 무방합니다. 더구나 중조의 사신이 오면 으레 다들 알성(謁聖)하니, 제도는 고치지 않을 수 없습니다."

전교하였다.

"그리하라. 아직 꾸미기 전에는 초가집을 가설하여 공자의 신위를 옮겨 모시는 것이 어떠한가? 이제 도감(都監)을 따로 설치하고 재상을 차출하여 제조(提調)를 삼고 성균관의 관원으로 낭청을 삼아서 제목을 날라다가 고쳐 지음이 마땅하리라."

(줄임) **강귀손** (줄임)이 아뢰었다.

"성균관을 원각사 터에 옮겨 지으면 그 신위는 우선 태평관(太平館)에 옮겨 모시소서."

7월 16일

왕이 장의동·소격동과 창의문 밖에 나가는데, 유순·**강귀손** (줄임) 등이 먼저 홍제원에 갔다. (줄임) 선전관 유과정이 군사를 거느리고 조지서동(造紙署洞)에서 사람을 찾다가 잘못하여 어전(御前)을 범하매, 명하여 잡아서 의금부에 내려 장 1백을 속(贖)하게 하였다.

8월 8일

사복시 제조(司僕寺提調) **강귀손**에게 전교하였다.

"사복시의 말은 마땅히 좋은 것으로 선택하여 많이 길러 국가의 사용에 대비하여야, 변경(邊警)이 있게 되면 방수(防戍)하는 무사들이 또한 타게 될 것이다. 말이 만약 좋지 못하면 전장에 합당하지 못할 뿐만 아니라 도리어 일을 낭패하게 될 것이다. (줄임) 좋은 말을 많이 선택하여, 시녀에게는 각 3필, 무수리에게는 각 2필을 딴 마굿간에 두고 기르며 항상 훈련을 시켜 사용에 대비하되, 경이 제조이니 잘 조처하도록 하라."

○춘추관 당상 (줄임) **강귀손** (줄임)이 아뢰었다.

"전일에 상고하라 명하신, '건항(乾項)의 어전(魚箭)을 내수사(內需司)로 옮김이 부당하다'고 논한 자는, 대사헌 성현 (줄임) 영의정 한치형, 좌의정 성준, 우의정 이극균입니다. (줄임) '내연(內宴)에 기생을 단장시켜 입시(入侍)함이 부당하다'고 논한 자는, 장령 이계맹, 정언 황맹헌입니다. (줄임)"

전교하였다.

"사관이 쓴 글은 직필(直筆)이라고 하였으나, 근래 일로 본다면, 자기가 좋아하는 것은 드러내고 미워하는 것은 폄하하여, 모두 자기의 사심에서 나온 것이니, 믿을 것이 못된다. (줄임) 지금 고찰하여 아뢴 일은, 죄 있는 자는 처벌하고 다시 묻지 않을 터이니, 경 등은 조율(照律)하여 아뢰라."

8월 19일

수리도감 제조 유순·**강귀손**이 아뢰었다.

"동서 양쪽 담장의 기초 쌓을 돌을 실어오려면 군사 3천 명을 써도 오히려 부족하니, 청컨대 담장쌓는 연호군(烟戶軍)으로 하여금 실어 들이도록 하고, 석공을 또한 외방에서 징집하도록 하소서."

8월 20일

사복시 제조 **강귀손**이 말의 수효를 아뢰니, 전교하였다.

"'나라 인군의 부(富)를 물으면 헤아려 대답한다' 하였으니, 항시 기르는 수효 외에 2백 필을 더 늘리도록 하라. 본래 잘 기르지 못하고서 '산판(山板)에 오르내리느라 노고하여 수척했다.'는 것은 너무도 불가한 일이다. 만약 잘 기른다면 비록 산판을 달린다 할지라도 무엇이 해롭겠는가?"

8월 23일

전교하였다.

"익명서의 옥사는 마땅히 폐기해야 하나, 풍속에 관계되는 일이므로 국문하지 않을 수 없다. 무릇 소민(小民)의 일을 말하는 것도 오히려 불가한데 하물며 대부와 재상의 일이겠는가? 대부와 재상의 일도 또한 말할 수 없는데 하물며 위에 속하는 일이겠는가? '백성이 하고자 하는 바는 하늘도 반드시 따른다.' 하였으니, 이로 본다면 죄인을 잡아 베임을 기필할 수 있는 일인데, 아직까지 잡지 못하였으니, 천도(天道)도 앎이 없다고 하겠다. 당나라 때에, 아비의 첩을 간음했다는 말이 있었으니, 이는 외부 사람의 말이 아니라, 반드시 사관이 직필한 것이리라.

지난번에 **강귀손**과 신수근의 허물을 지적하여 익명서를 투입한 자가 있었으니, 이는 반드시 요구대로 되지 못한 자의 소위일 것이다."

8월 24일

강귀손과 김감으로 타위 지응사(打圍支應使)를 삼았다.

8월 28일

유순·**강귀손**이 아뢰었다.

"영조(營造)하도록 명하신 곳 가운데 어느 곳을 먼저 하면 좋겠습니까? 차양각·환취정 및 명정전 계단 밑에 돌 까는 것과 수라간·인정전·문소전의 온돌, 모화관(慕華館)·열무정(閱武亭)·황부(黃阜) 열무정·망원정·연영문·선정전에서 숙장문까지 어로(御路)를 쌓고 은구(隱溝)를 내며, 승정원의 겨울과 여름 좌청(坐廳) 및 온방, (줄임) 창경궁·홍문관의 남쪽 행랑 4칸 대내 행각(大內行閣) 35칸, 월랑(月廊) 85칸 등입니다."

"먼저 인양전부터 하라."고 전교하였다.

9월 10일

강이온이 승명패(承命牌)를 범접한 죄를 논의하도록 명하였다. (줄임) **강귀손** (줄임)이 의논드렸다.

"범한 죄가 지극히 중하므로 마땅히 중한 벌에 처해야 합니다."

전교하였다.

"위를 능멸하는 풍습을 모두 고쳐버리려고 하는데, 아직도 이런 자가 있다. 살리기를 좋아하고 죽이기를 싫어함은 인군의 일인데, 내가 어찌 중한 벌 쓰기를 즐기겠는가. (줄임) 이에 중한 벌에 처하여, 여러 사람들로 하여금 두려워할 줄 알게 하고 윗사람을 능멸하는 풍습을 끊게 하는 것이다."

9월 18일

전교하였다.

"이자화의 행위는 너무나 괴상하므로 마땅히 중한 벌에 처해야 하고, 다시 다른 의논이 있을 수 없다. 다만 마땅히 여러 사람과 같이 버려야 할 터이니, 살펴서 의논하도록 하라."(줄임)

강귀손 (줄임)이 의논드렸다.

"선왕이 정한 법은 감히 어기지 못하는 것입니다. 자화는 임금의 상(喪)을 제도에 지나치게 하여 감히 괴상한 행위를 하였으니, 이는 진실로 죄가 되므로 마땅히 중한 벌에 처해야 합니다."

9월 26일

강귀손 (줄임)이 의논드렸다.

"심원의 죄가 중하므로 마땅히 중한 벌에 처해야 합니다."

전교하였다.

"죽이기를 좋아하는 것이 아니라, 죄가 있으면 반드시 엄중히 징계하여야 악한 자가 또한 모두 마음을 고치게 되는 것이니, 이른바 '한 사람을 징계하여 천만 사람을 두렵게 한다.'는 것이다."

11월 9일

춘추관 당상 (줄임) **강귀손** (줄임)이 시정기(時政記)를 상고하여 아뢰었다.

"지금 제시(製詩)의 뜻을 고계(考啓)한 것이 승전(承傳)한 뜻과는 약간 다른데, 다른 것은 아직 상고하지 못했으며, 또 능화지(綾花紙) 일은 재삼 고찰하였으나 얻지 못하였으므로 다시 고찰하여 아뢰겠습니다."

11월 29일

의금부에서 '심순문의 배소를 옮기라'고 아뢴 단자(單子)를 내리며 (임금이) 말하였다.

"의복 법제에 응당 검은 옷을 입어야 하는데 붉은 옷을 입거나, 응당 붉은 옷을 입어야 하는데 검은 옷을 입었다면 말하는 것이 옳지만, 장단(長短)과 광협(廣狹)에 있어서는 일일이 같을 수 없는 것이다. (줄임) 아무리 대간(臺諫)이라 할지라도 아랫사람의 옷이라면 말하는 것이 가하지만 군상(君上)의 옷을 광협을 지적하여서야 되겠는가. 이는 모두 위를 능멸하는 마음이 있어서 그렇게 한 것이다. (줄임)"

좌찬성 **강귀손** (줄임)이 의논드렸다.

"어의(御衣)를 언급한 죄는 불경에 해당하나, 다만 순문(順門)이 일찍이 중국에 들어가서 의복 제도를 보았는데, 마침 중국 사신이 오게 되므로 중국 제도와 같이 하고 싶었기 때문에 망령되이 아뢴 것입니다."

12월 21일

유순·**강귀손** (줄임)이 아뢰었다.

"도성 안 동서 금표에 성을 쌓는데 수군으로는 감당하지 못할 듯하니, 청컨대 민정(民丁)을 동원하게 하십시오. 그 국(局)의 명칭은 축성도감, 당상의 명칭은 제조, 당하의 명칭은 낭청으로 하며, 또 이계동이 전에 축성사(築城使)를 지냈으니, 청컨대 다시 임명하시고, 호조판서 및 판적사 낭청(版籍司郎廳)도 아울러 제조와 낭관으로 하는 것이 어떠하겠습니까?"

"그리하라."고 전교하였다.

1505년

2월 4일

충훈부 당상(忠勳府堂上) **강귀손** (줄임)이 아뢰었다.

"의정부·육조가 이미 진연(進宴)하였으니, 본부도 진연하기를 청합니다."

"봄이 한창일 때에 분부를 받아서 거행하라."고 전교하였다.

2월 8일

춘추관 당상 (줄임) **강귀손**·김수동에게 명하여, 시정기(時政記)를 상고하여 전 대간(臺諫)들이 논계한 일을 입계(入啓)하게 하였다.

입계한 첫째는, 경신년 10월 21일에 상(上)이 경회루에 임어(臨御)하여 시사(試射)할 때에 윤필상·한치형·성준이 '북풍이 매우 찬데 오래도록 추운 곳에 계시니 마음에 참으로 미안합니다.'라고 아뢴 일이다. (줄임)

둘째는 계해년(1503) 11월 20일에 「내한매(耐寒梅)」를 제목으로 하여 시를 짓도록 명하였으나, 대사헌 이자건, 집의 이계맹, 장령 이맥, 지평 유희저가 짓지 않은 일이다.

5월 17일

사복시 제조(司僕寺提調) **강귀손**·구수영이 아뢰었다.

"말이 살찌고 마르는 것을 월말에 살펴서 입계(入啓)하되, 한 달 안에

3필이 죽으면 관리를 파출(罷黜)하기로 이미 정해진 법이 있습니다. 지금 기르는 것이 1천 필이므로 죽는 것이 반드시 많아져서, 전례로써 치죄한다면 관원이 보전하지 못할 것이니, 그 법을 개정하소서."

"파직(罷職)하지는 말고 규례에 따라 결죄하라."고 전교하였다.

5월 29일

사복시 제조(司僕寺提調) **강귀손**·구수영이 아뢰었다.

"본시(本寺)는 신설한 관원과 옛 관원을 아울러 40이 되어 관원이 너무 많은데, 어떻게 처리하면 좋겠습니까?"

전교하였다.

"신설한 10원(員)을 제적하고, 내승(內乘) 10원을 가설(加設)하라."

6월 4일

좌찬성 **강귀손**을 우의정으로 삼아 등극사(登極使)로 충차(充差)하고, 전임(田霖)을 진위사(陳慰使)로 삼았다.

○우의정 **강귀손**이 사직을 청하니, 전교하였다.

"이제 바야흐로 풍속이 순정(淳正)하니, 간신(奸臣)만을 적발하고 충성으로 임금을 섬기면 다시 무슨 일이 있으랴? 사직하지 말라."

귀손은 전천(專擅)을 좋아하여 일찍이 이조판서로 있으면서 제직(除職)의 주의(注擬)를 아래에 묻지 않고 오로지 자기의 뜻대로 하였다. 늘 말하기를 '지난날 이승소가 전형(銓衡)을 맡았을 적에 우리 선군이 나에게 대관(臺官) 제수하기를 청하였으나, 이(李)는 내가 급제하지 못하였다 하여 좇지 않았다. 사람을 쓰는 데에는 능한가를 살펴야 할 것이니, 어찌 반드시 과목(科目)일까보냐?' 하였다. 이 때문에 명망이 없는 자제들을 많이 천거하여 대직(臺職)에 제수하니, 사람들이 속으로 웃었다. 귀손이 비록 문아(文雅)를 몰랐으나, 마음으로는 늘 이를 사모하므로, 그때 신종호·허침·조위 등이 의기와 문장으로 서로 친했는데, 귀손에게 교분을 터주어 때로 함께 놀았다. 또 정석견·권빈·권유가 모두 그와 젊을 때에 뜻을 같이한 벗이었는데, 가난한 시골 사람으로 서울에서 죽으니, 상여와 장사 지낼 자산이 없었다. 귀손이 그 상(喪)을 애써 도우므로, 사람들이 '남들이 하기 어려운 일'이라 하였다.

6월 5일

전교하였다.

"중국 사신이 만약 황제의 초상에 거행한 예절을 물으면 어떻게 답하랴? 운평(運平), 광희(廣熙)의 의복 제도가 이상한 것을 중국 사신이 물으면 어떻게 답하랴?"

(줄임) 우의정 **강귀손**·예조판서 김감이 아뢰었다.

"황제의 상에는 부음(訃音)을 들은 그날로 곡림(哭臨)하고 넷째 날에 성복(成服)하고 그로부터 사흘 지나서 석복(釋服)하는 것이 곧 《오례의(五禮儀)》의 주(註)이니, 그렇게 답하면 무방합니다. 운평·광희의 의복에 있어서는 '우리나라의 풍속에 입는 것이 그러하다'고 답하면 온편할 듯합니다."

6월 7일

전교하였다.

"관저(關雎)·규목(樛木)에 문왕(文王)의 후비(后妃)의 덕이 지극하거니와, 이제 중궁의 어진 덕이 옛일보다 나아서, 동궁에 있을 때부터 착한 의표(儀表)와 착한 덕이 진실로 가상하다. 사람은 처음에는 잘하나 끝까지 잘하는 이가 드물거늘, 한 나라의 국모로 임한 지가 지금 10여 년이 되었는데, 마음을 얌전하게 가져 시종이 한결같으니, 그 아름다움을 포양(襃揚)하여 풍속을 밝히는 근본으로 하지 않아서는 안 된다. (줄임) 이제 중궁의 덕행이 이같아서, 옥책(玉冊)을 가(加)하여야 하리니, 백관으로 하여금 전문(箋文)을 바쳐 하례를 올리게 하고, 대비전에 진연(進宴)하라. (줄임) 이제 나의 이 거조(擧措)가 비록 사사(私事)에 치우친 듯하지만, 내가 말하지 않으면 밖에서는 알 수가 없으므로, 이처럼 삼가 깨우칠 따름이다."

(줄임) 우의정 **강귀손**, 예조판서 김감이 아뢰었다.

"중궁의 덕을 조정에 있는 자는 진실로 마땅히 알겠으나, 먼 지방의 사람들이 어찌 잘 알 수 있겠습니까. 중외를 통하여 깨우치소서."

6월 8일

승정원에 전교하였다.

"중궁에게 옥책(玉冊)을 내리면 휘호(徽號)가 없어서는 안 되며, 자순왕대비(慈順王大妃)께도 존호를 올려야 옳다. (줄임) 존숭(尊崇)의 여러 가지 일을 정승·예관(禮官) 등을 불러 의계(議啓)하게 하라."

(줄임) 우의정 **강귀손** (줄임)이 아뢰었다.

"상의 분부가 윤당하십니다. 다만 신들의 생각으로는, 중궁의 어진 덕이 다 성덕(聖德)의 융성하신 데 말미암았고, 성상께서 간흉을 제거하시어 공이 종묘 사직을 빛내셨으니, 먼저 존호를 올리어 공덕을 포양하고, 그런 뒤에 중궁께 휘호를 내리고 대비께 휘호를 더하여 올리고 선왕·선후께 추숭하는 의전들을 차례로 거행함이 사체(事體)에 합당합니다. 추숭하는 의식에는 따로 새 옥책을 만드는 것이 마땅하며 고칠 것이 없습니다."

전교하였다.

"내가 덕이 없음을 생각하면 존호를 일컫기에 매우 부끄럽다. 그러나 이번에 간흉을 제거하여 조야(朝野)가 맑고 밝아졌으므로, 공이 종묘 사직을 빛냈다 하겠으니, 존호 또한 부득이하다. (줄임)

대비께서는 은혜가 친어머니와 같다. 내가 10살이 되기 전에 모후께서 폐위되셨으니 대비께서 기르신 은혜를 어찌 이루 갚으랴. 대비의 옥책을 이런 뜻으로 지으라."

6월 9일

영의정 유순, 우의정 **강귀손** (줄임)이 왕에게 헌천 홍도 경문 위무(憲天弘道經文緯武), 왕비에게 재인 원덕(齊仁元德), 대비에게 자순 화혜(慈順和惠)라 존호를 올릴 것을 의논드리니, "헌천 홍도(憲天弘道)의 칭호는 나에게 지나치다."고 전교하였다.

6월 12일

(줄임) 우의정 **강귀손** (줄임)을 불러들여 전교하였다.

"중궁의 옥책(玉册)은 내가 친히 주려는데, 어떠한가.?"

순 등이 아뢰었다.

"옛 규례대로, 중궁을 책봉할 때에는 사자(使者)가 명을 받아 옥책을 받들고 중궁전에 나아가면 나인이 받아들여가 궤안(几案)에 놓는데, 중궁이 뜰 안에서 사배(四拜)하고, 나인이 펴서 읽은 뒤에 사배하고 예가 끝났습니다. 이번에는 중궁께서 이미 곤위(坤位)에 임하셨으니 뜰 안에 자리를 마련하는 것은 온편치 못합니다. 또 전하께서 친히 주신다면 펴서 읽는 절차는 어찌하오리까?"

전교하였다.

"사자가 옥책을 받들고 중궁전에 나아가면 나인이 받아들여서 궤안에 놓고, 내가 전좌(殿坐)하고 나서 중궁이 사배를 하고, 내가 곧 내려앉으면 나인이 나에게 옥책을 바치고, 내가 받아서 중궁에게 주면 중궁이 받고서 사배하면 내가 펴서 읽고, 중궁이 사배하고서, 예를 끝내면 되리라. 옥책문(玉冊文)·보문(寶文)·교명문(敎命文)은 흥청(興淸) 중 영리한 자로 하여금 가르쳐 익혀서 읽히라. 또 내·외 명부(內外命婦)가 다 들어와서 보면 감화됨이 없을 리 없으리라."

6월 14일

우의정 **강귀손** (줄임)을 불러들여, 어서(御書)로 '아황(娥皇)·여영(女英)과 한 번에 아홉 여자에게 장가들다[一娶九女]에 관한 일'을 말하고, 이어 전교하였다.

"순(舜)은 큰 성인인데, 성인이면서 형제에게 장가드는 것이 무방한가? 한 번에 아홉 여자에게 장가들었으니 그 여자가 얼마인가?"

유순 등이 아뢰었다.

"요(堯)가 선위(禪位)하고자 두 딸로 하여금 섬기게 하여 그 내치(內治)를 살펴 보게 한 것이므로, 옛사람이 무방하다고 하였습니다. 한 번에 아홉 여자에게 장가들었다는 것은, 부인에게는 여동생·조카딸을 딸려 보내므로, 두 나라가 보낼 때에도 여동생·조카딸을 딸려 보냈으니, 이를 아홉 사람이라 한 것입니다."

7월 4일

전 사평(司評) 강학손(姜鶴孫)이 그 아들 영수를 시켜서 상소하여 장안(贓案)을 삭제하고자 하였는데, 왕이 승정원에 그 소(疏)를 내리면서 말하였다.

"내 어려서 그의 아비 강희맹의 집에서 자랐으므로 그 공이 작지 않아 옛 허물을 씻으려 하는데, 삼공을 불러서 의계(議啓)하게 하라."

영의정 유순이 아뢰었다.

"상의 분부가 윤당하십니다."

학손은 우의정 **강귀손**의 아우인데, 장오(贓汚)로 좌죄(坐罪)되어 금고(禁錮)되기 수십 년이더니, 휘순공주(徽順公主)에게 후히 뇌물을 쓴 덕분에 이러한 명이 있었다.

7월 8일

우의정 **강귀손**, 지중추부사 윤금손을 보내어 연경(燕京)에 가서 등극을 축하하게 하였다.

8월 17일

하등극사(賀登極史) **강귀손**이 평안도에 이르러 등에 종기가 나서 연경(燕京)에 갈 수 없으므로, 신수근을 우의정으로 삼아 보내게 하였다.

8월 25일 졸기(拙技)

우의정 **강귀손**이 졸하였다.

귀손의 자는 용휴이고 본관은 진주이며, 좌찬성 강희맹의 아들이다. 문음(門蔭)으로 군기시 주부(軍器寺主簿)에 제수되어, 여러 번 옮겨서 돈녕부 첨정(敦寧府僉正)에 이르렀다. 기해년(1479) 과거에 급제하여, 사재

감정(司宰監正)·통례원 좌통례(通禮院左通禮)를 지냈다. 장례원 판결사(掌隸院判決事)·홍문관 부제학·이조참의·승정원 동부승지로 옮겼으며, 여러 번 승직(陞職)하여 도승지에 이르렀다. 정사년(1497)에 외직으로 나가 경기 관찰사가 되었다가, 무오년(1498)에 병조참판으로 옮기고, 사헌부 대사헌으로 사옥(史獄)에 참국(參鞫)하여 형조판서로 초승(超陞)되고, 이조·병조의 판서, 의정부 좌찬성으로 옮겼다. 을축년(1505)에 우의정으로 승배(陞拜)되어 새 황제의 등극을 축하하러 연경(燕京)으로 가다가 도중에 등창이 나서 죽으니, 나이 56세이다. 숙헌(肅憲)이라 시호(諡號)하니, 마음을 바로 지켜 결단함이 숙(肅)이요, 널리 듣고 재능이 많음이 헌(憲)이다.

성품이 억세고 재간이 있어 직무에 임하면 엄밀했으며, 일에 따라 잘 처리하여 하는 일은 남의 마음을 시원하게 하였다. 친척과 친구를 후하게 대우하여 곤궁하거나 영달함에 따라 태도를 달리하지 않았다. 만년에 작은 정자를 지어 장륙(藏六)이라 편액(扁額)하고 뜻을 비추었다. 그러나 속마음은 음험하여 자기를 거스르는 사람이 있으면 겉으로는 잘 지냈지만 속으로는 감정을 품었으며, 또 기를 부려서 꺼리는 사람이 많았다. 일찍이 이조판서였을 때에 자주 회뢰(賄賂)하여 전주(銓注)가 공정하지 않았으므로, 종루(鍾樓) 기둥에 '완산(完山)의 원은 베짜는 종을 바치고, 진도(珍島)의 아전은 매[鷹] 다루는 하인을 바쳤다.'고 써붙인 사람이 있었는데, 사람들이 귀손을 가리키는 것으로 여겼다. 왕이 나날이 심하게 황패해지자 끝내 보전하지 못할 것을 알고, 폐립(廢立)하려고 신수근의 뜻을 알아볼 꾀를 썼으나, 뜻이 맞지 않아 모사(謀事)가 누설될까 근심하더니 결국 등창이 나서 죽었다.

•중종

1510년

9월 26일

시독관(侍讀官) 이빈이 아뢰었다.

"옛날에는 재상의 자제는 들어와 벼슬하는 자가 많지 않고 다 학궁(學宮)에 유학하여 그 학업을 닦다가, 나이가 많아지고 성취한 것이 없게 된 뒤에야 벼슬을 얻을 궁리를 하였습니다. 그런데 지금은 재상의 자제로 학궁에 있는 자를 볼 수 없고, 겨우 총각을 면하면 이미 벼슬을 구할 생각을 합니다. 선비의 풍습이 아름답지 않음이 이에 이르렀습니다. 옛날 **강귀손**이 이미 사판(仕版)에 올랐다가 곧 잠홀(簪笏)을 버리고 글을 읽으니, 그 아비 희맹이 기특하게 여겼습니다. 지금은 그러한 사람을 볼 수 없으나 일일이 금지할 수도 없으니, 만약 이 폐풍을 구제하고자 한다면, 이미 사판(仕版)에 오른 자는 과거에 응시하는 것을 허락하지 마소서. 그렇게 한 뒤라야 이 풍습을 개혁할 수 있겠습니다."

허경진

연세대학교 국문과를 졸업하고『허균 시 연구』로 문학박사학위를 받았다. 목원
대학교 국어교육과와 연세대 국문과 교수로 재직하였고, 지금은 연세대 연합신
학대학원 객원교수로 있다.
저서로는『허균평전』,『대전지역 누정문학연구』,『사대부 소대헌 호연재 부부의
한평생』,『중인』,『한국 고전문학에 나타난 기독교의 편린들』,『소남 윤동규』
등이 있으며, 역서로는『한국의 한시』총서 40여권 외에『삼국유사』,『연암 박지
원 소설집』,『서유견문』,『정일당 강지덕 시집』등이 있다.

진주강씨연구총서 3
숙헌공 강귀손

2021년 4월 16일 초판 1쇄 펴냄

저 자 허경진
발행인 김흥국
발행처 보고사

책임편집 이경민
표지디자인 손정자

등록 1990년 12월 13일 제6-0429호
주소 경기도 파주시 회동길 337-15 보고사 2층
전화 031-955-9797(대표), 02-922-5120~1(편집), 02-922-2246(영업)
팩스 02-922-6990
메일 kanapub3@naver.com / bogosabooks@naver.com
http://www.bogosabooks.co.kr

ISBN 979-11-6587-166-6 94910
     979-11-5516-957-5 94080 (세트)
ⓒ 허경진

정가 27,000원
사전 동의 없는 무단 전재 및 복제를 금합니다.
잘못 만들어진 책은 바꾸어 드립니다.